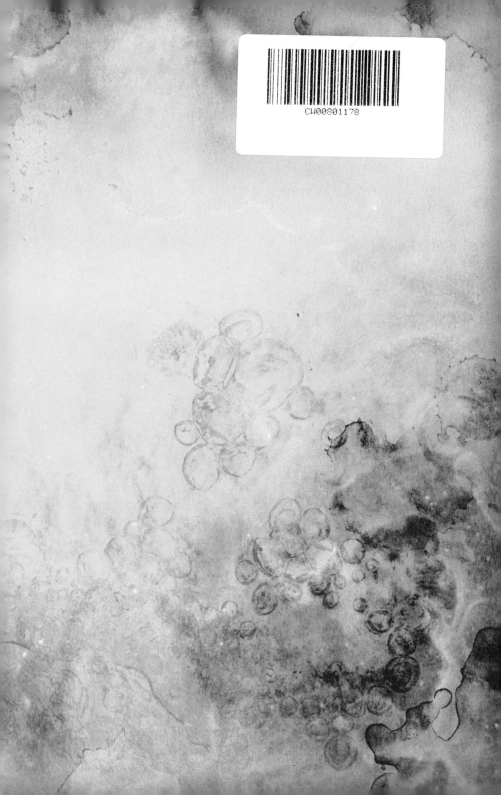

Die Bände der großen Meermädchen-Saga:

Alea Aquarius. Der Ruf des Wassers
Alea Aquarius. Die Farben des Meeres

Fortsetzung folgt!

Alle Bände der Serie sind ebenfalls als Hörbuch bei
Oetinger audio erschienen.

 Hol dir hier dein kostenfreies *Alea-Aquarius*-Fun-Foto!

Weitere Informationen zur Serie unter **www.alea-aquarius.de**

Bei **Tanya Stewner** und den Büchern war es keine Liebe auf den
ersten Blick. Nachdem ihre Grundschullehrerin gesagt hatte, Tanya
würde wahrscheinlich niemals richtig lesen und schreiben lernen,
entdeckte sie ihre Leidenschaft fürs Schreiben erst spät, mit zehn
Jahren. Doch ab diesem Zeitpunkt begannen die Geschichten nur
so zu fließen. Geboren 1974, studierte Tanya Stewner Literatur-
wissenschaften und arbeitete mehrere Jahre als Übersetzerin und
Lektorin. Inzwischen widmet sie sich ganz der Schriftstellerei. Ihre
Kinderbuchserien *Alea Aquarius* und *Liliane Susewind* und ihre
Hummelbi-Trilogie sind sowohl in Deutschland als auch interna-
tional große Erfolge.

TANYA STEWNER

Alea Aquarius

Die Farben des Meeres

Verlag Friedrich Oetinger · Hamburg

Für Chris und Sonja

© Verlag Friedrich Oetinger GmbH, Hamburg 2016
Alle Rechte vorbehalten
Umschlagillustration und Vignetten: Claudia Carls
Lektorat: Simone Hennig, Hamburg
Satz: Dörlemann Satz, Lemförde
Druck und Bindung: GGP Media GmbH, Pößneck
Printed 2016
ISBN 978-3-7891-4748-7
www.oetinger.de
www.alea-aquarius.de

Inhalt

Mit klopfendem Herzen begann sie, rückwärts zu schwimmen. Sie durfte keinesfalls entdeckt werden, aber im offenen Meer konnte sie sich nirgendwo verstecken!

Da drehte auch schon einer der Taucher den Kopf zu ihr herum. Er stutzte. Gleich darauf winkte er einem anderen zu, wies in ihre Richtung, und die beiden setzten sich in Bewegung.

Erschrocken schnappte sie nach Luft. Durch ihre Lungen zuckte ein lähmender Schmerz. Sie musste sofort weg von hier! Doch als sie mit dem Fuß schlug, stellte sie fest, dass ihre Beine sich ganz taub anfühlten. Sie konnte sie kaum noch spüren, geschweige denn davonschwimmen.

Panik ergriff sie. Die Taucher kamen immer näher!

Doch im nächsten Moment war jemand hinter ihr. Er war gekommen, um sie zu beschützen.

Regenbogenmeer

Alea blickte auf den wilden, wogenden Regenbogen, der sich rings um sie herum bis zum Horizont erstreckte. Vor ihr lag ein leuchtendes Wunder, voll von verschlungenen Farben und Formen, die ihr von Abenteuern, Stürmen und Geheimnissen erzählen wollten. Es war alles im Wasser gespeichert, Abertausende von Geschichten und Gefühlen, die sich hinter jedem Farbklecks und in jeder Form verbargen. Doch für die meisten Menschen war dies einfach bloß der graublaue Ärmelkanal. Nur Alea konnte die Farben des Meeres sehen. Denn sie war ein Meermädchen.

Zumindest nahm sie das an. All das, was in den vergangenen Wochen geschehen war, schien eindeutig in diese Richtung zu weisen. Sie war anders. Sie war magisch.

Sie war ... eine Tagträumerin! Alea biss sich auf die Unterlippe. Sie hatte viel zu lange auf das bunt funkelnde Meer gestarrt und die anderen Bandenmitglieder der Alpha Cru all die Arbeiten erledigen lassen, die auf einem Segelschiff wie der *Crucis* jeden Tag anfielen. Alea schaute sich nach ihrer Crew um.

Tess Taurus hängte gerade am Bug Wäsche auf eine

Leine. Die langen Dreadlocks fielen ihr ins Gesicht, und ihre schwarze Haut glänzte in der Sonne, während sie mit ihrer lässig-kratzigen Stimme ein Lied vor sich hin sang.

Benjamin Libra saß hinter dem großen Steuerrad im Deckshäuschen und lenkte das Schiff. Ben war der Älteste und wusste mehr über das Segeln als alle anderen. Deswegen war er auch der Skipper des Bootes, und alle hörten auf sein Kommando. Gerade hockte er auf einem alten Schemel und bediente das Steuerrad mit dem Fuß, während er Kartoffeln fürs Mittagessen aus einer Schüssel nahm. Zwischen seinen Zähnen blinkte ein Schneidemesser.

Als Alea sich gerade nach Samuel Draco, Bens kleinem Bruder, umsehen wollte, sprang er auch schon neben sie auf die Planken. Sammy war soeben am Mast hochgeklettert, um ein verheddertes Seil zu lösen, und landete nun leichtfüßig vor Aleas Füßen. »Ahoi!«, rief er grinsend und präsentierte dabei seine riesige Zahnlücke.

»Ahoi!«, erwiderte Alea.

»Backst du heute eigentlich Kekse?«, fragte Sammy sie. »Ich weiß schon gar nicht mehr, wie Kekse schmecken.«

Alea lachte. »Ich habe doch gestern erst welche gebacken! Wo sind die denn alle?«

Sammy grinste breit. »Hier drin«, schnurrte er und rieb sich genüsslich den Bauch. »Ich brauche Nachschub, sonst wird das nichts mit der Wampe. Du musst mein Projekt unterstützen!«

»Projekt Wampe?«, rief Tess vom Bug herüber. »So

dünn, wie du bist, wird das sowieso nichts«, kommentierte sie in gewohnt barschem Tonfall.

Sammy lächelte jedoch und strich sich die roten Haare aus dem Lausbubengesicht. »Hab ich dir schon mal gesagt, dass ich total verliebt in dich bin?«, rief er zu Tess hinüber.

Tess warf eine Wäscheklammer nach ihm und schimpfte auf Französisch. Sie sprach sehr gut Deutsch, aber wenn sie fluchte oder sich aufregte, tat sie das in ihrer Muttersprache.

»Und in dich bin ich auch verliebt, Schneewittchen«, sagte Sammy und zwinkerte Alea zu.

Alea grinste. Sammy nannte sie gern *Schneewittchen*, denn sie hatte lange schwarze Haare und blasse Haut. Ihre Haare hatte sie so lang wachsen lassen, damit sie die hässlichen Knubbel hinter ihren Ohren darunter verstecken konnte. Und ihre Haut war blass, weil sie die Sonne nicht so gut vertrug. Aber vielleicht hatte es auch etwas damit zu tun, dass ihre Haut einen grünlich silbernen Schimmer annahm, sobald Alea komplett im Meerwasser untertauchte und sich verwandelte …

»Na, dann backe ich am besten gleich mal neue Kekse«, sagte sie nun zu Sammy und wollte nach unten gehen.

Da rief Ben aus dem Deckshäuschen: »Es kommt Wind auf. Wir hissen die Segel!« Er schob die Kartoffeln beiseite und stand auf.

»Wunderbärchen!«, rief Sammy und klatschte tatkräftig in die Hände.

Tess legte die Wäsche weg. »Aye, aye, Käpten!«

»Vorsegel!«, wies Ben seine Crew an und gab ihnen durch die Scheibe Zeichen. Mittlerweile verstand Alea Bens Kommandos und Handzeichen genau und machte sich sofort mit Tess und Sammy an die Arbeit. Sie waren ein eingespieltes Team, und gemeinsam funktionierten sie wie ein Uhrwerk.

Ben kam zu ihnen, und mit vereinten Kräften zogen sie an dem Fallseil, bis sich das große Vorsegel der *Crucis* hoch über ihre Köpfe erhob. Gleich darauf hissten sie auch das Hauptsegel, und Alea schaute lächelnd zu, wie es sich majestätisch im Wind blähte. Sie liebte es, Mitglied der Alpha Cru zu sein. Sie liebte ihr Leben an Bord. Sie liebte das Meer. Und sie liebte ihre Freiheit. Sie waren unterwegs auf hoher See, auf ihrem eigenen Schiff – niemand konnte ihnen sagen, was sie tun oder lassen sollten.

»Hast du was herauslesen können?«, riss Ben Alea aus ihren Gedanken. »Aus den Farben des Meeres?«

»Ich bin mir nicht ganz sicher.« Alea seufzte. Nachdem sie vor zwei Wochen bei einem Sturm ins Meer gefallen war und unter Wasser Kiemen und Schwimmhäute bekommen hatte, war sie mit einem Mal in der Lage gewesen, das Farbspektakel der See zu sehen. Schnell war ihr klar geworden, dass die Farben und Formen nicht einfach nur schön waren, sondern dass sich darin Geschichten, Gefühle … ja, Informationen versteckten. Leider war Alea aber noch nicht besonders gut darin, aus den verwobenen Farbteppichen des Meeres einzelne Dinge herauszulesen.

»Dort hinten war ein türkisfarbenes … Knäuel im Wasser«, erklärte sie Ben nun. »Ich glaube, so was entsteht immer dann, wenn ein Schiff an einer Stelle entlangfährt, wo kurz vorher ein anderes vorbeigefahren ist.« Sie seufzte abermals. Das war wirklich keine Glanzleistung.

»Ist doch schon mal was«, lobte Ben und fuhr sich durch seine verwuschelte Rockstar-Frisur.

Alea lächelte schräg. »Nein, ich muss noch viel üben.« Sie hob die Schultern. »Ich geh jetzt mal Kekse backen. Sammy will unbedingt moppelig werden, und Freunde sollen sich doch gegenseitig bei ihren Träumen unterstützen.«

Ben lachte und ging ins Deckshäuschen zurück. Alea öffnete die Bordtür und stieg ein paar Treppenstufen hinab in den Salon. Im Bauch der *Crucis* war es urgemütlich. Hier gab es eine kleine Kochnische, ein Sesseleckchen mit einem alten Laptop und zwei breite Sofas. Auf einem der Sofas lagen eine Bettdecke und ein Kissen, denn hier schlief Lennox Scorpio, das fünfte Mitglied der Alpha Cru.

Lennox saß gerade auf der Bettcouch und flickte ein kaputtes Tau. »Hi«, sagte er und lächelte.

»Hi«, antwortete Alea und öffnete einen Schrank in der Kochnische, um eine Schüssel, Mehl und Zucker herauszuholen.

»Wenn der Wind weiterhin so schwach weht, brauchen

wir noch mindestens eine Woche bis Schottland«, sagte Lennox.

»Gerade eben ist Südostwind aufgekommen. Wir haben die Segel gesetzt.« Alea schaute kurz zu ihm. Lennox hatte sich auf dem Sofa aufgerichtet. Sein dunkles Haar fiel ihm tief in die Stirn, und seine azurblauen Augen erforschten Aleas Gesicht.

»Aha«, sagte er, lehnte sich zurück und warf einen Blick aus einem der Bullaugen. »Vielleicht finden wir am Loch Ness die Antworten, die wir suchen«, murmelte er und griff nach etwas. Es war die Schneekugel, die sie vor einer Woche im Bauch eines Wals gefunden hatten und in der ein Satz geschrieben stand, der die Alpha Cru sofort nach Schottland hatte aufbrechen lassen. Da bisher meistens Windstille geherrscht hatte, waren sie leider nicht so gut vorangekommen.

Die Worte in der Kugel waren wie eine verzauberte Nachricht aus einer anderen Welt:

Ihr, die ihr dies lesen könnt, kommt nach Loch Ness.

Nur Alea und Lennox hatten diese Botschaft lesen können. Für Tess, Ben und Sammy war sie unsichtbar.

»Womöglich finden wir heraus, was du bist«, fügte Lennox nach einer Pause hinzu. »Oder … was *wir* sind.«

»Mhm«, erwiderte Alea knapp und holte Butter und Eier aus dem Kühlschrank.

In diesem Moment kam Tess durch die Bordtür he-

rein. Verwundert sagte sie etwas, das wie »*Ke fet wu?*«
klang. Dann bemerkte sie, dass sie Französisch gesprochen hatte, und fragte: »Was macht ihr?« Sie blickte von
Lennox zu Alea. »Störe ich?«

»Nein!«, entgegnete Alea ein wenig zu heftig.

Lennox atmete geräuschvoll durch, legte die Kugel zur
Seite und widmete sich wieder dem kaputten Tau.

»Ich telefoniere jetzt mit meinen Eltern«, informierte
Tess sie, während sie in der Mädchenkajüte verschwand.

Alea knetete nun den Keksteig, formte kleine Anker
daraus und legte sie aufs Backblech. Das Schweigen zwischen ihr und Lennox war unangenehm und voller Fragen, aber sie machte unbeirrt weiter. Schließlich schob
sie das Backblech in den Ofen, stellte die Temperatur ein,
klappte die Ofentür zu und wusch sich die Hände.

»Alea …« Lennox stand plötzlich neben ihr. »Was ist
los?«

»Was? Nichts, ich –«

»Seit Tagen bist du so komisch und kurz angebun-
den.« Lennox versuchte, ihren Blick zu fangen, aber Alea
schaute eisern auf ihre Hände, während sie mit fahrigen
Bewegungen die Handschuhe über ihre schrumpeligen
Fingerknubbel zog.

»Bist du sauer auf mich?«, fragte Lennox.

»Nein.« Seine Nähe ließ ihr Herz schneller schlagen.
»Es ist nichts.«

Lennox zögerte, dann sagte er: »Ich dachte, wir sind …
Freunde. Aber offenbar habe ich mich da geirrt.«

»Ich …«, begann Alea, sprach aber nicht weiter.

Lennox wartete. Doch als Alea nichts mehr sagte, drehte er sich um und verließ den Salon.

Alea blieb mit dröhnendem Puls zurück. Ihr Herz tat regelrecht weh.

Sie ging zu ihrer Kajüte und horchte an der Tür. Es war alles still. Tess war wohl schon fertig mit ihrem Telefonat. Alea betrat den kleinen Raum und schloss die Tür hinter sich. Tess lag auf der oberen Matratze ihres gemeinsamen Stockbetts und spielte missmutig mit ihrem Handy herum. »Was ist?«, fragte Alea.

Tess zuckte die Achseln.

»Deine Eltern?«

»Ja.« Tess kniff die Lippen zusammen. »Ich habe meiner Mutter gerade erzählt, dass mein Vater und ich heute Morgen in unserem Lieblingscafé gefrühstückt hätten. Meine Mutter hat gefragt: *Euer Lieblingscafé? Ich dachte, das wäre den ganzen Sommer über geschlossen? Hast du doch letztes Mal erzählt!* So ein Shit …« Tess rieb sich kopfschüttelnd die Augen und murmelte irgendetwas auf Französisch. Dann sagte sie: »Ich konnte mich gerade noch mal rausreden. Aber so langsam ist mein … wie heißt das … mein Lügennetz so groß geworden, dass ich den Überblick verliere.«

Tess' Eltern wollten sich scheiden lassen und redeten nicht mehr miteinander. So konnte Tess ihrer Mutter erzählen, sie würde bei ihrem Vater leben – und ihrem Vater sagte sie, sie wäre bei ihrer Mutter. Dabei segelte sie mit einem Schiff über die Meere! Ebenso sehr wie Alea liebte Tess ihr Leben und die Freiheit auf der *Crucis* und wollte auf keinen Fall, dass ihr Geheimnis herauskam. Aber das Lügen wurde offenbar immer schwieriger.

»Oh Mann«, sagte Alea und versuchte, sich auf Tess' Problem zu konzentrieren, obwohl sie eigentlich hereingekommen war, um mit ihr über Lennox zu reden. »Die ganze Sache wächst dir langsam über den Kopf, oder?«

»Kann man so sagen.« Tess verzog den Mund. »Außerdem ist es einfach Mist, meine Eltern so anzulügen. Weißt du, sie sind eigentlich echt in Ordnung. Alle beide.«

Alea hätte Tess gern geholfen. Mittlerweile waren sie gute Freundinnen geworden, und das nicht nur, weil sie die einzigen beiden Mädchen an Bord waren und sich eine Kajüte teilten.

Tess legte den Kopf schief. »Und was ist mit dir? Du siehst ziemlich mitgenommen aus.«

Alea senkte den Kopf und spürte, dass ihr Herz noch immer qualvoll pochte. »Es ist wegen Lennox.«

Tess seufzte. »Was ist bloß mit euch?«, fragte sie und setzte sich im Bett auf. »Als er an Bord gekommen ist, warst du ständig in seiner Nähe! Du hast sogar gesagt, ihr würdet irgendwie zusammengehören. So als hättet ihr schon zusammengehört, bevor du ihn überhaupt gekannt hast. Das hast du gesagt!«

»Ja, das habe ich gesagt. Und daran hat sich auch nichts

geändert«, antwortete Alea. »Anscheinend sind Lennox und ich beide ... anders.«

»Allerdings sieht Lennox keine Farben im Meer. Und er bekommt im Wasser auch keine Kiemen und Schwimmhäute«, warf Tess ein.

»Das stimmt«, bestätigte Alea. Lennox hatte zwar die Schneekugelnachricht lesen können – aber die anderen Dinge, die Alea *magisch* machten, schien er nicht mit ihr zu teilen. Er besaß allerdings eine Fähigkeit, die nicht weniger magisch war als Aleas. Von dieser wussten Tess, Ben und Sammy jedoch noch nichts.

Tess fixierte sie. »Bist du in Lennox verliebt?«

»Nein!« Alea senkte den Blick. Dann fügte sie fast flüsternd hinzu: »Ich will nicht in ihn verliebt sein.«

Tess machte ein eigenartiges Geräusch, und Alea schaute auf. »Also bist du in ihn verliebt«, hielt Tess fest.

»Ich ...«, stammelte Alea und bemühte sich vergebens, ihre Stimme fest klingen zu lassen. »Unsere Herkunft verbindet uns! Meine leibliche Mutter hat meiner Pflegemutter gesagt, dass ich unter keinen Umständen mit kaltem Wasser in Kontakt kommen dürfte, weil es mir schlimmen Schaden zufügen könnte. In Wahrheit habe ich überhaupt kein Problem mit Wasser – aber das, was sie gesagt hat, trifft auf Lennox zu! Das ist doch merkwürdig!« Angespannt knibbelte sie an ihrem Ärmel herum. »Lennox und ich sind irgendwie miteinander verbunden. Wenn ich bei ihm bin, fühle ich mich *richtig*.« Alea blickte Tess Hilfe suchend an, doch die Miene ihrer

Freundin war undurchdringlich. »Das hat aber bestimmt nichts mit Verliebtsein zu tun, sondern mit unserer sonderbaren Verbindung«, schob Alea unsicher nach.

Tess schwieg.

»Lennox ist sicher auch nicht in mich verliebt«, sprach Alea hastig weiter. »Er hat nur diesen Instinkt. Er will mich beschützen, und er spürt, dass er auf mich aufpassen soll. Deswegen will er so oft bei mir sein. Aber er hat nie gesagt, dass er ... mich mag.« Sie musste tief Luft holen. »Ich will keine Last für ihn sein. Ich will nicht, dass er sich zu irgendwas verpflichtet fühlt. Er sucht oft meine Nähe. Aber ich glaube, das macht er nur, weil ... weil er muss. Weil er dieses Beschützerprogramm hat, das anspringt, sobald es um mich geht.«

Tess starrte ins Leere.

Alea nahm ihren Mut zusammen. »Oder glaubst du, er könnte vielleicht doch in mich ...«

Tess schien tief in Gedanken versunken zu sein. Aber schließlich blickte sie Alea wieder an. »Nein«, entgegnete sie. »Ich habe eigentlich nicht den Eindruck, dass er in dich verliebt ist.«

Aleas Brustkorb zog sich zusammen.

»Ich glaube auch, dass er sich vor allem für dich interessiert, weil ihr irgendwas gemeinsam habt«, fügte Tess hinzu.

»Ja, und mehr ist da nicht«, sagte Alea erstickt. Als sie ihren fragenden Tonfall am Ende dieses Satzes bemerkte, schüttelte sie den Kopf. »Nein, mehr ist da auf keinen

Fall«, wiederholte sie mit so viel Überzeugung, wie sie aufbringen konnte.

Tess glitt vom Bett, stand einen Augenblick lang unschlüssig vor ihr und nahm Alea dann in den Arm. Obwohl sie absolut kein Knuddeltyp war, hielt sie Alea lange fest. Alea legte den Kopf auf ihre Schulter und bemühte sich, nicht zu weinen. Sie hatte ja bereits geahnt, dass Lennox nur an ihr als guter Freundin und Verbündete interessiert war. Sie konnte ihm dabei helfen, seinen eigenen Wurzeln auf die Spur zu kommen – mehr nicht.

Als Tess und Alea sich voneinander lösten, wischte Alea sich eine Träne aus dem Augenwinkel und verwünschte das heftige Klopfen ihres Herzens.

Unterwasserwelt

Eine Zeit lang stand Alea am Bug der *Crucis* und starrte aufs Wasser, doch dieses Mal versuchte sie nicht, Botschaften aus den Meeresfarben herauszulesen. Dieses Mal hatte sie genug mit sich selbst zu tun.

Tess saß ein Stück entfernt auf einer Kiste und nähte. Anscheinend flickte sie ein Loch in einem von Sammys T-Shirts. Zwischendurch schaute sie immer wieder in Aleas Richtung.

Lennox spielte in der Sitzecke am Heck traurige Lieder auf seiner Gitarre, die zu Alea herüberwehten und sie fast wieder zum Weinen brachten.

»Was ist das denn für eine miese Stimmung hier?«, fragte Sammy, der neben Alea auftauchte. »Habt ihr euch gezofft?«

»Nein«, entgegnete Alea. »Eigentlich nicht.«

Sammy schob sich einen frisch gebackenen Keks in den Mund. »Also, so geht das nicht!«, schmatzte er. »In der Bandenverordnung steht, dass man nie länger als ganz kurz schlechte Laune haben darf.«

»Was für eine Bandenverordnung?«

Sammy schob die Frage mit einem Grinsen zur Seite. »Wir müssen jetzt sofort was Tolles machen, das alle aufheitert ...« Er kratzte sich am Kinn. »Ich hab's!«

»Jetzt bin ich aber mal gespannt«, sagte Alea. Es war gar keine schlechte Idee, auf andere Gedanken gebracht zu werden.

»Wir tauchen zusammen!«, rief Sammy.

Alea sah ihn überrascht an. Bisher war sie immer allein im Wasser gewesen, da sie die Meereswelt erst einmal für sich selbst hatte erkunden wollen. Bei ihren letzten Ausflügen hatte sie sich allerdings öfter und öfter gewünscht, ihre Erlebnisse mit jemandem teilen zu können.

Sammy blickte sie erwartungsvoll an. »Ich will dich schon seit Tagen fragen, ob ich mal mitkommen darf, aber Ben hat es mir verboten. Er fand, wir sollten darauf warten, dass du es von selbst vorschlägst. Aber jetzt ist es von immenser Wichtigkeit für die Laune der gesamten Crew, dass wir das machen!«

Alea lachte. »Okay.«

»Yes!« Sammy streckte die geballte Faust in die Höhe. »Endlich!«

»Tess?«, rief Alea und winkte ihr zu.

Tess kam herüber. »Was ist los?«

»Ein Abenteuer wartet auf uns«, verkündete Sammy mit großer Stimme. »Wir erkunden zusammen die verborgenen Geheimnisse der Tiefsee!«

»Aha.« Tess schien mit den Gedanken ganz woanders zu sein. »Schön.«

Alea grinste Tess aufmunternd an. »Ich zeig dir meinen Unterwassersalto.«

Damit rang sie ihr ein Lächeln ab. »Ich würde dich schon gern mal unter Wasser begleiten«, gab Tess zu. »Aber im Vergleich zu dir und den anderen bin ich bestimmt eine … wie heißt das … lahme Ente.«

»Ich mag Enten!«, rief Alea.

Das erweichte Tess. »*Bon.*« Sie packte das Nähzeug weg. »Ehrlich gesagt, bin ich ziemlich neugierig. Vor allem auf die magischen Sachen.«

»Ich auch!«, stimmte Sammy zu.

»Oh. Mir ist schon seit Tagen nichts Magisches mehr im Wasser begegnet«, sagte Alea. Als sie Sammys enttäuschtes Gesicht sah, fügte sie hinzu: »Aber vielleicht haben wir ja heute Glück.«

»Klar haben wir Glück!« Sammy nickte, als wollte er sich selbst beipflichten. »Wir sind Glückspiraten!«

»Wir sind komische Vögel«, verbesserte Tess.

Automatisch riefen Sammy und Alea: »Und zwar gerne!«

Ben trat zu ihnen. »Was ist hier los?«

Sammy sprang auf eine Kiste und breitete die Arme aus. »Die Alpha Cru macht sich auf, ein grandioses Abenteuer zu erleben!«, gab er bekannt. »Welche unglaublichen Ereignisse warten wohl in den Tiefen des Meeres auf sie? Welche magischen Kreaturen werden den Mut und die Entschlossenheit der unerschrockenen, weltberühmten Bandenmitglieder auf die Probe stellen?«

Alea klinkte sich ein: »Erleben Sie eine weitere Folge der *Glorreichen Glückspiraten*!«

Ben, Sammy und Alea prusteten los, und Tess lächelte schief. Als sie sich wieder einigermaßen beruhigt hatten, fragte Ben: »Also im Ernst? Wir gehen alle zusammen schwimmen?«

»Falls wir genügend Tauchgeräte haben …«, sagte Alea.

Ben zählte auf. »Wir haben drei. Eins von Sammy, eins von mir und eins von Onkel Oskar.« Onkel Oskar hatte bis vor einem halben Jahr mit seinen beiden Neffen auf der *Crucis* gelebt. Seit Ben volljährig war, waren die Jungs jedoch allein unterwegs, und ihr Onkel schrieb irgendwo in einem tibetischen Kloster ein Buch. »Drei Geräte reichen«, fuhr Ben fort. »Du brauchst keins, Alea, und Lennox kann ja sowieso nicht mitkommen.«

»Weil er nicht schwimmen kann«, murmelte Alea.

»Selbst wenn er schwimmen könnte«, wandte Ben ein, »würde er wegen seiner Kaltwasserallergie tierische Schmerzen bekommen. Der Rotfarn ist doch aufgebraucht, oder?«

Alea nickte. Rotfarn war ein Kraut, das sie am Meeresboden entdeckt hatte. Es half gegen die fürchterlichen Schmerzen, die Lennox von kaltem Wasser bekam, egal, ob er es trank oder darin schwamm. Das Kraut wirkte sogar vorbeugend, aber wie lange er sich nach einer Tasse Rotfarntee im Meerwasser aufhalten konnte, hatten sie noch nicht ausprobiert. Denn Alea hatte in den vergangenen Tagen auf ihren Ausflügen keine Rotfarnfelder mehr entdeckt. »Es ist nichts mehr da. Lennox kann so oder so nicht mit«, sagte sie nun. »Wart ihr schon mal im Ärmelkanal tauchen?«

»Ja, schon«, erwiderte Ben. »Ist aber, ehrlich gesagt, nicht gerade eines meiner liebsten Tauchgebiete.«

Alea wusste, was er meinte. »Ja, das Meer ist hier echt dreckig.«

»Extrem verschmutzt, ja. Aber egal«, sagte Ben. »Wir tauchen mit einer Meerjungfrau!«

Alea lächelte. »Also los, zieht euch um!«

Zwanzig Minuten später waren sie beinahe startklar. Die Segel hatten sie mittlerweile wieder eingeholt, denn der Südostwind war so schnell abgeflaut, wie er aufgekommen war. Alea fühlte sich richtig kribbelig. Gleich würde sie die anderen zum ersten Mal in ihre Welt mitnehmen! Ben, Sammy und Tess hatten schwarze Neoprenanzüge und Taucherflossen an und trugen Tauchmasken. Tess war noch nicht oft getaucht und hatte eine verschlossene Miene – ihr Pokerface – aufgesetzt, wie immer, wenn sie unsicher war.

Während Ben Anweisungen gab und die letzten Vorbereitungen traf, wanderte Aleas Blick zum Deckshäuschen. Lennox stand hinter dem Ruder und starrte gedankenversunken in die Ferne. Er wirkte traurig, fast verloren.

»Danke, dass du die Stellung hältst, solange wir im Wasser sind, Scorpio!«, rief Ben Lennox zu.

Lennox nickte wortlos.

Dann ging es los. Tess, Ben und Sammy ließen sich

in ihrer Montur rückwärts ins Wasser fallen, und Alea sprang mit einem flinken Kopfsprung in ihrer Jeans und ihrem T-Shirt hinterher.

Sobald das kühle Meerwasser ihren Körper vollständig umschlungen hatte, überkam sie ein prickelndes Gefühl und sie fühlte sich wie elektrisiert. Dann verwandelte sie sich: Aus den hässlichen Hautknubbeln zwischen ihren Fingern und Zehen wuchsen binnen Sekunden starke, sehnige Schwimmhäute. Die Knubbel hinter den Ohren wurden zu Kiemen, mit denen sie unter Wasser atmen konnte. Gleichzeitig nahm ihre Haut einen silbrig grünen Schimmer an, und ihre Augen stellten auf »Katzenmodus« – dadurch konnte Alea auch in den dunkelsten Tiefen des Meeres wie am helllichten Tag sehen.

Ben, Sammy und Tess starrten Alea durch ihre Masken gebannt an. Sie hatten noch nie miterlebt, wie sie zum Meermädchen wurde, und in ihren Gesichtern spiegelte sich Verblüffung und Faszination.

»Kommt mit!«, rief Alea mit ihrer Unterwasserstimme, die ein wenig gedämpft klang und doch gut zu hören war. Mit einem kraftvollen Fußkick stieß sie sich ab und schwamm voraus. Die anderen drei folgten ihr. Ben und Sammy lebten schon seit vielen Jahren auf See und waren hervorragende Schwimmer. Tess tat sich hingegen ein wenig schwer und blieb zurück.

Als Alea sich nach ihr umwandte, sah sie, dass dunkle Farben um Tess herumwaberten – übergroße braunschwarzrote Tropfen. Alea kannte dieses Farbgebilde bereits. Sie hatte es schon einmal in Tess' Wasserflasche gesehen, nach einem Telefonat, das Tess mit ihrer Mutter geführt hatte. Es bedeutete, dass Tess gelogen hatte. Auch die dicken beigefarbenen Wölkchen, die sich rund um Tess mit den dunklen Farbblasen vermischten, kannte Alea. Tess hatte ein schlechtes Gewissen – was kein Wunder war, denn sie hatte ja selbst gesagt, sie fühlte sich wegen der Lügerei schlimmer denn je.

Alea schwamm zu Tess und griff ihr unter die Arme. Sie hatte eine Idee, wie sie ihre Freundin aufheitern könnte. »Wie wäre es mit ein bisschen Action?«, fragte sie, schoss wie eine Rakete los und zog Tess hinter sich her.

Tess schien zuerst ein wenig erschrocken, aber das änderte sich rasch, und ihre Augen blitzten auf. Alea lachte und schwamm schneller. Vor Kurzem war sie selbst von einem Wal auf diese Weise durchs Wasser gezogen worden. Deshalb wusste sie, wie viel Spaß das machte. Goldgelbe Bläschen stoben auf einmal wie Konfetti um Tess herum, und Alea wusste sofort, dass es ihr gut ging.

Alea beschrieb eine große Kurve und kam mit Tess zu Ben und Sammy zurück. Sammy sah sie gespannt an. Alea griff ihm nun ebenfalls unter die Arme und schwamm los. In einem Mordstempo preschten sie davon, und Sammy hätte gewiss vor Freude gequietscht, wenn er nicht das Mundstück getragen hätte. Aber auch um ihn wirbelten goldgelbe Bläschen herum, daher wusste Alea, dass er einen Riesenspaß hatte.

Schließlich zog sie auch Ben durchs Wasser. Das Strahlen in seinen Augen ließ nun auch um Alea selbst immer mehr Bläschen entstehen, die wie Bens in hellem Goldgelb glitzerten.

Alea lachte. Was konnte sie den anderen als Nächstes zeigen? Es gab unter Wasser so viel zu entdecken! Da machte Sammy eine seltsame Bewegung mit beiden Händen. Es sah aus, als wollte er eine Sonne aufgehen lassen. Ben schien zu verstehen, was Sammy meinte. Er gestikulierte ebenfalls herum und schwang einen unsichtbaren Taktstock.

Alea schaute ihnen grübelnd zu. Dann verstand sie. Ben schwang gar keinen Taktstock, sondern einen Zauberstab! Sie wollten etwas Magisches sehen! Das war hier im Ärmelkanal aber wirklich schwierig. Alea hatte in den vergangenen Tagen mehrere Sandbänke abgesucht – in der Hoffnung, dort auf Kobolde zu stoßen. Aber leider war sie keinem Kobold mehr begegnet, seit eine ganze Horde von den kleinen knallfarbigen Kreaturen ihnen vor einer Woche geholfen hatte, die Schiffsschraube der *Crucis* von Plastikmüll zu befreien.

Vielleicht konnte sie versuchen, ein ganz besonderes Wesen zu rufen, das ihr bei der Suche nach Kobolden helfen würde. Durch die Kiemen holte Alea tief Luft. »Finde-Finja! Ich brauche dich!« Sie hatte inzwischen gelernt, dass sich der Schall einer Stimme unter Wasser sehr viel schneller verbreitete als in der Luft und dass selbst weit entfernte Wesen ihren Ruf noch hören konnten. Allerdings hatte sie schon in den letzten Tagen immer wieder nach einer Finde-Finja gerufen, und keine war erschienen.

»Ich bin gekommen«, klingelte auf einmal eine säuselnde Stimme hinter ihr. Tess' Augen weiteten sich, und Alea fuhr herum. Hinter ihr schwamm tatsächlich eine bildschöne cremeblaue Finde-Finja. Finjas sahen aus wie eine Mischung aus Korallen und kleinen Bäumchen, und sie hatten Tausende von Augen auf den unzähligen Zweigen, die wie die Arme eines Kraken durchs Wasser wedelten.

Ben betrachtete die Finja mit fasziniertem Blick, und Sammy zappelte vor Begeisterung.

Alea wandte sich an das Korallenkrakenbäumchen. »Ich suche Kobolde«, sagte sie. »Ich muss sie fragen, was sie über Meermenschen wissen.« Die Finjas selbst beantworteten leider keine Fragen. Aber Kobolde schienen sich bestens in der magischen Meerwelt auszukennen und auch gern zu plaudern. Beim letzten Aufeinandertreffen mit ihnen hatte Alea allerdings keine Möglichkeit gehabt, etwas über ihre eigene Herkunft herauszufinden – das wollte sie nun unbedingt nachholen. Sie wusste im Grunde rein gar nichts über Meermenschen, außer, dass es sie gegeben hatte. Doch warum waren sie verschwunden? Was war geschehen? Ihr Kopf war voller Fragen, auf die sie so schnell wie möglich Antworten bekommen wollte – am liebsten nicht erst am Loch Ness. Gespannt blickte Alea das Korallenkrakenbäumchen an.

»In meinem Gebiet leben außer mir keine Magischen«, klingelte die Finja.

Alea nickte enttäuscht. Tess blickte sie fragend an, und Alea wurde bewusst, dass sie mit der Finja in Wassersprache gesprochen hatte wie früher schon mit den Kobolden. Wassersprache war für Tess und die anderen unverständlich. Wieso Alea diese Sprache so problemlos sprechen konnte, wusste sie selbst nicht. Sie kam einfach so aus ihr heraus, sobald sie auf magische Wesen traf.

»Was für Magische gibt es denn außer Kobolden und Finjas?«, fragte Alea die Finja, obwohl sie sich ziemlich sicher war, dass sie keine Antwort bekommen würde.

Ihre Vermutung bestätigte sich prompt. »Stell mir keine Fragen«, entgegnete die Finja und brachte es fertig, gleichzeitig säuselnd und sauer zu klingen. »Ich bin eine Finde-Finja. Ich finde.«

»Natürlich, entschuldige«, murmelte Alea. Einen Versuch war es trotzdem wert gewesen. Die Finja würde jeden Moment das Gespräch beenden, deshalb konzentrierte Alea sich schnell auf eine andere wichtige Sache. »Finde bitte Rotfarn für mich.«

Die Finja schwieg und wedelte mit ihren Ärmchen durchs Wasser. Alea wusste: Falls es in diesem Gebiet Rotfarn gab, war das der Moment, in dem die Finja den schnellsten Weg zum Ziel ausfindig machte. Danach würde sie wie der Blitz lossausen.

Alea bedeutete Tess, Ben und Sammy, dass sie sich an ihr festhalten sollten. Ben und Sammy griffen nach ihren Armen, Tess nach dem Bund ihrer Jeans.

»Folge mir«, klingelte die Finja da auch schon. Sie zog

ihre Arme über sich zusammen und begann, sie zu drehen wie das Rotorblatt eines Hubschraubers. Gleich darauf setzte sie sich in Bewegung und brauste los.

»Festhalten!«, rief Alea und folgte der Finja. Es war zwar gar nicht leicht, drei Leute mitzuziehen, von denen zwei ihre Arme festhielten, aber da es bei Aleas Art, zu schwimmen, vor allem auf die Beine und Füße ankam, schaffte sie es.

Tiefer und tiefer drangen sie vor. Ein paarmal mussten sie schrankgroßen Ölklumpen ausweichen, die im Wasser herumtrieben, aber Alea kannte diese Klumpen inzwischen gut und konnte leicht darum herumschwimmen. Schließlich erreichten sie den Meeresboden. Da sah sie auch schon den Rotfarn! Ein weitläufiges Feld der roten Sträucher erstreckte sich über mehrere Täler.

»Ich habe gefunden, was du gesucht hast«, klingelte die Finja und brachte sie zum Rand des Rotfarnfeldes. »Ich finde.«

»Ja, super. Danke!«, rief Alea, aber da hatte sich die Finja schon abgewandt und düste davon.

Ben, Sammy und Tess ließen Alea los. Ben war sofort bei den Pflanzen und begutachtete sie, während Sammy noch der Finja hinterherstarrte. Um Tess herum hatte sich jedoch ein orangefarbener Strudel gebildet. Alea wusste, was das bedeutete: Tess hatte Angst.

Schnell schwamm Alea zu ihr. »Wir sind zwar am Meeresgrund, aber ich kann dich jederzeit wieder hochbringen«, versicherte sie. »Gar kein Problem.«

Das schien Tess ein klein wenig zu beruhigen. Sie nickte, und die orangefarbenen Wasserwirbel wurden blasser.

Alea nahm ihre Hand. »Komm, wir reißen ein paar Büschel Rotfarn für Lennox ab.«

Tess ließ sich ziehen. Sie schwammen ein Stück am Rand des Feldes entlang, und Ben und Sammy gesellten sich zu ihnen.

Der Meeresboden neben dem Beet sah traurig aus. Größtenteils bestand er aus dickem Schlick, in dem jede Menge Müll steckte – alte Flaschen, Tüten, Rasierer, Zahnbürsten, Besteck und andere halb zerfressene Dinge des täglichen Menschenlebens.

Während sie nun zu viert über den Rand der Felder schwammen, fragte Alea sich abermals, wer diese riesigen Beete wohl angepflanzt hatte. Waren es Meermenschen gewesen? Kobolde? Oder andere magische Wesen, die Alea noch gar nicht kannte? Wer auch immer es gewesen war – er hatte aus irgendeinem Grund sehr viel Rotfarn gebraucht. Denn andere Beete waren Alea bisher auf all ihren Erkundungstouren nicht begegnet.

Auf einmal bewegte sich etwas ruckartig neben dem Beet.

Alea zuckte zusammen.

Da war etwas im Schlick!

Tess wies erschrocken auf dieselbe Stelle, doch Sammy zeigte auf eine andere. Dort bewegte sich ebenfalls etwas!

Entsetzt stellte Alea fest, dass es sich überall um sie herum im Meeresboden regte!

Konnten es Kobolde sein? Nein. Kobolde liebten seichte Sandbänke und nicht die tiefsten Tiefen.

Das hier war etwas anderes. Der Meeresboden ruckte und zuckte, als verbärge sich dort eine ganze Armee.

Aleas Herz begann, wie verrückt zu schlagen.

Und dann erhoben sie sich.

Wächter

Alea stockte der Atem. Aus dem Schlick des Meeresbodens erhoben sich Hunderte von Fischen – dicke Fische mit breiten Mäulern und spitzen Stacheln. Wie wabernde Blasen schwebten sie langsam vom Boden in die Höhe.

Ben wurde kreidebleich. Aufgeregt machte er warnende Zeichen mit der Hand. Alea verstand: Diese Fische waren gefährlich! Ben kannte sie offenbar. Er schien sagen zu wollen, dass sie giftig waren!

Sammy hatte die Augen weit aufgerissen und wich immer weiter zurück. Ein orangefarbener Strudel wirbelte um ihn herum, ebenso wie um Ben und Tess.

Der Anblick der unzähligen aufsteigenden Fische war aber auch wirklich unheimlich. Irrte Alea sich, oder änderten sie sogar ihre Farbe? Ja, sie passten sich dem jeweiligen Hintergrund an! Gerade war ein Fisch noch matschfarben wie der Meeresboden, im nächsten Augenblick war er schon so grün wie die Plastikflasche, an der er vorüberschwebte. Waren das … Chamäleon-Fische?

Alea bemerkte, dass auch um sie selbst ein orangefarbener Strudel kreiste. Die Fische schienen sie allesamt direkt anzusehen. Oder bildete sie sich das nur ein? Sie schärfte mit wild klopfendem Herzen den Blick. Ja, die Fische schauten alle zu ihr!

Doch was war das? Um ihre Körper herum schimmerten zarte rosafarbene Ringel im Wasser. Alea wusste von vergangenen Ausflügen, was das bedeutete. »Sie sind harmlos!«, hörte sie sich selbst rufen. »Sie werden uns nichts tun!«

Sammys Blick irrte unsicher von Ben zu Alea. Ben schüttelte den Kopf.

Aber Alea war sich ganz sicher. »Sie –«, begann sie, brach jedoch ab. Denn plötzlich nahm sie noch etwas anderes um die Fische herum wahr: Von ihren kompakten Körpern leuchteten auf einmal weiße Strahlen in alle Richtungen.

Alea dachte angestrengt nach. Eine solche Farbform war ihr noch nie begegnet. Im nächsten Augenblick bildete sich mit aller Klarheit ein Gedanke in ihrem Kopf: *Offenbaren.* Verwirrt zog sie die Brauen zusammen. Was sollte das heißen?

Da veränderte sich etwas. Alea konnte nicht genau sagen, was es war, doch irgendetwas … verschob sich. Es war, als zöge jemand einen Schleier fort, der ohne ihr Wissen vor ihren Augen gehangen hatte.

Und was sie dann sah, ließ ihr die Glieder erstarren.

Hier, direkt neben dem Rotfarnbeet, lag eine Ruine!

Alea konnte es kaum glauben, aber vor ihr stand ein

altes, halb verfallenes Gebäude. Die Fische mussten es getarnt haben. Und nun hatten sie es ihr offenbart!

Mit offenem Mund drehte sie sich zu den anderen um. Konnten sie die Ruine auch sehen? Nein! Tess, Sammy und Ben stierten noch immer auf die Fische, aber zu der Ruine blickte keiner von ihnen.

»Bitte, zeigt sie den anderen auch!«, bat Alea die Fische. »Sie sind meine Freunde.«

Sammy legte verwirrt den Kopf schief, als wollte er fragen: *Was sollen sie uns zeigen?*

Gleich darauf zuckte er zusammen. Durch Ben und Tess ging ebenfalls ein Ruck. Mit großen Augen starrten sie nun auf die Ruine.

»Danke!«, rief Alea den Fischen zu.

Diese bauten sich wie Wächter um die Ruine herum auf. Ein rosa-grüner Kranz umgab sie.

Alea verstand diesmal sofort. »Wir dürfen hineingehen!«, rief sie und winkte den anderen.

Ben und Sammy tauschten verblüffte Blicke. Tess wirkte eingeschüchtert, aber da war auch ein neugieriges Funkeln in ihrem Blick.

Ben zeigte den Daumen nach oben.

Tess schien mit sich zu ringen, dann nickte sie.

Sammy wedelte aufgeregt mit den Händen herum.

Alea schwamm voran, und die anderen waren gleich hinter ihr. Sie tauchten durch einen runden Eingangsbogen und kamen in eine Art Küche. Aufgeregt sah Alea sich um. Das hier war ein Wohnhaus! An der Wand waren verschiedene Messer und eigenartige Werkzeuge befestigt, daneben mehrere Schüsseln und Gefäße. Etwas weiter waren große Körbe angebracht, die rundherum verschlossen waren – bestimmt, damit im Wasser nichts von ihrem Inhalt verloren gehen konnte. Auf der anderen Seite des Raums befanden sich ein paar Schränke. Alea schwamm hinüber und öffnete einen. Aus dem Inneren quoll ihr Rotfarn entgegen. »Das sind Vorratsschränke«, murmelte sie.

Sammy öffnete einen weiteren Schrank, in dem sich einige Knollen befanden, die an Zwiebeln erinnerten.

Alea schwamm in den angrenzenden Raum. Hier waren an der Decke mehrere netzartige Hüllen angebracht. Sie sahen gemütlich aus. Waren das Betten?

Tess schloss zu Alea auf. Sie wirkte zittrig, und Alea sah sie fragend an. Tess nickte tapfer. Ihre Farben signalisierten ein Gemisch aus Angst und Mut, und Alea bewunderte sie dafür, dass sie trotz allem mit hereingekommen war.

Alea selbst spürte keinerlei Furcht mehr. Im Gegenteil. Sie fühlte sich wohl in diesem Wasserhaus, und sie ertappte sich bei dem Gedanken, wie es wäre, hier auf dem Meeresgrund zu wohnen. Gleichzeitig war da jedoch auch der Wunsch in ihr, lieber unterwegs zu sein, als immer am selben Ort zu bleiben.

Fasziniert schwamm sie weiter. Tess folgte ihr. Im nächsten Raum befanden sich zahllose Schubfächer in der Wand. Alea öffnete eines, und ihr schwamm ein längliches Holzstück entgegen, an dessen Ende wedelndes Seegras angebracht war. Alea fing es auf und drehte es verwundert in der Hand. Ein Gesicht blickte sie an. Es war auf das Holz aufgemalt und leicht verwittert. »Eine Puppe!«, stieß sie hervor. Es war eindeutig – das Seegras waren die Haare. Eine Kinderpuppe.

Tess nahm sie ihr erstaunt ab und drehte sie hin und her, während Alea von einer Welle der Traurigkeit erfasst wurde. Hier hatte eine Familie mit Kindern gelebt! Alea starrte das Puppengesicht an und wusste nun auch sicher, dass dies die Behausung von Meermenschen gewesen sein musste. Das Gesicht wirkte sehr menschlich, aber hinter den Ohren konnte man Kiemen erkennen.

Ben und Sammy kamen zu ihnen. Ben hatte eine Art Sense mit Fangkorb dabei und zeigte sie ihnen. Bestimmt hatte man damit den Rotfarn geerntet.

Sammy zog Alea mit sich, und sie erkundeten weitere Ecken und Winkel der verschiedenen Zimmer. Die Küche fand Alea am interessantesten. Hier konnte man deutlich sehen, dass die Meermenschen einen ganz »normalen« Haushalt geführt haben mussten. Es gab sogar richtige Töpfe, über die ein feinmaschiges Netz gesponnen war. In diesen Töpfen war allerdings bestimmt nichts erhitzt worden, denn Feuer gab es unter Wasser ja nicht – dachte Alea. Aber kurz darauf wurde sie eines Besseren belehrt. Als sie durch weitere Schränke stöberte, stieß sie auf einen sonderbaren Gegenstand. Er war klein, hellbraun und rundlich. Beinahe sah er aus wie eine eingedrückte

Marzipankartoffel. Alea drehte und wendete ihn in ihrer Hand und fragte sich, wofür er wohl gut gewesen war. Als sie mit dem Daumen über die Unterseite fuhr, öffnete sich das kleine Ding plötzlich! Aus seinem Inneren quoll grünes Feuer hervor. Alea schnappte erschrocken nach Luft und ließ es los. Das Feuer erlosch.

Sammy fing die Marzipankartoffel auf und rieb ebenfalls mit dem Daumen darüber. Aber nichts geschah. Als Alea es daraufhin noch einmal versuchte, floss das grüne Feuer sofort wieder heraus. Es *floss* tatsächlich, und wenn es nicht so verrückt geklungen hätte, dann hätte Alea gesagt, dass es sich hier um flüssiges Feuer handelte.

Sie nahm einen der Töpfe und hielt die Feuerkartoffel darunter. Das Feuer vergrößerte sich sofort und saugte sich an dem Topf fest. Es passte sich der Form des Topfes an und schien ihn zu erhitzen. Schon wenige Augenblicke später musste Alea ihn loslassen, weil er zu heiß geworden war.

Fasziniert starrte sie das Ding an. Dann steckte sie es in ihre Hosentasche.

Als sie das Haus schließlich wieder verließen, waren die Fische noch immer da und bewachten die Ruine. Doch sie hatten ihren Kreis erweitert, und auf einmal erkannte Alea hinter dem Dach eine weitere Hausecke. War da etwa noch ein zweites Haus? Sie schwamm weiter nach oben, um besser sehen zu können. Und was sich da vor ihr ausbreitete, verschlug ihr den Atem.

Die anderen blickten fragend zu ihr hoch.

»Kommt rauf!«, rief Alea erstickt, denn sie hatte einen dicken Kloß im Hals. Von hier oben konnte sie alles sehen.

Das ganze Dorf.

Am Meeresboden stand nicht nur ein einzelnes Haus. Hier lag ein ganzes Ruinendorf! Mehrere Dutzend Häuser verteilten sich über ein großes Tal. Hier hatte eine Dorfgemeinschaft von Meermenschen gelebt. Alea spürte, wie ihr Tränen in die Augen stiegen. Es waren viele gewesen. Und sie hatten Kinder gehabt.

Die anderen schlossen zu ihr auf. Eine Weile verharrten sie alle in stillem Staunen.

Tess schien Aleas Aufgewühltheit zu bemerken und nahm ihre Hand. Alea drückte sie ganz fest und schluckte mühsam die Tränen herunter. Sie konnte allerdings kaum etwas gegen ihre Gefühle und Gedanken tun. Hatten ihre Eltern hier gelebt? War dies womöglich der Ort, an dem sie geboren worden war?

Sie atmete tief durch die Kiemen und riss sich zusammen. Langsam mussten sie wieder an die Oberfläche. »Wie viel Sauerstoff habt ihr noch?«, fragte sie die anderen.

Ben sah auf seine Anzeige und machte ein Zeichen, dass es an der Zeit war, zurückzukehren.

Alea wandte sich an die Wächterfische. »Danke, dass wir das sehen durften.«

Um die Fische herum glomm ein netzartiges, warmes Braun auf. *Verhüllen*, verstand Alea, und da verschwand das Dorf auch schon vor ihren Augen. Mit einem Mal war es einfach fort, und alles, was blieb, war der kahle Meeresboden mit seinem Schlick und Müll. Nur ein paar herumsegelnde Plastikbecher verrieten noch, dass sich hier gerade etwas bewegt hatte.

Ben wirkte völlig entgeistert. Sammy war vor Ehrfurcht wie erstarrt, und Tess schüttelte fassungslos den Kopf.

Alea regte sich als Erste wieder. Mit ein paar schnellen Stößen schwamm sie noch einmal zum Rotfarnfeld zurück und riss so viel von den Pflanzen ab, wie sie festhalten konnte. Dann kehrte sie zu den anderen zurück.

»Wir müssen rauf«, sagte Alea und setzte sich mit gemächlicher Geschwindigkeit an die Spitze der Gruppe. Ben hatte ihr zuvor erklärt, dass ein zu schneller Aufstieg aus der Tiefe gefährlich für die Lungen von Landmenschen sein konnte. Aber sie hatten noch etwas Zeit und konnten ganz in Ruhe zur *Crucis* zurückkehren.

Sammy nahm Alea ein Rotfarnbüschel ab, damit sie sich besser bewegen konnte, und für eine kleine Weile schwammen sie nun langsam nebeneinander aufwärts. Alea war inzwischen recht gut darin, nach Ausflügen zum Schiff zurückzufinden, denn sie hatte gelernt, ihre eigene Spur wiederzuerkennen. Sie hatte festgestellt, dass sie bei jedem Tauchgang eine hellgraue Fährte im Wasser hinterließ, die sie später zur *Crucis* zurückverfolgen konnte. Wahrscheinlich blieben auch Fährten von anderen Wesen im Wasser zurück, doch Alea wusste nicht, wie sie die in dem Farbengewirr entdecken sollte.

Als sie eine Weile geschwommen waren, hörte sie plötzlich etwas.

Es war ein Ruf. Oder vielmehr: Gesang.

Das Geräusch versetzte sie von einem Moment auf den anderen in taumelnde Freude, und es war ihr, als würde ein Schlüssel in einem Schloss gedreht.

Die anderen mussten den Gesang auch gehört haben, denn Ben blickte sich suchend nach allen Seiten um.

Dann sah Alea sie. Es war eine kleine Gruppe Schweinswale, die schnell näher kam.

Ihr Herz tat einen Sprung. Erst ein Mal war sie Walen begegnet, aber schon beim ersten Aufeinandertreffen hatte sie gespürt, dass von diesen Tieren etwas Einzigartiges ausging.

Ben, Sammy und Tess deuteten aufgeregt auf die Wale, die sie nun fast erreicht hatten. Ihre Körper waren komplett in rosafarbene und goldgelbe Bläschen gehüllt. Unbändige Freude und Zuneigung trieb sie an. Als der erste bei ihnen war, strich er an Alea vorbei und rieb seinen Kopf an ihrer Seite. Die anderen taten es ihm gleich, und Alea entfuhr ein kehliges Lachen. Glücklich streichelte sie die Tiere und lehnte ihren Kopf gegen ihre kühle Haut.

Einer der Wale stieß ein Geräusch aus, schwamm an ihr vorbei und wandte sich nach ihr um. Dann wiederholte er das Ganze noch einmal.

Alea verstand: Er wollte, dass sie mit ihnen kam. Er lud sie ein, sie zu begleiten!

Die Idee elektrisierte Alea. Plötzlich war sie von tiefer

Sehnsucht erfüllt, und alle anderen Gedanken verschwanden aus ihrem Kopf. Sie wollte mit den Walen fortziehen. Sie *musste*.

Ihr Herz fühlte sich frei und leicht, als sie nun zu dem Wal schwamm und ihm folgte. Gleich darauf umringten die anderen Wale sie und drehten vor Freude übermütige Runden um sie herum.

Dann spürte Alea etwas an ihrer Schulter. Erstaunt drehte sie sich um. Es war Ben! Er hielt sie fest! Was wollte er denn bloß von ihr? Jetzt rüttelte er auch noch an ihr.

Alea erschrak und schnappte nach Luft. Auf einmal begriff sie. Sie war dabei, mit den Walen wegzuschwimmen!

Wollte sie das wirklich?

Die Schweinswale blickten sie fragend an.

Alea griff sich an den Kopf. Was geschah denn nur mit ihr? Etwas zog sie voller Macht zu den Walen hin. Diese Kraft war so stark, dass Alea ihr kaum widerstehen konnte. Aber es gab noch etwas anderes, nach dem sich ihr Herz sehnte. Sie musste sich entscheiden.

Und ihr Herz traf eine Wahl.

»Ich kann nicht«, sagte Alea aufgewühlt zu den Walen. »Ich kann nicht mit euch kommen. Geht!«, rief sie und wedelte mit den Armen. »Ich bleibe hier.«

Die Wale drehten einer nach dem anderen ab. Um ihre Leiber herum war ein dunkler lilafarbener Schatten zu sehen. *Sie sind enttäuscht*, verstand Alea, und das versetzte ihr einen Stich. Aber sie bereute ihre Entscheidung nicht. Sie musste zurück zur *Crucis*.

Tess und Sammy kamen zu ihnen. Sammy machte eine Bewegung, als wollte er sich Angstschweiß von der Stirn wischen.

»Entschuldigt bitte«, sagte Alea und schüttelte sich. »Lasst uns zurückschwimmen«, fügte sie hinzu, und gemeinsam machten sie sich auf den Weg zum Schiff.

Die letzte Meerjungfrau

»Oh Mann!«, rief Sammy, sobald er das Mundstück losgeworden war. »Das nenne ich Abenteuer!«

Sie waren gerade an der Außenleiter der *Crucis* hinaufgeklettert und über die Reling gestiegen. Die drei Tauchflaschen waren so gut wie leer, aber zum Glück hatten sie es noch rechtzeitig zum Schiff geschafft.

Ben zog sich ebenfalls die Tauchmaske vom Kopf. »Meine Güte, Alea, wolltest du wirklich mit diesen Walen wegschwimmen? Du warst ja wie hypnotisiert!«

Alea wollte gerade darauf antworten, als ihr etwas anderes bewusst wurde. »Der Rotfarn ist weg!«, rief sie erschrocken und starrte auf ihre leeren Hände. »Ich muss ihn losgelassen haben, als ich mit den Walen mitgeschwommen bin!«

Ein Rotfarnzweig wedelte vor ihrer Nase. »Auf Samuel Draco ist Verlass!«, erklärte Sammy und präsentierte stolz das Büschel, das er mit heraufgebracht hatte.

»Danke!«, entfuhr es Alea. »Du bist der Beste, Sammy!«

Sammy nickte zustimmend. »Bestsammy.« Er grinste. »Ich hab mir eine Umarmung verdient, oder?«

Alea zog Sammy an sich und drückte ihn ganz fest. »Danke, kleiner Kuschelkönig.«

Tess wandte sich mit einem Gesichtsausdruck ab, der noch mürrischer war als sonst. Alea kannte sie inzwischen gut genug, um zu wissen, woran das lag: Es war Tess immer sehr peinlich, wenn sie nicht cool bleiben konnte. Unter Wasser hatte sie Angst gehabt, und alle hatten es mitbekommen – das war ihr jetzt extrem unangenehm. Und je unangenehmer Tess etwas war, desto finsterer wurde ihre Miene.

»Wo ist Lennox?«, fragte Ben.

»Da!«, sagte Alea und wies auf das Deckshäuschen. Lennox lehnte gut sichtbar an der Tür. Dass er dennoch übersehen wurde, war Alea nicht neu. Lennox wurde von den meisten Menschen oft erst auf den zweiten Blick wahrgenommen. Das war Teil seiner … Magie.

»Ach ja!«, rief Ben. »Da ist er.« Er winkte Lennox zu. »Scorpio, komm doch mal her!«

Lennox kam zu ihnen herüber. »Was ist los?«, fragte er und schaute Alea prüfend an. »Du bist ja ganz durcheinander.«

Offenbar konnte man ihr das ansehen. *Lennox* konnte es ihr ansehen. »Es sind ein paar krasse Sachen passiert«, antwortete sie.

»Ich hab doch gesagt, wir erkunden die verborgenen Geheimnisse der Tiefsee!«, triumphierte Sammy, während er aus den Taucherflossen schlüpfte. »Außerdem habe ich Rotfarn für dich mitgebracht.«

»Danke«, erwiderte Lennox mit Blick auf das Kraut, das Sammy auf eine Kiste gelegt hatte. Dann sah er wieder mit fragendem Blick zu Alea.

»Ich habe eine Finde-Finja gerufen«, erzählte sie ihm. »Und die Finja hat uns zu riesigen Rotfarnfeldern geführt.«

»Und neben den Rotfarnfeldern war was im Schlick!«, rief Sammy dazwischen. Er hatte sich die Tauchermontur bereits komplett ausgezogen und ließ sich gerade auf die Planken fallen. »Als diese Fische aus dem Boden hochgekommen sind, hab ich gedacht, ich falle in Ohnmacht.«

Tess setzte sich neben ihn.

»Was für Fische?«, fragte Lennox.

»Skorpionfische«, antwortete Ben.

Alea horchte auf. »So heißen sie?«

»Ja«, erwiderte Ben, während er sich neben Tess auf dem Boden niederließ. »Skorpionfische sind extrem giftig. Deswegen hatte ich richtig Muffensausen, als plötzlich so viele aufgetaucht sind.«

Alea setzte sich neben Ben. »Sie können die Farbe des Hintergrunds annehmen, oder?«

»Ja«, bestätigte Ben. »Skorpionfische sind Meister der Tarnung. Das kannst du in jedem Lexikon nachlesen.« Er lachte. »Aber da steht garantiert nicht, dass Skorpionfische auch noch andere Sachen als sich selbst tarnen können!«

Lennox nahm neben Alea Platz. Sein Gesichtsausdruck schwankte zwischen Erstaunen und Beunruhigung.

»Diese Fische haben etwas getarnt?«, fragte er. »Was denn?«

»Ein Ruinendorf!«, sprudelte es aus Sammy heraus. »Da waren alte, verlassene Häuser am Meeresgrund!«

»Ein Dorf?« Lennox zog die Brauen zusammen. »Im Ernst?«

Alea nickte. »Es muss ein verlassenes Meermenschendorf gewesen sein.«

Lennox starrte sie an. Alea wusste, was er dachte. »Das heißt, es muss eine richtige Gesellschaft unter Wasser gegeben haben«, sprach sie den Gedanken aus. »Nicht nur einzelne Meermenschen hier und da, sondern so etwas wie eine Zivilisation.«

»Ja, das muss es bedeuten.« Lennox schien angestrengt nachzudenken.

Kurz sprachen nun alle durcheinander – bis auf Tess, die weiterhin schwieg.

»Aber wo sind sie?«, wollte Ben wissen.

Diese Frage hatte Alea sich schon hundertmal gestellt.

»Und was ist mit ihnen passiert?« Lennox setzte sich auf. Dabei berührte sein Knie Aleas Knie. Alea wurde heiß und kalt zugleich, und sie zog ihr Bein weg.

»Sind sie ausgestorben?«, stellte Ben eine weitere Frage, über die Alea ebenfalls schon zigfach nachgegrübelt hatte.

»Vielleicht leben sie jetzt einfach woanders«, sagte Sammy. »Sie sind nicht ausgestorben, sondern aus…gewandert!«

Alea musste unwillkürlich lachen.

»Überlegt doch mal! Wer will schon im verdreckten Ärmelkanal leben?«, rief Sammy. »Also, ich an deren Stelle wäre in die Karibik umgezogen.«

Ben lachte nun auch. »Jamaika?«

»Ja! Wir sollten nach Jamaika segeln und nachgucken!«, schlug Sammy vor.

Jetzt lachten alle bis auf Tess. Alea sah ihr an, wie unwohl sie sich fühlte. »Ich fand dich da unten übrigens ganz schön mutig«, sagte sie deshalb zu ihr.

»Was?«, fragte Tess abwehrend. »Quatsch.«

»Doch!«, widersprach Alea. »Du hast zwar Angst gehabt, aber du bist trotzdem mit uns weitergeschwommen. Das ist doch Mut, oder? Wenn man seine Angst überwindet?«

Tess starrte sie an.

Ben schien ein Lächeln zu unterdrücken.

Es entstand eine Pause, in der Tess' Gesicht sich merklich aufhellte.

Alea wurde jedoch wieder ernst. »Ich glaube nicht, dass die Meermenschen umgezogen sind«, knüpfte sie an das Gespräch an. »Irgendetwas Schlimmes ist geschehen.«

Lennox nickte.

Ben schnappte sich eine herumliegende Decke und rubbelte sich damit durch die nassen Haare. Dabei sagte er nachdenklich: »Es ist unfassbar. Unter Wasser hat vor gar nicht allzu langer Zeit noch eine ganze Welt existiert, von der die Menschen an Land nicht das Geringste ahnen.« Er schüttelte den Kopf. »Eigentlich kaum zu glauben. Es gibt wirklich Meerjungfrauen! Und wir haben eine an Bord.«

»Die letzte Meerjungfrau«, sagte Sammy.

Alea erklärte den anderen – nicht zum ersten Mal: »Ich finde ja *Meermädchen* schöner.«

»Wie auch immer wir dich nennen oder was du genau bist …«, sagte Tess, »ich finde dich irgendwie auch ganz normal.«

»Ja«, stimmte Ben zu. »Hier an Bord bist du ein ganz normales Mädchen, Alea, und unter Wasser bist du …«

»… magisch«, vollendete Sammy den Satz.

Alle schwiegen wieder.

»Ich hol mal was zu trinken. Das lange Tauchen war echt anstrengend«, sagte Ben und stand auf. Kurz darauf kam er mit ein paar gefüllten Wassergläsern zurück und verteilte sie an alle außer Lennox, der ja nichts Kaltes trinken konnte.

Alea war durstig und nahm große Schlucke. Dabei musste sie daran denken, wie lange sie selbst nur warme Getränke getrunken hatte – als sie noch geglaubt hatte, ebenfalls an einer Kaltwasserallergie zu leiden. Das war erst wenige Wochen her, und doch schien es wie aus einem anderen Leben zu sein …

Tess trank in einem Zug fast das halbe Glas leer. Da sah Alea in Tess' Wasser mehrere Farbformationen aufzucken. Obwohl sie neugierig war, schaute sie weg. Beim Tauchen hatte sie schon genug über die Gefühle der anderen erfahren! Ob sie wohl ahnten, wie viel Alea durch die Farben im Wasser über sie wusste? Wahrscheinlich nicht. Und eigentlich war es auch nicht in Ordnung, dass sie das alles einfach so erfuhr, denn die Gefühlsbotschaften im Wasser waren wie … Tagebucheinträge. Im Grunde ging Alea das alles nichts an. Im Meer konnte sie zwar nicht verhindern, dass sie Dinge sah, aber an Bord war das etwas anderes. Sie musste ja einfach nur wegschauen.

Aber irgendetwas an den Farben in Tess' Wasser war eigenartig gewesen. Alea konnte nicht anders, als den Blick erneut auf das Glas zu richten. War Tess erleichtert, dass sie ihr Gesicht hatte wahren können? Im Glas waren rosarote, flirrende Funken zu erkennen. Sie sprangen Alea regelrecht entgegen. Was hatte das zu bedeuten? Gleich darauf hatte sie einen Satz im Kopf: *Tess ist verliebt.*

Alea stutzte. Tess war verliebt? Wie bitte? Davon hatte sie ja noch gar nichts mitbekommen! In *wen* war sie verliebt? Sie hatte Alea kein Sterbenswörtchen davon verraten!

Lennox, der von all dem natürlich nichts mitbekommen hatte, ergriff das Wort. »Und was war mit den Walen? Habt ihr eben nicht auch was von Walen gesagt?«

»Alea wäre beinahe mit einer Schweinswalfamilie ausgewandert!«, antwortete Sammy. »Es sah aus, als hätte sie uns völlig vergessen.«

»Ich glaube, das hatte ich irgendwie auch«, gab Alea zu und schob die Fragen über Tess erst einmal beiseite. »Wenn du mich nicht festgehalten hättest, Ben, wäre ich wahrscheinlich mitgeschwommen. Ich wollte sie so gern begleiten! Da war so eine starke Kraft, die mich zu ihnen gezogen hat …«

»Was für eine Kraft?« Lennox beugte sich vor. Sein Knie berührte abermals Aleas, und ihr Herz schlug sofort schneller.

»Ich weiß nicht«, sagte sie, rückte schnell ein Stück von ihm ab und trank hastig aus ihrem Glas. Im nächsten Augenblick explodierte ein rosarotes Funkenfeuerwerk in ihrem Wasser. Entsetzt starrte sie darauf.

»Was ist los?«, fragte Lennox mit gerunzelter Stirn.

»Nichts!«, erwiderte Alea heftig und sprang auf. »Ich muss jetzt gehen.«

Lennox sah sie verdutzt an. »Was hast du?«

»Ich muss Tee für dich kochen!«

»Das kann ich später selbst.«

»Aber das ist sehr dringend!« Alea schnappte sich das Büschel Rotfarn und stürmte unter Deck. Sie konnte die Blicke der anderen regelrecht in ihrem Rücken fühlen.

Unten ließ sie sich schwer auf eins der Sofas fallen. Was war das denn für ein peinlicher Auftritt gewesen? Die anderen mussten sie ja für völlig hysterisch halten!

Die Bordtür klapperte. Ben kam herein. Er setzte sich neben sie. »Können wir mal ganz offen miteinander reden?«

»Nee«, entgegnete Alea.

Ben lachte. »Wäre aber besser.«

Sie zog einen Schmollmund.

Und dann stellte Ben genau die Frage, die Alea nicht hören wollte. »Du bist in Lennox verliebt, oder?«

Alea seufzte schwer. Sie konnte es wohl nicht länger abstreiten. Weder sich selbst noch anderen gegenüber.

Ben fuhr sich durch die verwuschelten Haare. »Ich finde das irgendwie schön«, sagte er vorsichtig. »Liebe ist immer schön. Aber ...«

»Was?«, fragte Alea und hörte selbst den gereizten Unterton in ihrer Stimme.

»Ich habe da schon länger eine Vermutung. Ich war mir allerdings nicht sicher, ob ich überhaupt mit dir darüber sprechen sollte.«

Alea stöhnte. Wollte Ben ihr etwa auch sagen, dass Lennox garantiert nichts für sie empfand?

»Es geht um die Sache, die im Jugendamt in Renesse herausgekommen ist.«

Alea war erstaunt. »Was hat das denn damit zu tun?« In dem holländischen Jugendamt hatte sie vor einer Woche herauszufinden versucht, wer ihre leiblichen Eltern waren. »Dort habe ich doch eigentlich nichts Neues herausgekriegt«, sagte Alea fragend. Nach wie vor wusste sie nur, dass ihre Mutter vollkommen verzweifelt gewesen sein musste, als sie ihr kleines Kind am Strand einer völlig Fremden in die Arme gedrückt hatte.

»Du hast zwar nichts Neues über dich herausgekriegt«, hielt Ben fest. »Aber du hast doch erfahren, dass damals am selben Tag noch ein anderes Kind von einer unbekannten Frau an eine Urlauberin übergeben wurde.«

»Ja, schon«, räumte Alea ein. »Aber ich habe ja noch nicht mal einen Namen. Wie soll ich herausbekommen –«

»Hast du mal darüber nachgedacht«, unterbrach Ben sie behutsam, »ob deine Mutter vielleicht auch die Mutter dieses anderen Kindes war?«

Alea stutzte. »Du meinst, dass sie an diesem Tag zwei Kinder weggegeben hat?« Sie bekam eine Gänsehaut. »Du willst sagen, dass ich ein Geschwisterkind haben könnte?«

»Ja, es liegt doch nahe, dass es dieselbe Frau war, oder? Wieso sollte etwas derartig Ungewöhnliches an ein und demselben Tag zwei verschiedenen Frauen einfallen?«

Alea musste Ben recht geben. Sie verfiel in Schweigen. In diese Richtung hatte sie noch nie gedacht.

»Glaubst du an Schicksal?«, wollte Ben wissen.

Alea hob langsam die Schultern.

»Falls es so was gibt«, sagte Ben, »dann war es vielleicht das Schicksal, das dich und Lennox in Amsterdam zusammengeführt hat.«

Alea verstand zuerst nicht, was Ben damit sagen wollte. Dann zuckte sie zusammen. »Lennox!«, stieß sie hervor. »Glaubst du etwa, er könnte das andere Kind sein? Du meinst, dass er mein Bruder sein könnte?«

»Das würde vieles erklären.«

»Aber es wäre trotzdem ziemlich weit hergeholt, oder?«, wandte sie sofort ein. »Ich meine, wir haben zwar ein paar merkwürdige Dinge gemeinsam, aber es gibt auch viele Unterschiede! Und Lennox hat nichts davon erzählt, dass seine Eltern nicht seine leiblichen Eltern sind.«

»Aber seine Familienverhältnisse sind doch ziemlich kompliziert, oder?«

»Schon. Sein Vater ist ein Trinker, und seine Mutter ist vor elf Jahren verschwunden, als Lennox noch sehr klein war.«

»Vor elf Jahren?«, hakte Ben nach. »Genau in dem Jahr, als das damals in Holland passiert ist? Als deine Mutter dich deiner Pflegemutter übergeben hat?«

Alea runzelte die Stirn. »Ja.«

»Das sind ziemlich viele seltsame Überschneidungen«, fand Ben. »Ihr habt beide dunkle Haare und blasse Haut. Und du hast mir auch mal gesagt, du hättest das Gefühl, dass ihr irgendwie zusammengehört ...«

Alea konnte nichts mehr einwenden, und ihr Herz schlug schmerzhaft gegen ihre Rippen – es wollte noch nicht aufgeben, wovon es geträumt hatte! Aber alles passte zusammen. Lennox war nicht nur nicht in sie verliebt, er war vielleicht sogar ihr Bruder. Wenn Tess' Worte allein nicht ausgereicht hatten, um Aleas zarten Hoffnungen einen Riegel vorzuschieben, dann war dies das endgültige Ende des geheimen Traums.

»Tut mir leid«, sagte Ben leise. »Ich wollte meine Vermutung eigentlich für mich behalten. Aber als du gerade eben so extrem auf Lennox' Berührung reagiert hast, wurde mir klar, wie sehr du in ihn verliebt sein musst.«

»Was?« Alea fuhr hoch. »Das ist *dermaßen* offensichtlich?«

Ben lächelte schräg. »Ja, irgendwie schon.«

Alea spürte, dass sie feuerrot anlief. »Für Lennox auch?«

»Keine Ahnung«, sagte Ben. »Wahrscheinlich nicht.«

Bestimmt wollte er sie damit nur beruhigen! Alea griff nach einem Kissen und ließ den Kopf hineinsinken. Wenn sich in diesem Moment ein Loch im Boden aufgetan hätte, wäre sie vor Scham auf der Stelle hineingesprungen.

»Ich gehe wieder nach oben.« Ben erhob sich. »Ich glaube, du musst das erst mal sacken lassen.«

Alea hörte, wie die Bordtür klapperte. In ihrem Kopf tobte ein Gedankensturm. Konnte es sein? War Lennox tatsächlich ihr Bruder? Sie drückte das Gesicht tiefer ins Kissen und stellte dabei fest, wie gut es roch. Nach Weite, nach Wärme, nach Wasser. Dann wurde ihr klar, dass sie sich wohl Lennox' Kopfkissen geschnappt hatte. Sie zuckte zurück und starrte es an. Sie durfte sich nicht daran schmiegen!

Der Gedanke tat weh, und Alea versuchte krampfhaft, die aufkommende Verzweiflung niederzukämpfen. Doch sie verlor den Kampf, und schließlich weinte sie heiße Tränen in Lennox' Kissen.

Bestsommer

Alea hatte kaum geschlafen. Sie hatte sich selbst strikt verboten, an Lennox zu denken. Stattdessen hatte sie sich die halbe Nacht lang gefragt, ob in den anderen Häusern am Meeresgrund womöglich noch weitere interessante Dinge zu finden gewesen wären. Hätte sie dort vielleicht sogar Hinweise darauf erhalten, was mit dem Volk der Meermenschen geschehen war? Am Tag zuvor hatte Alea wegen Tess, Ben und Sammy keine Zeit gehabt, die anderen Ruinen zu erforschen. Aber heute wollte sie noch einmal zu dem Dorf hinabtauchen und sich in aller Ruhe umschauen. Natürlich nur, falls die Skorpionfische ihr ein weiteres Mal Einlass gewährten …

»Es ist noch ziemlich früh«, murmelte Tess, die gerade aufstand. »Bleib ruhig noch etwas liegen, ich bereite das Frühstück vor.«

Alea rief: »Tess?« Aber sie war schon fort. Schade. Alea hätte ihr gern eine Frage gestellt – nämlich, ob sie eventuell Gefühle für jemanden hegte. Schließlich hatten die Farben in Tess' Wasser Alea verraten, dass Tess verliebt war. Doch in wen? War es jemand an Bord? War es Ben?

Alea kletterte aus dem Bett und tat das, was sie jeden Morgen als Erstes tat: Sie schrieb eine SMS an ihre Pflegemutter Marianne, die immer noch im Krankenhaus lag, denn ihr Herz wollte nach dem Herzinfarkt vor zwei Wochen einfach nicht mehr gesund werden. Trotzdem hatte sie nicht gewollt, dass Alea bei ihr blieb und sich um sie kümmerte. Stattdessen hatte Marianne sie mit der Alpha Cru losziehen lassen. Dafür würde sie ihr ewig dankbar sein.

Kurz nachdem die SMS abgeschickt war, klingelte das Handy. Es war Marianne, die morgens oft zurückrief. Alea ging sofort dran.

»Hallo, Schatz!«, begrüßte Marianne sie. »Also immer noch kein Wind?«

»Leider nicht. Wir sitzen irgendwie fest.«

»Aber dir geht es gut?«

»Ja, absolut«, versicherte Alea. Davon, dass sie ein Meermädchen war, von Finde-Finjas oder Wasserkobolden hatte sie Marianne immer noch nichts erzählt. »Ich kann inzwischen ohne Hilfe das Schiff steuern! Wenn ich Nachtwache habe, bin ich ganz allein verantwortlich und muss alles selbst machen, und das kriege ich mittlerweile echt gut hin!«

»Du bist eine richtige kleine Seglerin geworden, hm?« Alea konnte hören, dass Marianne lächelte. »Wer hätte gedacht, dass du dich auf dem Wasser so wohl fühlen würdest?«

Und im Wasser erst!, dachte Alea, aber sie antwortete:

»Ich glaube, damit hätte niemand gerechnet. Ich am allerwenigsten.«

»Ein Mädchen, das auf keinen Fall mit kaltem Wasser in Berührung kommen darf ...«, sagte Marianne nachdenklich. »Eine Kälteurtikaria-Patientin auf einem Boot! Das ist irgendwie verrückt.«

»Ich bin halt ein komischer Vogel.«

Marianne lachte. Ihr Lachen verwandelte sich jedoch schnell in ein Husten. »Wird man auf so einem Schiff denn nicht auch mal nass?«, fragte sie, als sie wieder sprechen konnte. »Ich kann mir das gar nicht so richtig vorstellen. Hast du wirklich keine Probleme?«

Alea überlegte. Womöglich konnte sie Marianne ein klitzekleines Stück von der Wahrheit verraten. »Na ja ... Ich bin schon mal nass geworden.«

»Was?«, rief Marianne. »Wann? Wo bist du nass geworden? An welcher Stelle? Hast du Rötungen?«

Alea beruhigte sie sofort. »Ich habe an verschiedenen Stellen Wasser abgekriegt – aber weißt du, was? Es ist gar nichts passiert!«

»Wie meinst du das?«

»Ich habe keine Rötungen bekommen, keine Schwellungen, nichts.«

»Wie kann das sein?« Marianne klang verwirrt.

»Das weiß ich auch nicht, aber das Wasser hat mir nichts ausgemacht! Vielleicht ist die Kälteurtikaria gar nicht so schlimm, wie wir immer gedacht haben.«

Marianne schwieg und schien das erst einmal verarbeiten zu müssen. Dann sagte sie: »Ich würde das gern mit einem der Ärzte hier im Krankenhaus besprechen und ihn fragen, was er davon hält. Und ob das überhaupt sein kann.«

Aleas Rücken versteifte sich. Oh nein! Sie hatte Marianne beruhigen wollen, aber nun würde sie mit einem Arzt über sie sprechen!

Marianne redete schon weiter. »Aber das mache ich lieber nicht. Immerhin weiß ja keiner, dass du mit einem Schiff unterwegs bist, und das soll auch so bleiben.«

Alea entspannte sich wieder. Gleichzeitig tat es ihr unglaublich leid, dass sie Marianne nicht einfach die ganze Wahrheit sagen konnte. Marianne war jahrelang ihre engste Vertraute gewesen, und Alea hatte jedes Geheimnis mit ihr geteilt. Wenn sie ihr jedoch erzählen würde, dass sie nicht krank, sondern ein *Meermädchen* war ... dann würde das bestimmt nicht dazu beitragen, dass ihre Pflegemutter sich schnell erholte. Bestimmt würde sie sich Sorgen machen und sich fragen, bei was für Leuten Alea gelandet war, die ihr solche schrägen Sachen einredeten.

»Glauben immer noch alle, ich wäre bei Carsten?«, erkundigte sich Alea nun. Mariannes vierzigjähriger Sohn würde sich in Wirklichkeit niemals um Alea kümmern. Er hatte schon immer etwas dagegen gehabt, dass seine Mutter ein Pflegekind angenommen hatte.

»Ja«, bestätigte Marianne. »Das habe ich auch dem Jugendamt gesagt.«

»Jemand vom Amt war bei dir?«, fragte Alea erschrocken.

»Ja, gestern. Deshalb wollte ich mit dir reden.«

Jetzt wurde Aleas Rücken steif wie ein Brett. »Und was habt ihr besprochen?«

»Es war eine sehr nette Dame. Ich glaube, sie will wirklich nur das Beste für dich.«

Alea musste sich setzen. Sie ließ sich auf ihr Bett sinken. »Und was ist das Beste?«

»Dass du nach dem Sommer zu einer neuen Familie kommst.«

Alea presste die Lippen aufeinander.

»Schatz«, fuhr Marianne in behutsamem Ton fort. »Ich werde nicht wieder gesund, das weißt du doch. Ich komme bald zur Reha, und danach …«

»Musst du in ein Heim?«

»Ja, es wird wohl nicht anders gehen. Carsten arbeitet so viel …« Marianne versagte die Stimme. Alea konnte hören, dass sie mit den Tränen kämpfte.

»Ich würde dir so gern helfen.« Alea selbst liefen nun Tränen über die Wangen.

»Das ist lieb von dir, aber du weißt, dass ich das nicht will. Du bist zu jung, um jemanden zu pflegen. Ich möchte, dass du ein schönes Leben hast, ein glückliches Leben.«

»Bei dir war ich immer glücklich.«

Marianne holte geräuschvoll Luft. Weinte sie? »Ich weiß, mein Schatz. Ich war auch immer glücklich, dass ich dich bei mir haben durfte. Aber das geht jetzt nicht mehr.« Sie atmete tief durch, was dazu führte, dass sie wieder husten musste. »Die Dame vom Jugendamt sagte, dass sie einmal schauen würde, welche Familie für dich infrage käme. Es ist aber in Ordnung für sie, wenn du noch eine Zeit lang bei Carsten bleibst. Sie fand das sogar gut und sagte, dann hätte sie Zeit, ganz in Ruhe die richtige Familie für dich zu finden.«

Alea wischte sich über die Wange. Wenn sie nicht wieder bei Marianne leben konnte, wollte sie nicht zurück nach Hamburg. Denn sie hatte bereits eine neue Familie gefunden. Die Alpha Cru.

»Du kannst also noch den Sommer über mit deinen Freunden auf dem Schiff unterwegs sein«, fasste Marianne zusammen. »Du hast ja gesagt, in Schottland könnte es weitere Informationen über deine Mutter geben. Ich finde es toll, dass ihr jetzt zusammen dahin segelt, und ich wünsche dir von Herzen, dass du noch mehr über deine Herkunft herausfindest. Aber Alea, Schatz, irgendwann musst du wieder nach Hause kommen. Und dann geht hier ein neues Leben mit einer neuen Pflegefamilie für dich los, und vielleicht ist dieses neue Leben gar nicht so schlecht.«

»Mhm«, machte Alea.

»Ich muss jetzt aufhören.« Das Gespräch schien Marianne angestrengt zu haben. »Nimm es nicht so schwer, Liebes, ja?«

»Ich versuche es«, brachte Alea mühsam hervor. »Ich hab dich lieb.«

»Ich dich auch. Bis bald!«

Nachdem Alea aufgelegt hatte, saß sie zusammengesunken da und starrte ins Leere.

»Hey, Schneewittchen!«, hörte sie Sammys Stimme. Er kam in die Kajüte. Sein rotes Haar war ungekämmt, und er gähnte ungeniert. »Sollen wir vorm Frühstück noch ein bisschen kuscheln?«

Alea musste lächeln. Es gab niemanden, der verschmuster war als Samuel Draco. »Ja, komm her«, sagte sie und machte ihm neben sich Platz.

Sammy kam zu ihr aufs Bett und schmiegte sich an sie. Seine kalten, nackten Füße klemmte er unter Aleas Waden, um sie aufzuwärmen. Da Sammy fast nie Schuhe trug und barfuß herumlief, waren seine Fußsohlen geradezu schwarz. Alea zog ihre Decke über Sammy und rubbelte ihm den Rücken, damit er warm wurde. Beinahe erwartete sie, dass er anfing, zu schnurren wie ein Kätzchen. Aber anstatt zu schnurren, fragte er: »Was hast du?«

»Ich? Nichts.«

»Na, *nichts* ist ja wohl mal Quatsch«, erwiderte er. »Quatsch mit Soße – mit Jägersoße.« Er setzte sich auf und sah aus, als stellte er sich den Quatsch gerade bildlich vor. »Nee, mit Bolognese!«, verbesserte er sich.

Alea musste lachen. »Oder mit Hollandaise?«, fragte sie und sprach es so aus, dass es sich auf Bolognese reimte.

»Bolognese, Hollandaise, erzähl mir keinen Käse!«,

konterte Sammy, und sie lachten glucksend zusammen.

Eines musste Alea Sammy lassen: Niemand war besser darin, sie aufzuheitern, als er.

»Soll ich dir die Haare flechten?«, fragte Sammy. Er liebte es, Aleas Haare zu kämmen und neue Frisuren damit auszuprobieren.

»Ja, okay«, stimmte Alea zu, und Sammy begann, an ihren langen Haaren herumzuzupfen und zwei dicke Zöpfe zu flechten.

»Ich hab gerade mit Marianne telefoniert«, verriet Alea ihm. »Das Jugendamt sucht jetzt nach einer neuen Familie für mich.«

Sammy ließ die Hände sinken. »Mist.«

»Aber ich habe noch den ganzen Sommer auf der *Crucis*«, sprach Alea weiter. »Ich darf noch ein paar Wochen bleiben.«

Sammy flocht ihre Zöpfe mit nachdenklicher Miene fertig. Dann sagte er: »Wir müssen aus diesem Sommer alles rausholen, was geht.«

Alea seufzte schwer. »Ja. Genau das müssen wir tun.«

»Okay.« Sammy nahm ihre Hände in seine und senkte seine Stimme zu einem Flüstern herab. »Lass uns schwören, dass dies der abenteuerlichste, verrückteste, tollste, aufregendste, kühnste, besonderste Sommer unseres Lebens wird. Der absolute Bestsommer!«

Alea lächelte. »Ich schwöre«, sagte sie andächtig. »Ich schwöre auf den Bestsommer.«

»Du kannst nicht *auf* den Bestsommer schwören!«, protestierte Sammy energisch. »Du musst den Bestsommer *beschwören*.«

»Den Bestsommer beschwören? Das ist doch totale Bolognese!«

Sammy kicherte. »Bestsommer-Bolognese.«

Sie lachten, aber dann wurden sie wieder ernst. Alea drückte Sammys Hände und sah ihm in die Augen. Sammy erwiderte ihren feierlichen Blick.

»Bestsommer«, sagten sie gleichzeitig.

Rockband

Wenig später kam Tess herein. »Frühstück ist fertig«, informierte sie die beiden knapp und war schon wieder verschwunden.

Sammy erhob sich gemächlich, und Alea ging ins Bad. Fünf Minuten später setzte sie sich zu den anderen an den Esstisch am Heck. Da noch immer Windstille herrschte, musste niemand am Steuer stehen, und so konnten sie ganz in Ruhe alle zusammen frühstücken. Sammy hatte sich nicht die Mühe gemacht, sich umzuziehen. Er trug noch immer das T-Shirt, in dem er geschlafen hatte.

»Ich hab was für dich«, sagte Alea und überreichte ihm eine Tafel Schokolade, die sie noch in ihrer Reisetasche gehabt hatte. »Für das Projekt Wampe.«

Sammys Augen blitzten auf. »Wahnsinn! Danke!«, rief er, packte die Schokolade aus, legte die komplette Tafel auf sein Brot und biss herzhaft hinein. »Vortrefflich«, schmatzte er.

Alea lächelte. Dann bemerkte sie, dass Tess sie unverwandt anstarrte. »Was ist?«

Tess zuckte die Achseln. »Ich frage mich nur, wie du es geschafft hast, dich in fünf Minuten so aufzustylen.«

Alea blickte an sich hinab. Sie trug ihre altrosafarbene Seidenjacke, drei lange Ketten, ein weißes Männer-T-Shirt, ihre schwarzen Handschuhe, abgeschnittene Jeans, eine knallgelbe Strumpfhose, Stulpen, schwere Boots und ihre meerblaue Lieblingsmütze. »Ich seh doch ganz normal aus …«

Tess schnalzte mit der Zunge. »Du siehst spitze aus.«

»Zum Glück bist du keine Modetussi, sondern ein Modefreak«, sagte Ben lachend. »Freaks finde ich gut. Freaks und komische Vögel sind genau mein Ding.«

»Die Zöpfe sind am besten, oder?«, fragte Sammy mampfend.

Alea gab ihm vollkommen recht.

Lennox, der bisher konzentriert in seinem Rotfarntee gerührt hatte, fragte: »Wie lange brauchen wir bis nach Schottland, wenn der Wind wieder weht?«

»Bei gutem Wind wären wir morgen in Edinburgh«, erwiderte Ben.

Lennox nickte und schien wieder tief in Gedanken zu versinken.

»Wunderbärchen«, sagte Sammy und strich sich die ungekämmten Haare hinters Ohr. »Heute Morgen habe ich übrigens eine Superfussel in Bens Bauchnabel gefunden«, berichtete er. »Sie war wunderschön.«

Tess biss krachend in ihren Toast.

Alea lachte. Sammy sammelte Fusseln. Er steckte sie in

kleine Kistchen und sortierte sie sogar nach irgendeinem eigenwilligen System. Wie er selbst sagte, gab es die besten Fusseln im Bauchnabel seines großen Bruders.

»Welche Farbe hatte sie denn?«, erkundigte sich Alea.

»Sie war hellblau!« Sammy strahlte, als wäre das ein Grund zu großer Freude. »Ich habe übrigens vor, ein Buch über Fusseln zu schreiben.«

Tess biss abermals so krachend in ihren Toast, als wollte sie damit etwas sagen.

»Jetzt geht *Projekt Fussel* an die Öffentlichkeit?«, fragte Ben seinen Bruder grinsend.

»Ja! Fusseln sind immer noch eine völlig verkannte Kunstform der Natur«, erklärte Sammy ernst. »Vor allem Möppchen werden dramatisch unterschätzt!«

Tess verpasste ihm eine Kopfnuss, konnte sich ein Grinsen aber nicht verkneifen. »Wenn du jetzt nicht die Klappe hältst, mach ich aus dir ein Möppchen!«

Sammy kicherte. »Du weißt ja nicht mal, was ein Möppchen ist!«

»Weiß ich auch nicht«, gab Tess zu. »Aber du bist gleich selbst eins!«

»Was zum Teufel ist denn ein Möppchen?«, rief Alea dazwischen.

Das brachte Ben dazu, in lautes Gelächter auszubrechen.

Tess schimpfte auf Französisch.

Sammy hob die Arme. »Ruhe, ihr Unwissenden!«, verlangte er mit Donnerstimme. Alle verstummten. »Ich werde euch aufklären! Also: Ein Möppchen ist ein Knötchen auf einem Wollpulli.«

Sie sahen ihn sprachlos an.

Sammy nickte, als bestätigte das seine schlimmsten Befürchtungen. »Seht ihr, keiner kennt sie! Keiner beachtet sie! Und wenn doch, dann werden sie abgeknibbelt und weggeschmissen. Das ist einfach unfassbar, denn Möppchen sind einzigartig! Ihr müsst euch die mal ansehen. Keins ist wie das andere!« Er hob das Kinn. »Mein Buch wird allen Menschen begreiflich machen, wie großartig Fusseln, Flusen und Möppchen sind. Und dann kommen sie zu dem Ruhm, der ihnen zusteht.«

Dazu wusste niemand etwas zu sagen.

»Aha!«, kommentierte Alea schließlich freundlich.

Das brachte Ben abermals zum Lachen. Alea fiel glucksend ein, und sogar Sammy lachte mit, während um Lennox' Mundwinkel der Anflug eines Lächelns spielte.

Tess hingegen hatte sich wieder vollkommen im Griff und rümpfte die Nase. Sie schien gerade etwas Kratzbürstiges sagen zu wollen, als sie plötzlich erschrocken zum Himmel schaute. Über der *Crucis* kreiste eine Möwe.

Alea hörte auf zu lachen. Tess hatte große Angst vor Möwen, seit sie als Kind von einer angegriffen worden war und dabei beinahe ein Auge verloren hatte. Deswegen setzte jedes Mal, wenn diese Vögel über der *Crucis* auftauchten, das »Möwenvertreibungsprogramm« ein. Auch jetzt sprangen Sammy, Ben, Lennox und Alea auf und begannen, mit den Armen herumzufuchteln.

»Hau ab!«, rief Sammy und wedelte drohend mit den Händen.

Tess hielt sich am Tisch fest und schien sich am liebsten darunter verstecken zu wollen. Alea sah ihr deutlich an, dass sie einen harten Kampf mit sich selbst ausfocht: Sie wollte unter allen Umständen cool wirken, hatte aber eine Heidenangst vor der Möwe.

Alea zog ihre Jacke aus und schwang diese durch die Luft. »Lass dir bloß nicht einfallen, hier zu landen!«, warnte sie das kreisende Tier.

Die Möwe quiekte protestierend und drehte ab.

Tess atmete auf. »Danke«, sagte sie und schaute der Möwe nach. »Ihr seid …«

»Bestfreunde«, erklärte Sammy und nahm Tess in den Arm. Er kuschelte sich eng an sie und streichelte ihren Rücken.

Das war zu viel für Tess. »Übertreib es nicht, Draco!«, warnte sie ihn und machte sich los.

Sammy grinste, stellte sich blitzschnell auf die Zehenspitzen und platzierte einen dicken Schmatzer auf Tess' Wange. »*Je t'aime*«, sagte er strahlend.

Tess stieß ein angewidertes »Bäh!« aus und versuchte, Sammy zu erwischen. Mit ein paar Sprüngen war er im Deckshäuschen, knallte die Tür zu und verriegelte sie. Tess polterte von außen dagegen und drohte Sammy lautstark, ihn zu Fischfutter zu verarbeiten.

Ben lachte aus vollem Hals und begann nebenher, den Tisch abzuräumen. Alea und Lennox halfen ihm, das

Frühstücksgeschirr in den Salon zu bringen. Als sie anschließend wieder an Deck kamen, schienen sich Tess und Sammy vertragen zu haben.

»Waffenstillstand«, erläuterte Sammy und zwinkerte Tess zu.

Tess zuckte mit den Achseln. Dabei grinste sie jedoch ein bisschen.

»Sollen wir jetzt proben?«, fragte Lennox.

Das hatte Alea ja völlig vergessen! Heute Vormittag hatten sie eine Bandprobe angesetzt! Und das war ziemlich wichtig, denn die Alpha Cru verdiente sich ihren Lebensunterhalt damit, Straßenmusik zu machen. Das Geld, das Onkel Oskar ihnen hin und wieder schickte, reichte nie, um damit über die Runden zu kommen.

Als nun alle losliefen und ihre Instrumente holten, freute Alea sich richtig auf die Probe, denn sie hatten schon ein paar Tage nicht mehr gespielt. Und da die *Crucis* sich sowieso kaum vom Fleck bewegte, konnte sie das verlassene Unterwasserdorf bestimmt auch später noch ohne Probleme wiederfinden.

Alea war noch damit beschäftigt, Wasser in ihre einundzwanzig Weingläser zu füllen, da schleppte Sammy seine Cajón an – eine Trommel, die aussah wie eine Stereobox. Er setzte sich darauf und fing gleich an, einen schnellen Rhythmus zu trommeln. Ben stellte sich mit seinem Bass neben ihn und spielte die Basslinie ihres Hauptstückes. Gleich darauf begann Lennox, mit flinken Fingern ein kompliziertes Riff auf seiner Gitarre zu spielen.

Er spielte phantastisch, darüber waren sich alle einig, und seine Riffs klangen wie die eines richtigen Gitarrenhelden. Nun setzte Tess ein, die in der Mitte der Band stand. Zuerst spielte sie nur auf dem Akkordeon mit, dann begann sie, zu singen. Alea musste unwillkürlich lächeln. Tess' grandiose Powerröhre gab ihr jedes Mal das Gefühl, in einem großen Stadion vor einer echten Rockband zu stehen – mit einem wahren Star als Frontfrau.

Oft verpasste Alea ihren eigenen Einsatz, weil sie völlig fasziniert von Tess' Gesang war. So auch diesmal. Sammy musste sie anstupsen, damit sie zu spielen begann. Doch kaum hatte Alea sich auf ihre Fingerspitzen gespuckt und die ersten verträumten, zarten Töne aus ihren Gläsern heraufbeschworen, veränderte sich der Klang der Band. Plötzlich klangen sie tiefer, ein klein wenig geheimnisvoll und ... vollständig. Jedes einzelne Mitglied der Alpha Cru war unentbehrlich, und ihr besonderer Sound konnte nur von genau diesen Fünfen gemeinsam erschaffen werden.

Im Refrain fielen Sammy und Ben in den Gesang mit ein. Sie hatten ebenfalls gute Stimmen. Zum Glück hatten die anderen Alea bisher noch nicht bedrängt, mitzusingen. Allein bei dem Gedanken daran, vor Publikum singen zu müssen, sträubten sich ihr vor Lampenfieber die Nackenhaare. Ob Lennox singen konnte, wusste sie auch nicht.

Als sie den ersten Song beendet hatten, begann Alea, übermütig zu klatschen. »Ich finde uns toll!«, rief sie und strahlte Tess begeistert an.

Da lachte Tess. Sie lachte frei heraus, wie sie es sonst nie tat, und für einen Augenblick schien sie ganz unbeschwert zu sein. Das wirkte enorm ansteckend, und Ben, Sammy und Lennox applaudierten nun ebenfalls und feierten sich selbst.

Sammy streckte seine Hand vor. Er musste gar nichts sagen. Die anderen legten sofort ihre Hände darauf. »Alpha Cru!«, riefen sie alle gleichzeitig, und ihr Ruf erschreckte die Möwe, die sich heimlich auf dem Deckshäuschen niedergelassen hatte. Der Vogel stob auf und flog laut kreischend davon.

73

Schwarz

Wenig später machte Alea sich bereit, ein weiteres Mal zum Meeresgrund hinabzutauchen. Sie trug nur noch ihr T-Shirt und ihre abgeschnittene Jeans, um sich im Wasser frei bewegen zu können. Als sie Ben sagte, dass sie bald wieder da wäre, sah er nicht sehr glücklich aus.

»Schwimm nicht mit irgendwelchen Walen mit, ja?«, bat er ernst. »Wir brauchen dich hier an Bord.«

»Ich komme wieder, versprochen!«, versicherte Alea ihm, obwohl sie ein merkwürdiges Bauchgefühl hatte. Bei dem Gedanken an den bevorstehenden Ausflug war ihr ein wenig mulmig zumute, auch wenn sie nicht hätte sagen können, wieso. Entschlossen schob sie das Gefühl beiseite. »Mach dir keine Sorgen«, bat sie Ben. »Ich will ja nirgendwo anders sein als hier.« Ihre Augen suchten Lennox. Er lehnte am Mast und spielte selbstverloren auf seiner Gitarre, obwohl die Bandprobe längst vorüber war.

Als hätte er Aleas Blick gespürt, schaute er auf und kam zu ihnen herüber. »Schwimmst du noch mal zu den Ruinen?«, fragte er und trat so nah an sie heran, dass sie seinen Duft wahrnehmen konnte. Lennox roch einfach unglaublich gut.

»Ja«, antwortete Alea knapp und tat beschäftigt. Ihr dummes Herz schlug schon wieder wie verrückt.

»Pass auf dich auf«, sagte Lennox weich.

Alea nickte wortlos, kletterte schnell über die Reling und sprang ins Wasser. Sie verwandelte sich umgehend. Kiemen, Schwimmhäute, ihre silbrig grüne Haut – all das war innerhalb von Sekunden da. Mit ein paar kräftigen Fußkicks schwamm sie los und seufzte wohlig auf. Durch die Kiemen Luft zu holen, war, wie einen Schal von Mund und Nase zu reißen und endlich frei atmen zu können.

Alea schwamm ein Stück und genoss einfach nur das Gefühl, vom Wasser getragen und umschlungen zu werden. Die Strömungen im Ärmelkanal waren stark, aber keine Gefahr für sie. Oft spielte Alea sogar damit, so wie viele Fische es taten. Auch jetzt aalte sie sich regelrecht in der Kraft des Meeres.

Wenig später hielt Alea jedoch abrupt inne. Sie spürte ein Stechen im Hals. Irgendetwas stimmte nicht. Warum war das Wasser so … dunkel?

Dann sah sie die toten Makrelen. In dumpfem Licht zogen ihre bewegungslosen Körper an ihr vorüber. Der Anblick ließ Alea das Blut in den Adern gefrieren. Was war nur mit ihnen passiert? Und was war mit dem Wasser? Es schmeckte chemisch. Beißend. Ihr Hals brannte. Sie versuchte, zu schlucken, aber es ging nicht. Da wusste Alea, dass sie sofort zur *Crucis* zurückkehren musste. Bevor sie jedoch abdrehen konnte, blieb ihr Blick an etwas hängen. In einiger Entfernung bewegte sich etwas. Waren dort drüben Taucher? Sie schärfte den Blick. Ja! Und die Taucher hatten irgendetwas dabei. Etwas Großes, Dunkles.

Alea zögerte, dann schwamm sie noch ein kleines Stück näher. Nun erkannte sie, was vor sich ging. Von einem Schiff wurden mehrere fassartige Behälter ins Wasser abgeladen. Vier Taucher schwammen zwischen den Fässern hin und her. Sollten die Behälter zum Meeresgrund gebracht werden? Oder wollten diese Männer sie möglicherweise ins Wasser ausleeren? Das war doch garantiert nicht erlaubt!

Alea begriff, dass diese Männer Kriminelle sein mussten, die hier etwas Verbotenes taten. Dort, wo die Fässer durchs Wasser gezogen worden waren, war alles dunkel. Die riesigen Fässer hinterließen eine breite schwarze Spur, und die Ausläufer dieser Schwärze waren schon ins Meer vorgedrungen. Es war eine geisterhafte Dunkelheit, ein hungriges Schwarz, das alle anderen Farben des Meeres zu verschlucken schien. Plötzlich hatte Alea ein Wort im Kopf: *Tod*.

Ein kalter Schauer lief ihr über den Rücken.

Schockiert sah sie den Männern zu, wie sie die Behälter immer tiefer ins Meer einließen. Die Schwärze breitete sich weiter und weiter aus.

Alea wusste, dass sie schleunigst verschwinden musste. In ihrer verwandelten Form mit den glänzenden grünen Augen durfte sie auf keinen Fall entdeckt werden! Außerdem brannte ihr Hals mittlerweile wie Feuer, und ihre Beine fühlten sich schwächlich an.

Mit angehaltenem Atem begann Alea, rückwärts zu schwimmen. Sie wollte den Männern keinesfalls den Rücken zukehren, denn sie fühlte sich wie auf einem Serviertablett. Im offenen Meer konnte sie sich nirgendwo verstecken.

Ihr Herz hämmerte wie verrückt. Konnte sie noch irgendetwas anderes tun, als sich davonzustehlen? Kaum hatte sie diesen Gedanken gedacht, geschah etwas Seltsames: Aus der Spitze ihres linken Zeigefingers floss etwas heraus. Perplex zog sie die Hand zu sich heran. Was war das? Die herausquellenden Tropfen waren grell orangefarben und zerstreuten sich im Meerwasser wie Staubflocken im Wind.

Alea konnte sich jetzt nicht darum kümmern. Sie musste so schnell wie möglich unbemerkt von hier verschwinden! Doch im nächsten Augenblick drehte schon einer der vier Männer den Kopf zu ihr herum.

Alea erstarrte. Auf die Entfernung konnte er ihre Schwimmhäute und Katzenaugen zwar bestimmt nicht erkennen, aber es genügte, dass sie entdeckt worden war. Der Taucher winkte einem anderen zu, wies auf Alea, und die beiden setzten sich in Bewegung.

Alea schnappte erschrocken nach Luft. Durch ihre Lungen zuckte ein lähmender Schmerz. Sie musste sofort weg von hier! Als sie aber mit dem Fuß schlug, stellte sie fest, dass ihre Beine sich inzwischen ganz taub anfühlten. Sie konnte sie kaum noch spüren, geschweige denn mit ihrer üblichen Schnelligkeit davonschwimmen!

Panik ergriff sie.

Die Taucher kamen immer näher. Um sie herum loderten feuerrote Flammenzungen. Hatte sie so etwas schon mal gesehen? Sie konnte kaum klar denken. Sie musste fort von hier, aber sie konnte sich beinahe nicht mehr bewegen.

Da spürte Alea einen Sog, eine Bewegung. Jemand war hinter ihr. Mühsam wandte sie den Kopf. Als sie sah, wer gekommen war, weiteten sich ihre Augen.

Es war Lennox.

Er schwamm auf sie zu.

Alea fragte sich nur für einen Sekundenbruchteil, wie es möglich war, dass er schwimmen konnte. Es sah so *richtig* aus. Er schwamm mit eng anliegenden Armen und schnellen Beinbewegungen, und es schien das Natürlichste der Welt zu sein. Sie war allerdings mehr als überrascht, Lennox unter Wasser zu sehen. Was machte er hier?

Gleich darauf stieg noch eine andere Empfindung in Alea auf: Beruhigung. Lennox' Anblick ließ ihre Panik von einer Sekunde auf die andere abebben und machte einem eigenartigen, neuen Gefühl Platz, das sie nicht kannte und das sie verwirrte – der Gewissheit, dass sie die Gefahrensituation und ihre Angst Lennox überlassen konnte. Ein tief verborgener Teil in ihr schien zu wissen, dass er sich darum kümmern und sie beschützen würde.

Als Lennox Alea erreicht hatte, fasste er sie bei den Schultern und blickte sie besorgt an.

»Mir ist so komisch«, flüsterte Alea, aber es kam kaum mehr als kleine Luftbläschen aus ihr heraus.

Erst jetzt sah Lennox die Taucher. Erschrocken riss er die Augen auf. Die beiden Männer hatten sie schon fast erreicht! Sie konnten nicht mehr fliehen.

Lennox' Fäuste ballten sich reflexartig. Er schwamm vor Alea, zog sie mit dem Arm hinter sich, und sie versteckte sich hinter seinem Rücken.

Alea hoffte inständig, dass die Taucher ihr Meermädchenaussehen noch nicht bemerkt hatten und einfach wieder abdrehen würden. Aber das war natürlich Unsinn, denn es ging nicht um ihr Aussehen. Es ging um diese Fässer. Sie wurden verbotenerweise hier abgeladen.

Alea spürte eine stoßartige Welle. Einer der Männer musste sich ruckartig bewegt haben. Gleich darauf wurde Lennox heftig zurückgeworfen. Der Mann griff ihn an!

Lennox musste sich von Alea entfernen. Er schoss vor und versetzte dem Mann mit dem Ellbogen einen Hieb in die Magengrube. Der Taucher krümmte sich. Der andere versuchte, Lennox zu packen, aber Lennox war schneller. Mit einem geschickten Tritt stieß er den Mann zurück.

Der erste Taucher rappelte sich währenddessen auf und wollte Lennox abermals angreifen. Doch dann sah er Alea zum ersten Mal richtig – ihre grüne Haut, die Augen, die

Schwimmhäute. Für einen Augenblick war der Mann wie erstarrt. Der zweite Taucher entdeckte Alea ebenfalls und staunte nicht weniger.

Lennox nutzte den Moment. Blitzschnell drehte er sich um und kam zu Alea zurück. Seine Hände griffen nach ihren Händen und legten sie auf seine Hüften. Sie sollte sich festhalten, und das tat sie.

Lennox schwamm los. Die Geschwindigkeit, mit der er durchs Wasser schoss, war erstaunlich. Er war zwar nicht so schnell wie Alea, wenn sie bei Kräften war, aber für einen Menschen ohne Schwimmhäute war sein Tempo verblüffend.

Alea klammerte sich, so gut sie konnte, an ihm fest. Ihr war nun so schwummrig, dass sie kaum noch Farben erkannte.

Lennox jagte steil in die Höhe, zur Wasseroberfläche. Kaum waren sie aufgetaucht, holte er tief und schnell Luft. Erst da begriff Alea, dass ihm die schwarze Flüssigkeit, die von den Fässern ausging, nicht so viel ausmachte wie ihr, weil Lennox unter Wasser nicht atmete. Mit einer zittrigen Bewegung strich sie sein Haar zurück, um sich noch einmal zu vergewissern. Er hatte keine Kiemen hinter den Ohren.

»Wir müssen hier weg«, brachte Lennox stoßweise hervor. »Diese Kerle meinen es ernst.«

Aleas Kopf arbeitete langsam. »Jetzt wissen wir wenigstens, dass du mit dem Rotfarn im Meer tauchen kannst, ohne Schmerzen«, murmelte sie unzusammenhängend.

»Alea«, sagte Lennox ernst und nahm sie beim Kinn, sodass er ihr in die Augen schauen konnte. »Du musst durchhalten.«

»Ja«, hauchte Alea. »Ich –«

Jetzt tauchten mehrere Köpfe mit Tauchmasken neben ihnen auf. Diesmal waren es jedoch nicht zwei Taucher, sondern vier!

»Verdammt!«, fluchte Lennox und holte tief Luft. Alea hielt sich mit letzter Kraft an ihm fest. Dann tauchten sie ab. Lennox schwamm wie der Blitz los und schlug einen Haken.

Wo war die *Crucis*? Alea hatte völlig die Orientierung verloren. Sie wagte einen Blick zurück. Die vier Taucher nahmen die Verfolgung auf! Offenbar hatten sie zuerst nicht erkennen können, wohin Lennox geschwommen war. Aber nun waren sie ihnen auf den Fersen.

Lennox sah es auch. Er tauchte auf. »Mist!«, keuchte er. »Ich hatte gehofft, dass sie mich übersehen und du durch mich irgendwie auch getarnt bist. Aber jetzt haben wir sie zu den anderen geführt!«

Alea erkannte, dass sie bei der *Crucis* angekommen waren. Sie schaukelte direkt vor ihnen auf den Wellen. Entsetzt gruben sich ihre Finger in Lennox' Shirt. Er hatte recht! Sie brachten Ben, Sammy und Tess in Gefahr!

»Wir schwimmen weiter.« Lennox sog tief die Luft ein und tauchte erneut. Aleas Arme schlangen sich abermals um ihn. Je weiter sie sich von den Behältern entfernten, desto besser konnte sie atmen, und das Stechen im Hals ließ langsam nach. So schnell wie Lennox konnte sie allerdings bestimmt noch nicht wieder schwimmen.

Lennox preschte voran. Er beschrieb eine große Kurve und bewegte sich von der *Crucis* fort.

Alea schaute zurück.

Erschrocken stellte sie fest, dass die Taucher sich nun aufgeteilt hatten. Zwei waren hinter ihnen her, die anderen beiden steuerten auf die *Crucis* zu!

Lennox drehte um, schlug einen weiteren Haken und schwamm zum Schiff zurück.

»Oh Gott«, stieß Alea hervor, als sie an der Oberfläche auftauchten. Die ersten beiden Männer kletterten gerade an der Außenleiter der *Crucis* hinauf!

»Wir müssen auch rauf«, ächzte Lennox. »Wir müssen den anderen helfen. Schaffst du die Leiter?«

»Ich weiß es nicht«, antwortete Alea. »Ich versuche es.«

Sie pirschten sich mit fließenden Schwimmbewegungen an das Boot heran und warteten, bis die Männer über die Reling gestiegen waren. »Komm.« Lennox griff mit einer Hand nach der Leiter, mit der anderen half er Alea hinauf. Ihre Arme und Beine bebten, aber irgendwie schaffte sie es, sich an den Sprossen und an Lennox festzuhalten.

Als sie oben angekommen waren, duckten sie sich hinter die Reling und spähten über den Rand.

Tess, Ben und Sammy standen den Männern mit aschfahlen Gesichtern gegenüber. Die Taucher hatten ihre Masken abgenommen und redeten in hitzigem Englisch auf die drei ein. Ihre Körpersprache war derartig bedrohlich, dass sich alles in Alea zusammenzog. Ben antwortete den Männern mit eindringlicher Stimme und machte beschwichtigende Gesten mit der Hand.

»Bleib hier«, knirschte Lennox zwischen den Zähnen hervor. Seine Miene war grimmig entschlossen. Was hatte er vor?

Im nächsten Moment flog Lennox mit einem katzenhaften Satz über die Reling. Die Männer sahen ihn nicht kommen. Ein gezielter Fußtritt brachte den Ersten zu Fall. Den Zweiten sprang Lennox so heftig an, dass dieser gegen die Reling taumelte und über Bord fiel. Der Erste kam währenddessen wieder auf die Beine und holte zum Schlag aus. Bevor er Lennox jedoch erwischen konnte, traf ihn etwas an der Seite. Tess stand mit erhobener Gitarre hinter dem Mann und hieb ihm nun ein zweites Mal das Instrument gegen die Rippen, während Sammy ihn vors Schienbein trat. Der Mann stöhnte auf. Tess schien jedoch wild entschlossen. Sie schubste den Mann heftig mit der Gitarre, sodass er das Gleichgewicht verlor und hinfiel.

»Los!«, schrie Ben und machte das Handzeichen für *Alle zusammen.*

Tess, Sammy, Ben und Lennox sprangen gleichzeitig los, ergriffen den um sich schlagenden Taucher und zerrten ihn nach Backbord. Mit einem gemeinsamen Löwenbrüllen beförderten sie den Mann über die Reling.

»Wirf die Maschine an!«, schrie Ben seinem Bruder

zu. Sammy stürzte zum Heck, wo sich der Motor befand, während Ben zum Ruder rannte.

Lennox kam mit schnellen Schritten zu Alea und hob sie über die Reling. Mit butterweichen Beinen folgte sie ihm zum Heck und sank dort auf die Sitzbank.

Sie mussten sofort losfahren, sonst würden die Männer wieder an Bord klettern!

Lennox schien dasselbe zu denken. Rasch lief er zur Außenleiter zurück. Seinem kämpferischen Gesichtsausdruck nach war er bereit, jeden im hohen Bogen ins Meer zu werfen, der diese Leiter erklimmen würde.

Und dann kam jemand.

Es war einer der Männer, die sie gerade über Bord geworfen hatten. Und er hatte ein Messer in der Hand.

Lennox wich zurück. Es war ihm deutlich anzusehen, dass er dem Taucher am liebsten an die Kehle gesprungen wäre. Aber das Messer hielt ihn davon ab.

Langsam stieg der Mann über die Reling, das Messer drohend vor sich. Lennox grollte wie ein Wolf, dem Ketten angelegt worden waren. Es blieb ihm nichts anderes übrig, als immer weiter zurückzuweichen.

Der Mann streifte sich mit einer Hand die Taucherflossen ab. Sie hatten ihn zuvor im Kampf behindert, und nun schien er es besser zu wissen. Zeitgleich kletterte der zweite Taucher über die Reling, und dann noch ein dritter!

Alea sank das Herz. Der dritte war breit wie ein Schrank und mindestens zwei Meter groß. Was konnten sie nur tun?

Alea sah, dass Tess mit verbissenem Gesicht abermals nach der Gitarre griff. Ben, der aus dem Deckshäuschen gekommen war, schüttelte jedoch heftig den Kopf. »Leg sie weg«, zischte er ihr zu. »Wir haben keine Chance.«

Sammy wurde kreidebleich. Flehend blickte er seinen

großen Bruder an, als hoffte er, dass dieser seine Worte zurücknehmen würde. Aber Ben wies nur mit dem Kinn zur Außenleiter. Der vierte Taucher stieg gerade an Bord!

Alea brach kalter Schweiß aus. Sie hatten etwas gesehen, das sie nicht hätten sehen dürfen. Was würden diese Männer nun mit ihnen tun?

Der erste Taucher sagte etwas auf Englisch. Sie sollten sich in der Mitte des Schiffes nebeneinanderstellen. Als Alea nicht schnell genug reagierte, kam einer der Männer zu ihr und packte sie am Arm.

Lennox knurrte gefährlich und machte eine Bewegung, als wollte er zu Alea. Daraufhin ergriff ihn der erste Taucher und hielt ihm das Messer an die Kehle.

Alea entfuhr ein Schrei, und sie kam auf die Beine. Sie hatte mehr Kraft als zuvor, aber ihr Herz schlug vor Angst hart und schnell. Der Mann bei Lennox lachte und sagte etwas. Alea verstand nur »*your little girlfriend*« – *deine kleine Freundin*. Dann deutete der Mann grinsend mit dem Messer in Aleas Richtung. Der Kerl drohte Lennox damit, ihr etwas anzutun!

Das war offenbar genug für Lennox. Sein Arm schoss in die Höhe und schlug dem Mann das Messer aus der Hand.

»Lennox! Nein!«, schrie Ben. »Es sind zu viele!«

Das sah Alea auch so. Wie wollte Lennox es mit vier Kriminellen auf einmal aufnehmen?

Da tat Lennox etwas, mit dem niemand gerechnet hatte.

Er wirbelte herum und versenkte seine azurblauen Augen tief in die des Mannes. »*You will forget the mermaid*«, sagte er. »*You will forget us. You will forget, what made you come here.*«

Alea verstand. *Du wirst das Meermädchen vergessen. Du wirst uns vergessen. Du wirst vergessen, warum du hergekommen bist.*

Der Mann starrte Lennox wie hypnotisiert an. Dann drehte er sich um, zog seine Taucherflossen über und stieg an der Außenleiter hinab. Der Zweimeterkerl schrie ihm verblüfft etwas hinterher, aber der Mann kam nicht zurück. Lennox war schon beim Nächsten. Mit stählernem Blick wiederholte er, was er zu dem Ersten gesagt hatte. Auch der Zweite marschierte daraufhin zur Leiter und verließ die *Crucis*.

Ben und Sammy stand vor Verblüffung der Mund offen.

Tess hatte ihre Brauen so eng zusammengezogen, dass sie eine einzige Linie bildeten.

Die beiden verbliebenen Männer waren ebenfalls sichtlich durcheinander. Der Zweimeterkerl schrie: »*What is happening?*«, rannte zur Reling und schaute hinunter.

Lennox sprang auf die Reling. Der Zweimetermann guckte verdutzt zu ihm nach oben, und schon war er in Lennox' Blick gefangen. Lennox balancierte auf der schmalen Reling, fixierte den Mann und wiederholte seine Worte. Der Riese sagte abwesend »*Yes*« und wandte sich zum Gehen.

Doch während Lennox mit ihm beschäftigt war, rannte der vierte Mann zu Alea und riss sie an sich. Alea zuckte zusammen. Lauthals brüllte der Mann etwas.

Lennox fuhr herum.

Der Taucher hatte drohend den Unterarm um Aleas Hals gelegt!

Plötzlich schrie der Mann auf. Sammy war ihm auf den Fuß getreten! Mit aller Macht trat er gerade noch einmal zu.

Lennox nutzte die Gelegenheit. Mit einem gewaltigen Hechtsprung flog er von der Reling zu ihnen herüber, zog den Kopf des Mannes mit einer schnellen Bewegung zu sich herum und sprach die Worte.

Der Mann gab seinen Widerstand sofort auf, marschierte zur Außenleiter und kletterte hinunter.

Sammy rannte zur Reling. »Sie schwimmen davon!«, schrie er. »Sie sind weg!« Seiner Stimme war deutlich anzuhören, dass er es kaum fassen konnte.

Ben lief zu ihm, ebenso Tess und Lennox. Alle starrten nach unten, wo nichts als Wasser und Wellen zu erkennen war. Die Männer waren fort.

»Lasst uns verschwinden«, sagte Ben.

Tess rannte zum Heck und warf die Maschine an.

Ben lief zum Deckshäuschen und wendete die *Crucis*. Nachdem er den Autopiloten angestellt hatte, kam er zu ihnen zurück.

Lennox trat zu Alea. »Wie geht es dir?«

Alea räusperte sich. »Mein Hals tut nicht mehr weh.«

»Warum?«, fragte Ben, der aussah, als hätte er am liebsten tausend Fragen auf einmal gestellt. »Was ist mit deinem Hals?«

»Alea hat unter Wasser Chemieabfälle eingeatmet«, antwortete Lennox.

»Was?«, rief Sammy. »Mach keine Sachen, Schneewittchen!«

»Es geht schon wieder«, wiegelte Alea ab.

Lennox erklärte: »Die Männer gehörten zu dem Frachtschiff dort drüben.« Er wies zum Horizont.

»Wirklich?«, fragte Ben aufgelöst. »Ich hatte mich schon darüber gewundert, dass dieses Schiff mitten im Ärmelkanal anhält. Diese Leute haben Chemiemüll abgeladen?«

»Deswegen riecht es so komisch!«, sagte Tess.

»Scheiße!«, entfuhr es Ben, dem jetzt erst bewusst zu werden schien, wie gefährlich die Situation wirklich gewesen war.

Sammy fragte: »Hast du sie beim Abladen beobachtet, Alea?«

»Ja, und von dem Zeug, das aus den Fässern ausgetreten ist, wurde mir ganz komisch.« Sie fasste sich an den Hals. »Als die Männer mich entdeckt hatten, war Lennox plötzlich da«, fuhr sie fort. »Er hat mich gerettet.«

»Echt?«, rief Sammy. Offenbar hatten die anderen gar nicht mitbekommen, dass Lennox ins Wasser gesprungen war. »Wie ist das möglich? Du kannst doch gar nicht schwimmen, Scorpio!«

»Ich hatte so ein Gefühl, dass Alea in Gefahr ist«, erwiderte Lennox.

»Warum hast du uns nicht Bescheid gesagt?«, fragte Ben. »Wo war ich denn, als du ins Wasser gegangen bist?«

»Du warst unter Deck, und ich wollte keine Sekunde verlieren.« Lennox' Blick richtete sich nach innen. »Ich konnte nicht anders. Ich musste zu Alea. Und dann bin ich einfach ins Wasser gesprungen. Ich musste sie beschützen.«

»Du hättest ertrinken können!«, wetterte Ben.

»Nein, ich habe schon vermutet, dass ich schwimmen kann«, entgegnete Lennox. »Letzte Woche, als die Schiffsschraube verklemmt war und wir alle ins Wasser gesprungen sind, da habe ich mich nicht die ganze Zeit am Boot festgehalten. Ich bin am Anfang kurz geschwommen. Hinterher habe ich mich gefragt, ob das nur Anfängerglück war, und wollte es bei der nächsten Gelegenheit noch mal ausprobieren. Ich hatte allerdings bis heute keinen Rotfarn.«

»Und du konntest einfach so schwimmen?«, hakte Sammy nach. »Ohne es je gelernt zu haben? Du hast es früher nie richtig versucht?«

»Nein, wegen der Kaltwasserallergie habe ich mich immer vom Wasser ferngehalten«, erwiderte Lennox. »Aber es ging ganz leicht. Irgendwie wusste ich, wie ich mich bewegen muss.«

Das überraschte Alea nicht. Lennox hatte im Wasser

völlig natürlich ausgesehen. Außerdem hatte sie selbst beim ersten Sturz ins Meer ebenfalls sofort schwimmen können – ohne es je beigebracht bekommen zu haben. Es war ihnen offenbar angeboren. »Aber warum bereitet dir das Wasser normalerweise solche Schmerzen?«, fragte sie. »Ich verstehe das alles nicht.«

»Wisst ihr, was ich nicht verstehe?«, mischte sich Tess ein, nachdem sie länger geschwiegen hatte. »Was da eben mit den Männern passiert ist!«

»Scorpio ist wirklich ein Krieger«, stellte Sammy mit einer Mischung aus Verwirrung und Bewunderung fest. »Er hat denen richtig den Hintern versohlt!«

Tess schüttelte den Kopf. »Das meine ich nicht!«, entgegnete sie, doch Sammy sprach schon weiter.

»Weißt du noch, was die mythologische Bedeutung deines Bandennamens ist?«, fragte er Lennox. Der antwortete nicht, aber natürlich schob Sammy die Erklärung sofort nach: »Der Überlieferung nach wird der Skorpion als Beschützer oder Krieger gesehen.«

»Einige griechische Götter sollen ihn als Waffe benutzt haben«, murmelte Alea, die diese Worte ebenfalls auswendig kannte.

»In meiner Zeit als Straßenjunge habe ich das Kämpfen gelernt«, erklärte Lennox. »Der Bandenname –«

»Der Bandenname ist doch egal!«, fuhr Tess dazwischen. »Erklär uns lieber mal, was du eben mit den Männern gemacht hast!«

»Tess hat recht«, sagte Ben. »Die Kampfsporteinlagen

haben mich weniger überrascht als das … andere. Was hast du mit den Tauchern angestellt?«

»Okay, ihr habt ein Recht darauf, es zu erfahren«, sagte Lennox.

»Dann mal raus damit«, forderte Tess. »Wieso sind diese Gangster einfach abgezogen?«

»Ich habe eine besondere … Fähigkeit«, antwortete Lennox. »Ich kann Menschen dazu bringen, bestimmte Dinge zu vergessen.«

Sammy biss sich mit aufblitzenden Augen auf die Unterlippe. »Hammer«, flüsterte er.

Lennox sprach weiter. »Ich weiß nicht, wieso ich das kann oder wie es genau funktioniert. Ich weiß nur, dass ich jemandem dazu direkt in die Augen sehen und ihm sagen muss, was er vergessen soll. Und dann vergisst er es.«

Tess, Ben und Sammy starrten Lennox sprachlos an. Wenn sie es nicht selbst erlebt hätten, hätten sie ihm bestimmt nicht geglaubt.

»Unfassbar«, brachte Ben hervor. »Das ist *Magie*.«

»Reine Magie!«, jubelte Sammy. »Wir haben zwei magische Märchenwesen an Bord!«

»Was soll ich denn für ein Märchenwesen sein?«, fragte Lennox skeptisch.

»Der Krieger des Vergessens!«, klärte Sammy ihn auf, als müsste dieser Krieger allen bekannt sein.

Tess nagte an ihrer Unterlippe, als würde sie über den neuen Informationen brüten.

Ben schien ebenfalls sehr nachdenklich. »Hat diese Vergessenssache etwas damit zu tun, dass du ständig von allen übersehen wirst?«

»Stimmt!«, rief Sammy. »Manchmal sehe ich dich erst, wenn ich weiß, wo ich suchen muss, Scorpio!«

»Das ist ein ... Effekt«, erklärte Lennox. »Ein Effekt, den ich schon mein ganzes Leben lang auf Leute habe. Im ersten Moment nimmt man mich gar nicht wahr.«

»Aber du kannst auch selbst dafür sorgen, dass man dich vergisst!«, sagte Ben. »Das ist was anderes, als übersehen zu werden!«

»Ja«, gab Lennox zu. »Aber es gehört irgendwie zusammen. Wie genau, weiß ich allerdings auch nicht.«

Ben raufte sich die Haare. »Wie krass ist das denn?« Kopfschüttelnd schaute er seinen kleinen Bruder an. »Wir haben zwei magische Bandenmitglieder!«

»So was passiert nur Bestabenteurern!«, rief Sammy freudestrahlend.

Ben suchte Aleas Blick. »Die Gemeinsamkeiten bei dir und Lennox sind erstaunlich«, hielt er vielsagend fest.

»Ja, Alea und ich sind irgendwie gleich«, bestätigte Lennox. »Es kann kein Zufall sein, dass wir uns begegnet sind.«

Alea erinnerte sich daran, dass Ben von *Schicksal* gesprochen hatte.

»Hast du dieses Mal im Meer Schwimmhäute und Kiemen bekommen?«, hakte Sammy wissbegierig nach.

»Nein«, entgegnete Lennox.

»Hm. Also bist du gar kein Meermensch? Was bist du denn dann?«

»Vielleicht ist Lennox nur ein halber Meermensch«, sagte Tess. »Nur halb magisch.«

Lennox blickte sie erstaunt an. »Ein Mischling? Das wäre eine Erklärung.«

»Ja, das ergäbe Sinn«, sagte Ben, und es schien, als wäre diese Idee nicht ganz neu für ihn. »Sag mal, könnte es sein, dass du adoptiert bist, Scorpio?«

Lennox zog überrascht die Stirn in Falten. »Nein, ich glaube nicht. Das hat mir jedenfalls nie jemand gesagt.«

Ben nickte grüblerisch. »Wenn wir davon ausgehen, dass deine Eltern wirklich deine Eltern sind, dann ist dein Vater wahrscheinlich der Landmensch von den beiden. Oder könntest du dir vorstellen, dass er magisch ist?«

»Nein«, sagte Lennox in deutlichem Ton. »Ich habe aber schon mal darüber nachgedacht, ob meine Mutter vielleicht besonders gewesen sein könnte.«

Alea verfolgte die Unterhaltung mit angehaltenem Atem. War Lennox' Mutter womöglich auch ihre eigene Mutter?

»Was weißt du über sie?«, fragte Ben weiter.

»Nicht sehr viel«, erwiderte Lennox. »Sie hieß Xenia, und sie hat unsere Familie verlassen, als ich zwei Jahre alt war. Ich erinnere mich kaum noch an sie, und mein Vater hat mir nicht viel über sie erzählt.«

»Hast du ihn nicht nach ihr gefragt?«, wollte Alea wissen.

Lennox' Gesicht verhärtete sich. »Meistens ist er ausgerastet, wenn ich's getan hab. Deswegen hab ich irgendwann aufgehört, zu fragen.«

Alle schwiegen betroffen.

Mitten in die Stille hinein erklang der elektronische Annäherungsalarm. Ein Schiff kam ihnen entgegen. Ben rannte zum Deckshäuschen und stellte sich hinters Ruder.

Während die anderen sich zerstreuten, blickte Alea nachdenklich zum Horizont. Ihr war klar, dass dieser Tag ohne Lennox ganz anders ausgegangen wäre. Der Krieger des Vergessens hatte ihnen allen die Haut gerettet.

Ostwind

Am nächsten Morgen kam endlich Wind auf. Sein mächtiges Brausen erfasste die *Crucis*, erschütterte ihre Wände und weckte Alea. Sie fuhr hoch und sprang aus dem Bett. Tess hatte sich im oberen Bett aufgerichtet. »Wind!«, brummelte sie. »Endlich.«

Tess und Alea liefen durch den Salon nach oben an Deck, wo Ben, Sammy und Lennox bereits dabei waren, die Segel vorzubereiten.

»Guten Morgen, Ladys!«, rief Sammy und verbeugte sich galant vor Tess und Alea.

Tess machte ein griesgrämiges Gesicht. Alea machte einen Knicks.

Alea bemerkte, dass Ben von einem Ohr zum anderen strahlte. Für einen Skipper gab es wohl nichts Schöneres als das Geräusch des Windes, der ihm um die Ohren wehte. »Alpha Cru!«, rief Ben. »Wir segeln wieder!«

Sammy vollführte einen übermütigen Hüpfer, Lennox krempelte sich die Ärmel hoch, und Alea griff nach dem Fallseil. Ben gab die Kommandos und machte ein paar

Handzeichen, und ein paar Minuten später blähten sich zwei starke, weiße Segel im frischen Ostwind.

Ben schaute lächelnd nach oben. »Morgen sind wir in Edinburgh.«

Aleas Herz schlug schneller. Schottland – Loch Ness – die Nachricht in der Schneekugel. Zwar hatte sie nun leider die Wasserruinen nicht weiter erkunden können, aber sie hoffte inständig, dass sich am Loch Ness das Geheimnis um ihre Herkunft endlich lüften würde.

Alea trat zu Tess. »Jetzt geht es wieder los«, sagte sie und wollte gern mit Tess plaudern. Vielleicht bot sich dann auch mal die Gelegenheit, zu fragen, wen Tess ganz besonders mochte.

»Alea, du bist mit Plankenschrubben dran!«, informierte Ben sie jedoch in diesem Moment.

Alea seufzte. Darauf hatte sie eigentlich überhaupt keine Lust. Aber was getan werden musste, musste wohl getan werden. Sie wollte sich gerade in Bewegung setzen, als Tess sagte: »Ich übernehme das für dich.« Bevor Alea widersprechen konnte, ging Tess schon los und holte sich den Putzeimer.

»*Merci*!«, rief Alea ihr dankbar zu. »*Merci* total!«

Tess schenkte ihr ein Lächeln. Sie hatte Alea auch vorher schon mal Arbeiten abgenommen und gemeint, dass Alea Zeit zum Schwimmen bräuchte. Das wäre wichtiger als Putzen.

Sammy, der Wache hatte, stellte sich nun ans Ruder. Und Ben setzte sich neben ihn, um eine Seekarte zu studieren.

Plötzlich stand Alea allein mit Lennox da.

Lennox blickte auf die See, als wollte er es ihr überlassen, ein Gespräch zu beginnen. Alea überlegte, ob sie einfach weggehen sollte, als er fragte: »Machen wir Frühstück?«

»Frühstück?« Das konnte sie nicht ablehnen. Wenn Tess schon für sie putzte, musste Alea wenigstens bei den Frühstücksvorbereitungen helfen. »Mhm«, gab sie zurück und folgte ihm hinunter in die Kochnische.

Während Lennox Toastbrot in den Toaster steckte, holte Alea Teller aus dem Schrank. Das Schweigen zwischen ihnen war grässlich. Aber Alea war sich sicher, dass sie es noch weniger aushalten würde, wenn sie einander jemals wieder so nahe kämen wie in den ersten Tagen nach seiner Ankunft an Bord.

Lennox brach das Schweigen. »Ich frage mich manchmal, was meine Mutter gerade macht. Deckt sie vielleicht auch irgendwo einen Frühstückstisch? Und wenn ja, für wen?«

Alea hörte ihm an, wie traurig er war. Er wirkte so verloren. Das tat ihr furchtbar leid, und in ihr regte sich das schlechte Gewissen. In Lennox' erster Woche an Bord war sie seine engste Vertraute gewesen. Konnte sie sich denn nicht zusammenreißen und ein ganz normales Gespräch mit ihm führen?

»Vielleicht denkt sie ja auch gerade an dich«, sagte sie, während sie Rotfarntee aufsetzte.

Lennox lächelte überrascht. »Ich würde alles tun, um

noch ein einziges Mal mit ihr sprechen zu können. Als Erstes würde ich sie fragen, ob sie tatsächlich eine Meerjungfrau ist.« Er strich sich das dunkle Haar aus der Stirn. »Oder spielen wir bloß alle verrückt und haben uns in eine abgedrehte Idee reingesteigert?«

Alea merkte, wie sehr sie Gespräche wie dieses vermisst hatte. Würde es ihr gelingen, mit Lennox wie mit einem Bruder zu sprechen, ohne dass es wehtat? »Warum rufst du deinen Vater nicht an und fragst ihn noch mal, was er weiß?«

»Ich will nie wieder mit ihm reden«, entgegnete Lennox.

»Aber vielleicht würde er dir etwas erzählen, was du noch nicht weißt«, wandte Alea ein. Nach einer Pause fügte sie vorsichtig hinzu: »Er könnte dir diesmal ja nichts tun.«

Lennox starrte sie nachdenklich an. »Okay.«

Alea lächelte zaghaft. »Super.«

Wenig später saßen alle in der Sitzecke am Heck der *Crucis* – bis auf Lennox, der sein Frühstück mit ins Deckshäuschen genommen hatte, wo er nun seine Wache antrat.

Der frische Wind pfiff Alea um die Ohren. Sie hatte ihre plüschigen, pastellblauen Ohrenschützer aufgesetzt – eines ihrer Lieblingsstücke aus der Zeit, als sie noch angestrengt darauf bedacht gewesen war, die Knubbel hinter ihren Ohren zu verstecken. Die Knubbel, die sie immer für ihre größte Schwäche gehalten hatte. Wie seltsam es war, dass sich ausgerechnet darin ihre größte Magie verbarg ...

Beim Frühstück sprachen sie noch einmal über die Chemiefässer im Meer, und Ben erklärte, es würde leider sehr oft vorkommen, dass Müll ins Wasser abgeladen wurde. An Land mussten Unternehmen nämlich viel Geld dafür bezahlen, ihren Müll loszuwerden. Deswegen taten es manche auf See, wo es keiner bemerkte.

Was für schreckliche Folgen das für das Meer hatte, konnte man am Zustand des Ärmelkanals sehen. Er war fast ausgestorben, und wenn Alea aus dem Wasser kam, hatte sie immer das Gefühl, sofort duschen gehen zu müssen. Sie fragte sich, was sich Menschen, die ihren Müll einfach ins Meer kippten, eigentlich dabei dachten. Sagten sie sich, dass viele andere das ja auch taten? Und dass es deswegen nicht so schlimm war? Wie konnten sie bloß vor sich selbst rechtfertigen, dass sie zum Sterben der Ozeane beitrugen?

Ben sagte schließlich, dass sie eigentlich die Polizei über den Vorfall informieren müssten. Wenn sie das allerdings täten, wäre es mit ziemlicher Sicherheit vorbei mit der Alpha Cru. Alea, Tess und Lennox waren vor dem Gesetz minderjährige Ausreißer, und Sammy durfte wahrscheinlich gar nicht mit seinem großen Bruder auf einem Schiff leben, sondern müsste eigentlich zur Schule gehen. Es gab also keinen anderen Weg für sie, als Stillschweigen zu bewahren.

Dann sprachen sie von Meermenschen, von magischen

Fähigkeiten und dem verlassenen Unterwasserdorf. Sammy zählte noch einmal alles auf, was sie wussten, aber heute wurden sie daraus auch nicht schlauer als gestern.

Als Ben Sammy schließlich fragte, ob er endlich mal wieder den Abwasch erledigen könnte, war Sammy plötzlich weniger eifrig bei der Sache, stellte auf Durchzug und sagte mit Anrufbeantworterstimme: »Außerhalb der Sprechzeiten von fünfzehn bis sechzehn Uhr sind wir leider nicht zu erreichen. Viele Grüße, Sammys Gehirnzellen.«

Alea lachte, und auch über Tess' Gesicht huschte ein kleines Lächeln, bevor sie sich wieder unter Kontrolle bekam.

Sammy, der schon drei Scheiben Toast gegessen hatte, verspeiste nun noch ein halbes Dutzend Kekse zum Nachtisch, die Alea am Vorabend gebacken hatte. »Projekt Wampe wird eine absolute Erfolgsgeschichte«, mampfte er grinsend.

Doch diesmal lachte niemand, denn Ben rief: »Möwen!«

Tess fuhr zusammen.

Alea schaute zum Himmel. Drei Möwen kreisten über der *Crucis*. Alea, Ben und Sammy sprangen auf, und Lennox kam aus dem Deckshäuschen gelaufen. Alle begannen, durcheinanderzuschreien und herumzufuchteln, und dennoch landete einer der Vögel mitten auf dem Tisch und schnappte sich ein Stück Toast.

Tess wich panisch zurück.

»Ahhh!«, brüllte Ben das Tier an, das daraufhin kreischend aufstob und den anderen beiden nachflog, die abgedreht hatten.

Ben, Sammy, Lennox und Alea schauten den Vögeln nach, die gerade zwischen zwei Wolken verschwanden, und Tess marschierte schnurstracks zur Bordtür und knallte sie hinter sich zu.

»Sie ist wütend darüber, dass sie Angst hat«, sagte Alea. Sie hatte schon öfter darüber nachgedacht.

Ben nickte. »Manchmal mache ich mir Sorgen, dass sie irgendwas Verrücktes tun wird. Nur, um zu beweisen, wie mutig sie ist.«

»Wie meinst du das?«

Ben strich über den Mast, während er antwortete. »Weißt du noch, wie Tess vor zwei Wochen bei dem Sturm über die Reling geweht wurde und von außen an den Streben hing?«

Natürlich wusste Alea das noch. Tess hatte vor Angst so laut geschrien, dass es Alea durch Mark und Bein gegangen war.

»Als ein paar Tage später unsere Schiffsschraube klemmte«, sprach Ben weiter, »ist Tess kopfüber ins Wasser gesprungen, obwohl das mordsmäßig gefährlich war. Und auch unnötig. Sammy und ich hatten die Sache ja schon in die Hand genommen. Ich glaube, Tess ist nur deshalb gesprungen, weil sie uns und sich selbst beweisen wollte, dass sie eine Abenteurerin ist.« Ben seufzte erneut, dann lächelte er. »Jetzt ist Englisch dran.«

»Was? Ach so«, sagte Alea. In der vergangenen Woche hatten die anderen jeden Tag fleißig Englisch mit ihr geübt, und sie hatte schon große Fortschritte gemacht. Das lag vor allem daran, dass sie mittlerweile unbedingt Englisch lernen wollte.

Als sie sich gerade mit Ben zusammensetzte, kam Lennox zu ihr. »Ich rufe jetzt meinen Vater an«, sagte er. »Willst du zuhören?«

Alea war erstaunt. »Zuhören?«

»Vier Ohren kriegen mehr mit als zwei«, erklärte Lennox. »Ich will nicht, dass mir was entgeht.«

Solch ein Angebot konnte Alea nicht ablehnen. Vielleicht bekamen sie etwas über ihre Mutter heraus! »Ja, klar«, antwortete sie und warf Ben einen entschuldigenden Blick zu.

Ben winkte ab. »*Later*«, sagte er. *Später.*

Alea ging mit Lennox in den Salon. Tess war nicht zu sehen. Wahrscheinlich war sie in der Mädchenkajüte.

In der Sesselecke stand ein alter Laptop, den Lennox nun anschaltete. »Ich hab zwar kein Handy, aber über das alte Ding hier kann ich ihn sogar mit Bild anrufen«, erklärte er. »Wenn du dich da drüben an die Wand stellst, bist du außerhalb des Kamerabereichs, und mein Vater kann dich nicht sehen. Du ihn aber schon.«

Alea stellte sich an die Wand. Eigentlich war es nicht in Ordnung, jemanden zu belauschen, der davon nichts wusste. Aber wie so oft war ihre Neugier einfach zu groß.

Lennox setzte sich in den quietschenden Sessel und starrte mit düsterer Miene auf den Bildschirm, während der Computer hochfuhr. Bestimmt war es alles andere als leicht für ihn, noch einmal mit seinem Vater zu sprechen, nachdem dieser ihn so oft misshandelt hatte.

»Er kann dir nichts tun«, hörte Alea sich sagen. Lennox lächelte gequält. Ein paarmal klickte er mit der Maus, gab eine Nummer ein, und dann klingelte es.

Stocksteif saß Lennox da. »Vielleicht ist er gar nicht zu Hause –«, begann er. Aber da erschien ein Bild auf dem Schirm. Alea sah einen Mann mittleren Alters, der auf einem Sofa lag und müde in die Kamera schaute. Seine Haare waren fettig und seine Augen verquollen, aber Alea entdeckte dennoch eine gewisse Ähnlichkeit mit Lennox.

»Was ist?«, fragte der Mann und schüttelte sich, als müsste er erst richtig wach werden. »Du?«

»Hallo«, sagte Lennox tonlos. Sein Gesicht wirkte wie versteinert. Alea sah ihm allerdings an, wie angespannt und nervös er innerlich war.

»Was willst du?«, fragte sein Vater. »Willst du dich entschuldigen?«

»Ich? Wofür?«

»Dafür, dass du einfach weggelaufen bist«, nuschelte der Mann undeutlich und rieb sich die Augen. »Hast mich hier mit dem ganzen Haushaltskram sitzen gelassen.«

Lennox lachte hart. »Du bist sauer, weil keiner mehr für dich putzt?« Seine Stimme klang kalt. »Anscheinend erinnerst du dich nicht daran, dass *du* es warst, der *mich* vor die Tür gesetzt hat.«

Sein Vater machte eine wegwerfende Handbewegung. »Ist doch egal. Die Wohnung sieht jedenfalls aus wie ein Drecksloch.«

Alea konnte kaum glauben, was sie da hörte. Machte dieser Mann seinem Sohn da tatsächlich gerade Vorwürfe, anstatt ihn zu fragen, wo er überhaupt war und wie es ihm ging?

Lennox straffte die Schultern. »Ich rufe an, weil ich dich nach Mama fragen wollte.«

Die Miene seines Vaters gefror.

Lennox redete einfach weiter. »Ich will wissen, was damals passiert ist. Warum hat sie uns verlassen?«

»Das habe ich dir doch schon gesagt. Sie hat uns im Stich gelassen.«

»Aber warum?«, beharrte Lennox.

»Weil wir ihr egal waren!«, rief sein Vater patzig.

»Hat sie sich danach nie wieder bei dir gemeldet?«

»Nein. Nach der Postkarte aus Schottland kam gar nichts mehr.«

Alea horchte auf. *Schottland?*

»Was für eine Postkarte?«, hakte Lennox nach.

»Na die Karte, auf der stand, dass sie Wichtigeres zu tun hat!«, polterte sein Vater. »Kann ich dir zeigen!« Ungelenk stand er auf und verschwand.

Lennox und Alea tauschten einen überraschten Blick.

Dann war sein Vater wieder da und hielt eine Postkarte vor die Kamera. Alea erkannte grüne Hügelketten, blauen Himmel, einen See und einen Schriftzug: *Hello from Scotland!*

Lennox' Vater drehte die Karte um. »Lies das! Dann weißt du, dass sie sich immer selbst am wichtigsten war!«

Alea kniff die Augen zusammen. Auf der Karte stand in schöner Frauenhandschrift:

> Es tut mir so leid. Ich kann nicht zu euch zurückkommen. Wie sehr wünschte ich mir, es wäre anders! Aber es gibt für mich keinen Weg zurück. Ich will nur, dass Lenny weiß, dass ich ihn liebe.
> Xenia

Da wurde die Karte schon weggezogen. »Siehst du, sie hat immer nur an sich gedacht!«, rief Lennox' Vater.

»Wieso hast du mir diese Karte noch nie gezeigt?« Lennox' Gesichtsausdruck war eisig. »Vielleicht hat Mama in Schwierigkeiten gesteckt!«

Sein Vater knallte die Karte auf den Tisch vor ihm. »Weißt du immer noch alles besser? Ich hatte vergessen, wie sehr du mir auf die Nerven gehen kannst.«

»Hat sie denn gar nichts gesagt, bevor sie weg ist?«, fragte Lennox unbeirrt weiter. »Sie muss doch irgendwas erzählt haben!«

»Ich hab dir doch gerade gesagt, dass sie nichts erzählt hat!«, schnappte sein Vater. »Wozu rede ich überhaupt mit dir? Das Gespräch ist beendet.« Im nächsten Moment verschwand sein Bild, und es tutete in schneller Abfolge.

Lennox legte ebenfalls auf. Oberflächlich wirkte er beherrscht, aber er konnte Alea nichts vormachen.

»Tut mir leid«, sagte sie und kam zu ihm. »Dein Vater ist ... nicht gerade nett.«

Lennox lachte bitter und fuhr den Computer herunter. »Diese Karte aus Schottland hat er mir noch nie gezeigt.«

»Was hat deine Mutter denn ausgerechnet in Schottland gewollt?«, fragte Alea. Das war ein mehr als eigenartiger Zufall!

»Wenn ich das nur herausbekommen könnte ...«

Alea schwieg und grübelte. Als sie jedoch bemerkte, wie viele Stücke ihr in diesem Puzzle fehlten, schob sie ihre Überlegungen erst einmal beiseite. Lennox sah so traurig aus. Wie konnte sie ihm nur helfen? »Lass uns schwimmen gehen«, sagte sie.

Magisch

»Was habt ihr vor?«, fragte Sammy überrascht, als Lennox und Alea an Backbord über die Reling kletterten.

»Wir gehen ein bisschen ins Wasser.« Alea versuchte, es klingen zu lassen, als wäre das keine große Sache.

Sammy blickte von Alea zu Lennox, dann grinste er zahnlückenbreit. »Wunderbärchen.«

Alea kletterte als Erste die Außenleiter hinab, Lennox folgte ihr. Als Alea schon bis zur Hüfte im Wasser war, hörte sie Sammy oben »*Cheese!*« rufen. Sie blickte auf. Sammy hielt Bens Handy vor sich und machte damit ein Foto von Alea und Lennox auf der Leiter. »Für Onkel Oskar!«, erklärte er.

Alea nickte ergeben. Ben und Sammy machten öfter Bilder, die sie ihrem Onkel schickten, um ihn darüber auf dem Laufenden zu halten, was auf der *Crucis* vor sich ging.

Lennox seufzte achselzuckend und kletterte weiter.

Alea ließ sich schnell vollständig ins Meer gleiten und tauchte unter. Während sie sich verwandelte, beobachtete sie Lennox, der ihr ins Wasser folgte. Er bekam weder eine silbrig grüne Haut noch änderte sich irgendetwas anderes an ihm. Stattdessen hatte er die Augen geschlossen und kreiste langsam mit den Armen. Bestimmt wollte er einfach nur das Gefühl genießen, im Meer zu sein. Beim letzten Mal war er im Kriegermodus gewesen und hatte sich sicherlich keine Zeit genommen, das Wasser zu spüren.

Alea blieb mucksmäuschenstill. Lennox bewegte sich kaum und strich nur vorsichtig mit den Armen durchs Wasser. Um seinen Körper tanzten goldgelbe Bläschen. Er war glücklich. Ein versonnenes Lächeln umspielte seine Lippen.

Alea betrachtete ihn fasziniert. Ihr war schon zuvor klar gewesen, dass Lennox sehr gut aussah. Doch nun wurde ihr bewusst, dass es weitaus mehr war als das. Lennox war schön.

Hastig wandte sie den Kopf ab. Durfte man seinen Bruder schön finden? War das in Ordnung? Als sie die rosaroten Funken bemerkte, die um sie herum blitzten, hatte sie die Antwort auf diese Frage. Sie fand Lennox nicht schön, wie man einen Bruder schön findet. Am liebsten hätte sie ihn stundenlang angestarrt. Verdammt! Es war absolut dumm, was sie tat. Sie hatte heute schon mehr Zeit allein mit Lennox verbracht als die ganze letzte Woche. Und nun war sie auch noch mit ihm ins Wasser gegangen!

Lennox schwamm an die Oberfläche, um Luft zu holen. Alea folgte ihm und bemühte sich, ihre Gefühle zu beherrschen. Am vernünftigsten wäre es bestimmt, sofort wieder an Deck zu klettern. Andererseits wollte sie einfach bei Lennox sein. Das fühlte sich so unglaublich gut an …

»Ist das Wasser hier in Ordnung?«, fragte Lennox. »Oder tut dein Hals weh?«

»Nein, alles gut«, versicherte Alea ihm und konnte sich nicht davon abhalten, noch einmal auf Lennox' Gefühlsfarben zu schauen. Die goldgelben Bläschen wichen gerade größeren kakifarbenen Gebilden, die wie Pingpongbälle um ihn herum zu schießen begannen.

Er ist neugierig, wurde Alea sofort klar.

»Könntest du eine Finde-Finja rufen?«, fragte er. »Ich würde gern noch mal eine sehen.«

»Finde-Finja!«, schrie Alea wie aus der Pistole geschossen. Leider hatte sie Lennox direkt ins Gesicht geschrien.

»Ginge es nicht besser unter Wasser?«, fragte er mit schiefem Grinsen.

»Äh, natürlich.« Alea tauchte mit hochrotem Gesicht unter und rief noch einmal. Sie warteten, schauten suchend in dem grünlich trüben Wasser umher, aber es zeigte sich keine Finja. Als sie wieder auftauchten, sagte Alea: »Im Ärmelkanal gibt es nicht viel Magisches.«

»Kein Wunder«, erwiderte Lennox. »Wenn ich magisch wäre, würde ich auch in die Karibik umziehen.«

Alea lachte zaghaft, und dann lachten sie gemeinsam.

»Du *bist* magisch«, erinnerte sie ihn.

Lennox lächelte und schaute sie dabei so warm an, dass

sie wegschauen musste. Hartnäckig widerstand sie der Versuchung, noch einmal seine Farben zu betrachten. Sie würde sowieso nur wieder seine Neugier sehen.

»Lass uns mal gucken, wie tief ich tauchen kann«, sagte Lennox, holte tief Luft und verschwand unter Wasser.

Alea war erleichtert, dass sie endlich schwimmen konnte, und folgte Lennox. Gemeinsam schossen sie pfeilgerade in die Tiefe. Dabei mussten sie einigen Teerklumpen ausweichen, die ebenso im Wasser herumtrieben wie jede Menge Müll – kleine bunte Eislöffel, ein Fußball, ein zerfetzter Sonnenschirm und immer wieder Plastiktüten.

Nach ein paar Minuten schien Lennox noch immer nicht zurückzuwollen. Er konnte unglaublich lange die Luft anhalten.

Plötzlich trieb ihnen eine riesige Abdeckplane entgegen, auf der ein halb verwitterter Smiley grinste. *Unfassbar, was im Meer alles herumschwimmt!*, dachte Alea gerade, als sie bemerkte, dass sich hinter der Plane etwas bewegte. Dort versteckte sich doch etwas ... oder jemand!

Sie fasste Lennox am Arm und wies auf die Plane. »Da!«, flüsterte sie.

Seine Augen fragten: *Gefahr?*

Bevor er ins Beschützerprogramm wechseln konnte, schüttelte Alea schnell den Kopf. »Ich glaube, es ist harmlos«, sagte sie und musterte die petrolfarbenen Luftbläschen, die hinter der Plane hervorblubberten. Nun war sie sicher, dass das, was sich dort verbarg, nichts Bedrohliches war.

Langsam pirschten sie sich an. Als sie die Plane fast erreicht hatten, schien das, was sich dahinter versteckte, zu begreifen, dass es entdeckt worden war. Es kam hervor: ein großes, würdevolles Wesen, das durchs Wasser auf sie zuschwebte.

Es war ein Pferd. Ein Seepferd. Anstelle von Hinterbeinen hatte es einen gebogenen Schwimmschwanz wie ein Seepferdchen, aber sein stolzer Kopf und der lange Hals erinnerten an ein edles Landpferd.

»So eins hab ich schon mal gesehen!«, entfuhr es Alea. Dann biss sie sich auf die Zunge, denn ihr Ausruf hatte das Pferd erschreckt. Ängstlich wich es zurück und breitete die Flügel aus. Oder waren es Flossen? Flügelflossen? Sie waren gigantisch groß, und als das Pferd nun damit zu schlagen begann, spürte Alea die heransausende Welle wie einen Windstoß im Gesicht.

»Bitte geh nicht!«, rief sie, aber das Seepferd hatte sich schon abgewandt. Mit ein paar kräftigen Flügelflossenschlägen stob es in die Höhe und war gleich darauf verschwunden.

Alea hätte sich am liebsten geohrfeigt. Warum hatte sie nicht einfach »Hallo« gesagt?

Lennox signalisierte ihr, dass er nach oben musste. Rasch schwammen sie zur Oberfläche, wo Lennox keuchend Luft holte.

»Was war das?«, japste er.

»Ich nenne es Seepferd«, antwortete Alea. »Ich habe so eins bisher aber nur ein einziges Mal gesehen.«

»Es war definitiv magisch.«

»Ja, es hatte Flügelflossen!«

»Es hat ausgesehen, als ob es durchs Wasser davonfliegen würde.« Lennox überlegte. »Soll ich mir eine Tauchflasche holen? Dann könnte ich länger unter Wasser bleiben. Und möglicherweise schaffen wir es damit bis zu den Ruinen.«

»Du willst zu dem verlassenen Dorf?«, fragte Alea. »Aber das ist inzwischen viel zu weit weg!«

»Sicher?«, fragte er enttäuscht.

Auf einmal hörten sie ein sonderbares Plätschern. Alea spitzte die Ohren. »Was war das?«

Lennox griff von hinten um ihre Taille, als wollte er sie mit seinem Körper beschützen. Wie ein Jäger drehte er sich prüfend mit ihr um die eigene Achse.

Die plötzliche Nähe brachte Aleas Herz zum Stolpern. Sie versuchte, Lennox wegzuschieben. Sein Arm war jedoch stahlhart und ließ sich keinen Zentimeter bewegen.

»Da!« Lennox wies auf etwas, das mit enormer Geschwindigkeit im Kreis um sie herumschwamm. »Was ist das? Das ist *bunt*.«

Das Etwas hielt an. Jetzt konnte Alea mehr erkennen. Es waren zwei! Zwei winzige Männchen. Das eine hatte flammend rote Haut und Haare, das andere war veilchenblau.

»Das sind ja Wasserkobolde!« Alea begann, zu strahlen wie ein Weihnachtsbaum. Wie sehr hatte sie gehofft, den kleinen knallfarbigen Kreaturen noch einmal zu begegnen!

»Was sollen wir denn sonst sein?«, fragte der rote und hielt endlich so still, dass man ihn richtig sehen konnte. Er war nicht größer als Aleas Zeigefinger, hatte eine Knollennase und Haare, die ebenso wild von Kopf abstanden wie die des veilchenblauen Kobolds. Beide kamen nun gemeinsam näher.

»Ihr müsst verrückt sein!«, rief der veilchenblaue. »Was macht ihr hier?«

Der rote schrie dazwischen: »Ihr müsst hier weg! Wisst ihr nicht, wie gefährlich das ist?«

»Was ist gefährlich?« Lennox drückte Alea fester an sich. »*Wer*?«

Alea schnappte verblüfft nach Luft. Lennox redete in Wassersprache mit den Kobolden! Er schien ebenso automatisch wie sie selbst in diese Sprache zu wechseln, sobald er mit Magischen sprach! Und wie bei ihr kamen die Worte wohl einfach so aus ihm heraus, ohne dass er sie je gelernt hatte.

Die Kobolde entdeckten die *Crucis*, die nicht weit von ihnen mit vollen Segeln durch das Meer glitt. Der veilchenblaue quiekte: »Uh! Landgänger!«

Der rote machte Anstalten, abzutauchen. »Wir müssen hier weg! Kommt mit!«, rief er Alea und Lennox zu.

Alea widersprach: »Aber das ist unser Schiff!«

Die Kobolde sahen sie verständnislos an. »Hä? Wie meinst du das?«

»Das ist unser Boot«, erklärte Lennox.

Der veilchenblaue zog die Knollennase kraus. »Ihr habt ein Boot? Das ist ... bescheuert.«

Der rote sagte zu ihm: »Nee, auf einem Boot sind die besser aufgehoben als im Meer. Die dürften gar nicht ins Wasser!«

»Stimmt«, räumte der veilchenblaue ein. Zu Lennox und Alea sagte er: »Schwimmt lieber schnell zu eurem Schiff zurück!«

»Warum?«, fragten Alea und Lennox wie aus einem Mund.

Der rote verdrehte die Augen. »Weil es gefäääährlich ist! Muss man euch alles zweimal sagen?«

»Sind da auch Landgänger drauf?«, fragte der veilchenblaue mit Blick auf die *Crucis*.

»Ja«, bestätigte Alea.

Der Kobold sah Lennox an. »Dann sorg dafür, dass sie uns vergessen, falls sie uns gesehen haben, ja?«

Lennox beugte sich ruckartig vor. »Wie bitte? Was soll ich machen?«

Der rote machte eine wegwischende Handbewegung. »Ach, ist egal. Ich glaube, uns hat sowieso niemand gesehen. Pass einfach auf das Mädchen auf, okay?«

»Wieso?«, fragte Alea aufgeregt. »Wieso soll er auf mich aufpassen?«

Der rote Kobold verdrehte abermals die Augen. »Na,

weil es seine Aufgabe ist!« Mit einem Seufzer schaute er zu Lennox. »*Du da* beschützt *die da*«, sagte er langsam, als wären sie schwer von Begriff.

Alea und Lennox fragten gleichzeitig »Warum?« und »Weshalb?«. Ihre Stimmen klangen aufgebracht und ein wenig verzweifelt.

»Weshalb? Warum?«, äffte der veilchenblaue sie nach. »Wieso ist Wasser nass? Ihr seid ja komische Leute.« Mit einem Kopfschütteln sagte er zum roten: »Lass uns abzischen, bevor die Landgänger auf dem Boot uns doch noch sehen.«

»Ja, ist besser«, erwiderte der rote.

»Nein!«, widersprach Alea. »Bitte bleibt! Wir –«

Aber die Kobolde wandten sich bereits ab.

»Sagt uns, was wir sind!«, bat Lennox die beiden inständig.

Der veilchenblaue drehte sich noch einmal um und sagte: »Wenn ihr nur zurückkommen könntet …« Dann tauchte er unter.

Der rote rief ihnen warnend zu: »Schnell aus dem Wasser raus, ihr zwei!« Und schon verschwand auch er.

»Wir schwimmen ihnen nach!« Lennox holte Luft und tauchte.

Alea folgte ihm unter Wasser. Wo waren die Kobolde? Sie wandte sich hierhin und dorthin, aber sie waren fort.

Wenig später tauchten Alea und Lennox wieder auf.

»Wir hätten sie deutlicher fragen müssen!«, sagte Alea frustriert. »Wir hätten sie nicht gehen lassen dürfen!«

»Ja, wir haben es verbockt.« Lennox strich sich kopf-schüttelnd die dunklen Haare aus dem Gesicht. »Wenn wir das nächste Mal Magische sehen, sollten wir nicht verdattert Bauklötze staunen oder sie mit Fragen bom-bardieren, sondern ... uns vorstellen.«

»Ja, das sollten wir«, antwortete Alea. »Du hast übri-gens Wassersprache gesprochen.«

»Was?«

»Das hast du gar nicht gemerkt, oder? Habe ich bei den ersten Malen auch nicht.«

Lennox war baff. »Wieso kann ich Wassersprache?«

»Sie scheint uns angeboren zu sein.« Wenn sie tatsäch-lich noch einen weiteren Beweis dafür gebraucht hätten, dass Lennox ebenso mit dem Meer verbunden war wie Alea, dann hätte dies wohl genügt.

Es entstand eine Pause. Schließlich sagte Lennox: »Das hier ist wahrscheinlich erst mal unser letzter Ausflug. Der Rotfarn ist alle.«

»Ich weiß«, erwiderte Alea. Das Büschel, das Sammy aus dem Meer mit heraufgebracht hatte, war aufge-braucht. Lennox hatte am Morgen die letzten Blätter im Tee gehabt.

Lennox blickte grübelnd auf die See. »Was für magische Wesen wohl noch so im Meer existieren? Was denkst du?«

»Vielleicht sollten wir mal ein Buch darüber lesen.«

Lennox lachte. »Ja, das ist eine gute Idee. Allerdings sind solche Bücher ja von Landgängern geschrieben«, wandte er ein und benutzte den Ausdruck, den der Kobold soeben für Landmenschen verwendet hatte. »Landgänger wissen ja noch nicht mal die Hälfte.«

»Stimmt. Trotzdem wäre es irgendwie interessant.«

»Okay! Wir lesen ein Buch darüber. Und wenn wir wieder Rotfarn haben, machen wir uns zusammen auf die Suche nach den Wesen, die in dem Buch beschrieben sind«, sagte Lennox. Er lächelte Alea so süß an, dass sie fortsehen musste.

Alles in ihr wollte *Ja!* rufen. Gemeinsam mit Lennox das Meer zu erkunden, das war ein wunderbarer Traum. Aber dafür mussten erst einmal diese verdammten rosaroten Funken verschwinden. Was konnte sie nur tun, damit ihr Herz in Lennox' Nähe nicht mehr schneller schlug? Was konnte sie tun, um nicht mehr verliebt zu sein?

Edinburgh

Am darauffolgenden Tag erreichte die *Crucis* Schottland. Ein kühler Wind pfiff über die zerklüfteten Felsen der Küste und zerrte am Fell unzähliger Schafe, die auf den grünen Weiden grasten. Alea mochte Schottland sofort. Das Land sah wild und rau und wunderschön aus.

Die *Crucis* ankerte in der Nähe einer kleinen Insel, denn fürs Anlegen in einem richtigen Hafen musste man meist eine Gebühr bezahlen. Segler konnten eine Menge sparen, wenn sie weiter draußen vor Anker gingen und mit einem Beiboot zum Festland übersetzten.

»Alle Mann an Bord!«, rief Ben und ließ Alea, Sammy, Tess und Lennox in die *Hercules* klettern, bevor er selbst mit seinem Bass hinterhersprang. Sie alle hatten ihre Instrumente dabei. Denn sie wollten in Edinburgh, der Hauptstadt von Schottland, Straßenmusik machen. Bevor sie zum Loch Ness weitersegelten, mussten sie erst noch ein wenig Geld verdienen.

»Du siehst bombe aus!«, rief Sammy Tess zu, die sich heute ein paar Klamotten von Alea ausgeliehen hatte – einen bauschigen Tüllrock und eine grüne Jeansjacke.

Ihre langen Dreadlocks hatte Tess zu einem lässigen Zopf zusammengebunden. Alles in allem sah sie tatsächlich »bombe« aus, da musste Alea Sammy recht geben.

Tess verpasste Sammy mit dem Ellbogen einen Stoß in die Rippen, aber er lachte. »Du bist die schönste Piratenprinzessin der Welt«, sagte er und nickte, als wollte er sich selbst beipflichten.

»Alea sieht viel besser aus als ich«, brummte Tess und warf einen Blick zu Alea hinüber. Sie hatte heute über eine enge Jeans einen kurzen Rock mit Schottenmuster angezogen. Dazu trug sie Turnschuhe, ihre Seidenjacke, Ketten, Handschuhe und eine ihrer Schirmmützen.

»Ihr habt euch alle toll rausgeputzt«, sagte Ben. »Besonders du, Sammy.«

Sammy stöberte ebenfalls gern in Aleas Sachen und hatte sich heute einen schillernden Glitzerpulli und die pastellblauen Puschelohrenschützer von ihr geborgt. »Ja, ich sehe aus wie ein Superstar, oder?«, säuselte er und warf seinen langen Samtschal über die Schulter zurück.

»Du willst dir nichts von Alea leihen, hm, Scorpio?«, fragte er gleich darauf Lennox.

»Mir reichen meine Jeans und meine Jacke«, gab Lennox schmunzelnd zur Antwort. Er trug wie immer Bluejeans und seine schwarze Lederjacke – und sah darin umwerfend aus, fand Alea.

Ben lachte. »Ich glaube nicht, dass uns irgendjemand wegen unserer Outfits auch nur eine Münze mehr in den Gitarrenkoffer wirft.« Er begann, zu rudern. »Aber es schadet nicht, wenn man einer Rockband direkt ansieht, dass die Mitglieder komische Vögel sind«, fügte er mit einem Grinsen hinzu.

»Und zwar gerne!«, riefen daraufhin alle gemeinsam im Chor.

Alea lächelte und ließ die Hand durch das lila- und smaragdfarbene Wasser gleiten, durch das die *Hercules* fuhr.

Ben sprach weiter. »Es wäre gut, wenn wir heute ordentlich was einnehmen würden. Die Bandenkasse ist ziemlich leer.«

Alea biss sich auf die Unterlippe und spürte Nervosität ihren Nacken hinaufkribbeln. Sie war noch nicht oft mit den anderen aufgetreten und hatte Lampenfieber. Lennox war heute sogar zum ersten Mal bei einem richtigen Auftritt dabei. Wie es ihm wohl ging? Er schien ganz entspannt zu sein, wahrscheinlich, weil er schon oft Gitarre auf der Straße gespielt hatte.

Ben wandte sich an Lennox. »Sag mal, glaubst du, dass dein *Effekt* uns irgendwelche Probleme bereiten könnte?«

Sammys Kopf fuhr herum. »Auweia, daran hab ich ja noch gar nicht gedacht! Wenn die Leute dich bei unserem Auftritt übersehen, Scorpio, dann hören sie dich auch nicht Gitarre spielen, oder?«

»Das wäre schlecht«, kommentierte Tess.

»Ja, unser ganzer Sound wäre im Eimer!«, rief Sammy.

Lennox schüttelte den Kopf. »Ihr müsst mich nur zwischendurch immer mal ansehen, dann wird es gehen, denke ich.«

»Wieso sollen wir dich ansehen?«, hakte Ben nach.

Lennox erklärte: »Wenn jemand auf meine Anwesenheit hinweist, dann werde ich auch von anderen wahrgenommen.«

Die anderen schauten ihn fragend an.

»In der Schule habe ich morgens immer als Erstes irgendjemanden angequatscht«, ergänzte Lennox. »Und wenn der dann mit mir geredet hat, haben die anderen mich auch bemerkt.«

Natürlich! So läuft das!, dachte Alea. Als sie Lennox in Amsterdam zum allerersten Mal begegnet waren, hatten Sammy, Ben und Tess ihn zuerst nicht sehen können. Erst, als Alea auf ihn gedeutet und die anderen auf ihn aufmerksam gemacht hatte, war er für die anderen sichtbar geworden.

»Ist in der Schule nie jemandem aufgefallen, dass du oft übersehen wirst?«, wollte Ben von Lennox wissen.

»Nein. Ich bin ziemlich geschickt darin, eben *nicht* aufzufallen«, gab Lennox mit einem Grinsen zurück.

»Okay.« Ben schmunzelte. »Wenn wir dich also beim Auftritt immer mal angucken, bist du für die Zuhörer ganz normal zu sehen und zu hören?«

»Ja, so müsste es eigentlich klappen.«

»*Eigentlich*«, wiederholte Tess mit skeptischem Unterton.

»Wird schon werden.« Ben ruderte weiter.

Während sie dem Festland immer näher kamen, fragte Sammy: »Nach dem Auftritt gehen wir richtig essen, ja?«

Er rieb sich den Bauch. »Meine Wampe ist zwar schon beachtlich gewachsen, aber da muss noch mehr dran!«

Alea grinste. Sammys Bauch war so flach wie eh und je. Sie näherten sich der Küste. Hier kreisten einige Möwen, und ein paar von ihnen flogen über die *Hercules* hinweg. Tess duckte sich.

»Wenn eine hier runterkommt, hau ich sie mit dem Ruder«, versprach Ben ihr.

»Von mir aus«, antwortete Tess missmutig und wandte sich ab. Ganz offensichtlich ging es ihr inzwischen auf den Geist, dass die anderen sie immer vor den Möwen retten mussten.

Wenig später erreichten sie das Land und machten an einem kleinen Kai fest. Alea schaute sich um. Die Gegend wirkte verlassen. Außer einem Pub – einer Kneipe – gab es hier nur eine einsame Straße und einen leeren Parkplatz. Ben vertäute das Schlauchboot an einem Steg und fragte im Pub nach dem Weg in die Stadt. Sie mussten den Bus nehmen, um nach Edinburgh zu kommen. Die Bushaltestelle war zum Glück gleich hinter dem Pub, und der Bus kam schon nach fünf Minuten.

Während der Fahrt blickte Alea aus dem Fenster und sog das neue Land neugierig in sich auf. Sie liebte es, fremde Orte zu entdecken, neue Gerüche zu riechen, Dinge zu sehen, die sie noch nie zuvor gesehen hatte. Wenn man immer am selben Ort blieb, entging einem so viel Spannendes! Während der Busfahrt sah Alea allein schon zwei Männer, die *Kilts* trugen – Röcke –, und sie lachte mit Tess über die stolze Gockelhaltung der beiden.

Sammy unterbrach ihr Lachen. »Ich will auch einen Kilt!«

»Zu teuer«, bemerkte Ben bloß knapp.

Als Alea Sammys enttäuschte Miene sah, zog sie spontan ihren eigenen Schottenrock aus – unter dem sie ja noch die Jeans trug – und gab ihn Sammy.

»Cool!«, rief der und zog den Rock über seine eigene Hose – was tatsächlich irgendwie cool aussah. Schräg, aber cool.

Ben sah Lennox an und verdrehte die Augen, und beide wandten sich lachend ab.

»Die können mich ruhig auslachen«, sagte Sammy und nickte wie zur Bestätigung. »Wer ein Abenteurer sein will, muss sich auch mal was trauen!«

Jetzt nickte auch Tess beipflichtend.

Alea lächelte zurück und fühlte sich trotz der Nervosität vor dem Auftritt sauwohl.

Schließlich erreichten sie die Innenstadt von Edinburgh. Die Häuser hier sahen allesamt ein wenig alt und schief aus und waren größtenteils aus hellem Sandstein.

Die Alpha Cru schleppte ihre Instrumente bis zu einer Einkaufsstraße, in der viele Leute unterwegs waren. Dort packten sie aus und stellten sich auf. Tess stand als Frontfrau ganz vorn, Ben und Lennox links daneben. Sammy saß rechts neben Tess auf seiner Cajón. Und Alea breitete weiter hinten ihre Decke aus, reihte darauf ihre Gläser auf und füllte Wasser aus mehreren Flaschen hinein.

»Legt euch ins Zeug, meine kleinen Superstars!«, rief Ben. »Wir wollen heute richtig was verdienen!«

Sammy zeigte ihm mit Zahnlückenlächeln und Puschel-ohrenschützern den hochgereckten Daumen.

Alea schlug das Herz bis zum Hals. Tess lächelte ihr jedoch aufmunternd zu. »Mach dir keine Sorgen«, sagte sie. »Du bist immer viel besser, als du denkst.«

Alea lächelte zaghaft zurück.

Ben zählte an, und dann rockten er, Sammy und Lennox los. Ben wandte sich Lennox direkt zu und sah ihn beim Spielen immer wieder an. Dann begann Tess, zu singen, und die Leute kamen näher. Offenbar gefiel ihnen, was sie hörten. Nach dem ersten Refrain setzte Alea mit ihren Gläsern ein. Ihre Hände zitterten zwar ein wenig, aber sie bekam die Töne einigermaßen gut hin. Aus dem Publikum drang überraschtes Gemurmel. Eine Rockband mit Wassergläsern hörte man nicht alle Tage. Doch dann gingen die Leute weiter. Manche warfen ihnen etwas Geld in den offen stehenden Gitarrenkoffer, aber viele gaben auch nichts.

»Spielen wir das nächste Lied«, sagte Ben, der ein wenig enttäuscht zu sein schien.

Sie fingen mit dem zweiten Song an und erregten wieder etwas Aufmerksamkeit, aber nur ein einziger Passant gab ihnen Geld. Die meisten hörten nur zu und gingen dann einfach weiter.

Als das Lied vorüber war, sagte Sammy: »Puh, die Leute hier sind echt schwer zu knacken!«

»In Schottland gibt es jede Menge gute Musik«, erklärte Ben. »Die sind hier nur das Beste gewöhnt.«

»Gucken wir oft genug zu Lennox rüber?«, fragte Sammy, der Lennox zwischendurch immer wieder direkt angesungen hatte. »Wenn man die Gitarre überhört, ist unsere Mischung hinüber, und wir klingen nach gar nix.«

»Nein, das ist es nicht«, widersprach Ben. »Eben habe ich jemanden sagen gehört, dass der Gitarrist echt gut wäre.«

»Wirklich?«, fragte Tess und klang verunsichert. »Hast du sonst noch was gehört?«

»Tess, du bist spitze, wie immer«, beruhigte Ben sie. »Los, kommt, beim nächsten Lied geben wir noch mal alles!« Damit begann er das dritte Stück.

Tess bemühte sich sehr, und ihre kraftvolle Power-stimme war bestimmt die ganze Straße hinunter zu hören, aber es landeten kaum noch weitere Münzen im Gitarrenkoffer. Auch nach dem nächsten und übernächsten Song wurde es nicht besser, und schließlich gaben sie auf. Es hatte keinen Zweck, weiterzuspielen. Mit langen Gesichtern packten sie ihre Instrumente wieder ein.

»Wir haben nicht mal genug Geld fürs Mittagessen bekommen«, sagte Sammy, der gerade nachgezählt hatte.

Alle schauten sich betreten an.

»Gehen wir zum Postamt«, sagte Ben. »Bestimmt hat Onkel Oskar hier Geld für uns hinterlegt.« Onkel Oskar schickte oft kleinere Geldmengen in Großstädte, die seine Neffen ansteuerten. Er deponierte das Geld dann immer im Hauptpostamt, wo Ben und Sammy es abholen konnten.

Schweigend folgten sie Ben die Straße hinab. Er kannte sich in Edinburgh gut aus und führte sie zielstrebig zu einem Gebäude, an dem *Post office* geschrieben stand. Sie ließen Ben allein hineingehen, und als er wenig später herauskam, war sein Gesichtsausdruck finster. »Nichts. Es ist nichts für uns da.«

»*Merde*«, fluchte Tess.

»Ich hab Hunger«, muffelte Sammy mit vorgeschobener Unterlippe. »Und wir können uns nichts kaufen.«

»Wie wäre es, wenn wir uns im Supermarkt ein paar Äpfel holen?«, fragte Alea. »Wir müssen doch nicht unbedingt essen gehen.«

»Ich habe noch etwas Geld«, sagte Tess plötzlich. »Meine ... wie sagt man ... eiserne Reserve. Sie ist in meinem Rucksack auf der *Crucis*.« Sie blickte in die Runde. »Wisst ihr was? Wir fahren zu dem Kai zurück, wo wir die *Hercules* vertäut haben. Ich setze mit dem Boot zur *Crucis* über und hole das Geld, und dann essen wir was in dem Pub.«

Ben schaute sie verblüfft an. »Du willst ganz allein mit der *Hercules* zum Schiff übersetzen?«, fragte er skeptisch. »Du bist doch noch nie allein gerudert.«

»So schwer ist Rudern auch wieder nicht«, entgegnete Tess. »Glaubst du, ich kann das nicht?«

Ben war klug genug, nicht darauf zu antworten.

Alea musterte Tess, die ihre geballten Fäuste tief in den Taschen der Jeansjacke vergraben hatte. Alea konnte ihr ansehen, dass es in ihr brodelte.

»Du hast phantastisch gesungen«, sagte Alea. »An deinem Gesang lag es ganz bestimmt nicht, dass wir kaum Geld eingenommen haben.«

»Ich habe mir den Hintern abgesungen!«, entfuhr es Tess augenblicklich. Alea hatte mit ihrer Bemerkung anscheinend den wunden Punkt getroffen. »Aber das war wohl nicht gut ge-«

»Es war meine Schuld«, unterbrach Ben sie. »Ich habe alle damit unter Druck gesetzt, dass wir Geld verdienen müssen. Deswegen war der Wurm drin. Wir klangen nicht so gut wie in den Proben.«

»Es lag an mir«, erklärte Alea. »Ich war nervös. Ich hab mich zweimal verspielt.«

»Ich hab einfach nicht gut genug gesungen!«, rief Tess.

»Du warst sensationell!«, entgegnete Sammy, aber Tess schäumte schon weiter.

»Wenn ich wirklich solch eine außergewöhnliche Stimme hätte, wäre das nicht passiert«, sagte sie aufgebracht. »Aber vielleicht bin ich einfach nicht so toll, wie du immer behauptest, Draco! Was ist das auch für eine lächerliche Piratenprinzessin, die bei jeder Gelegenheit Schiss kriegt und gleich anfängt, zu heulen, wenn mal eine Möwe vorbeikommt?«

»Tess!«, rief Ben streng dazwischen.

Tess sah sich schon nach einer Bushaltestelle um. Am Ende der Straße entdeckte sie einen wartenden Bus. »Der fährt in die richtige Richtung!«, stellte Tess fest und rannte los.

Die anderen folgten ihr und stiegen mit betretenen Mienen hinter ihr in den Bus. Während der Fahrt sagte niemand ein Wort. Tess schien wild entschlossen, allen anderen und vor allem sich selbst zu beweisen, dass sie eine unerschrockene Piratin war. Alea war jedoch nicht wohl bei der Sache. Musste Tess ausgerechnet allein aufs Meer hinauspaddeln? Der Wind pfiff heute recht kräftig übers Wasser, und Ben sah ziemlich besorgt aus.

Als sie schließlich an der Bushaltestelle beim Pub ausstiegen, hätte Alea Tess die Sache am liebsten ausgeredet. Aber Tess sollte nicht glauben, dass sie ihr nichts zutraute …

Tess stapfte zum Schlauchboot. »Ich nehme am besten alle Instrumente mit zur *Crucis*«, sagte sie.

Wortlos legten sie Bass, Cajón, Gitarre und Aleas Tasche mit den Gläsern zu Tess' Akkordeon in die *Hercules*.

Tess machte die Leinen los und setzte sich ins Boot. Wenn jemand sie aufhalten wollte, dann musste er es jetzt tun. Aber keiner sagte etwas. Bestimmt dachten alle das Gleiche wie Alea. Und vielleicht würde Tess den Weg bis zur *Crucis* ja auch ohne Probleme meistern. So schwierig war es ja vielleicht wirklich nicht …

Tess stieß sich mit einem der Paddel ab und begann,

zu rudern. Alea und die anderen standen auf dem Steg und sahen ihr zu, wie sie die *Hercules* über die Wellen manövrierte und aufs offene Meer hinauslenkte.

»Das macht sie gut, oder?«, fragte Alea erstaunt.

»Ja, gar nicht schlecht«, sagte Ben.

Gemeinsam beobachteten sie, wie Tess sich immer weiter entfernte und die *Crucis* schließlich sicher erreichte. In Bens Miene spiegelten sich Überraschung und ein klitzekleines bisschen Stolz. »Sie hat es hingekriegt!«

Lennox und Alea atmeten gleichzeitig hörbar auf.

Sammy rief: »War doch klar, dass sie das schafft. Sie ist Tess!« Er nickte eifrig. Dann fügte er hinzu: »Wir können uns ja schon mal in den Pub setzen und da drinnen auf sie warten.«

Ben musste lächeln. »Meinst du, es geht dir besser, wenn du das Essen schon mal riechen kannst?« Er zog seinen kleinen Bruder an sich und wuschelte ihm durch die Haare.

Sammy gluckste. »Ja, ganz bestimmt«, antwortete er und vergrub sein Gesicht wie eine schmusende Katze in Bens T-Shirt. Einen Augenblick lang hielten die Brüder einander fest, dann machte Ben sich los, und sie gingen zum Lokal.

Alea schaute zum Schiff zurück. Tess war bereits auf dem Weg unter Deck. »Gut gemacht, Piratenprinzessin«, flüsterte sie und folgte den anderen in den Pub.

Der dreibeinige Steuermann

Der Pub hieß *The three-legged steersman*, also *Der dreibeinige Steuermann*. Ben erklärte Alea, dass alle Pubs in Großbritannien aus Tradition seltsame Namen hätten.

Als sie eintraten, stellten sie fest, dass sie die einzigen Gäste waren. Hinter dem Tresen blickte ihnen lediglich ein griesgrämig dreinschauender alter Mann mit dünnem, langem Haar entgegen. Ben grüßte freundlich, aber der Mann nickte nur und wischte mit einem Staubtuch die Theke, ohne sie weiter zu beachten.

Ben sah sich um und deutete auf einen Tisch am Fenster, wo sie Platz nahmen. Von hier aus konnten sie sehen, wie Tess gerade wieder von der *Crucis* ins Beiboot kletterte.

Alea schaute sich nach einem Kellner um.

Ben schien ihre Gedanken zu erraten. »Kellner gibt es in Pubs nicht. Man muss am Tresen bestellen«, erklärte er Alea. »Ich würde sagen, dass du hingehst und schon mal Getränke für uns holst. Das ist eine super Übung für dein Englisch.«

Alea war einverstanden. Sie konnte zwar viel besser

Englisch verstehen als sprechen, aber Ben hatte natürlich recht. Sie musste so viel wie möglich üben. »Ja, gut.« Sie erhob sich. »Was möchtet ihr denn?«

Alle sagten ihr, was sie trinken wollten, und auf dem Weg zur Bar versuchte Alea, die Wünsche ins Englische zu übersetzen.

Der langhaarige alte Mann wischte noch immer die Theke.

»*Hello*«, grüßte Alea.

Der Mann schaute kurz auf und gab einen Grunzlaut von sich. Oder war das ein Wort gewesen?

»*Can I have an orange juice, two black teas and a lemonade, please?*«, zählte Alea hölzern auf und hoffte, dass es so richtig war.

Der Barmann erwiderte etwas, das Alea beim besten Willen nicht verstand. Er strich sich eine Strähne seines dünnen, langen Haars hinters Ohr und holte eine Flasche Orangensaft und eine Limonade aus dem Kühlschrank. Er musste sie also verstanden haben! Während er anschließend Teewasser aufsetzte, freute Alea sich im Stillen – sie hatte ganz allein etwas auf Englisch bestellt!

In diesem Moment sah sie etwas. Verblüfft beugte sie sich vor, um es besser erkennen zu können.

Ihr stockte der Atem.

Der alte Mann hatte Knubbel hinter den Ohren.

Knubbel wie ihre.

Alea starrte ihn mit weit aufgerissenen Augen an.

Er bemerkte ihren Blick und zog hastig seine langen

Haare über die Ohren, sodass die Knubbel verdeckt waren. »*Skin disease*«, erklärte er grimmig und stellte jede Flasche mit einem lauten Knall auf ein Tablett.

Alea schnappte nach Luft. Sie hatte ihn nicht verstanden, aber ihr war gerade noch etwas anderes aufgefallen: Der Mann trug Handschuhe.

Mit einem Mal war sie sehr aufgeregt. »*You ... You have ...*«, brachte sie stockend hervor. Aber wie zum Teufel fragte man auf English, ob jemand ein Meermensch war?

Der Mann sagte wieder etwas, das sie nicht verstand.

Plötzlich war Lennox neben ihr. »Alles in Ordnung?«

Da der Barmann gerade das heiße Teewasser in zwei Becher einschenkte, flüsterte Alea Lennox zu: »Er hat Knubbel hinter den Ohren!«

»Was?« Lennox starrte den Mann überrascht an. Dann sagte er etwas zu ihm. Offenbar fragte er ihn nach den Knubbeln.

Der Mann feuerte eine patzige Antwort zurück und stellte das Tablett mit den Getränken auf den Tresen. Dann stapfte er an ihnen vorbei und aus dem Pub hinaus. Offenbar war er vor ihren Fragen geflohen.

»Sollen wir ihm nach?«, fragte Alea und wollte schon loslaufen.

Lennox hielt sie jedoch zurück. »Er ist da draußen«, sagte er und wies aus dem Fenster. Der Barmann stand auf dem Steg und blickte mit starrem Gesichtsausdruck aufs Meer. »Lass uns gut überlegen, was wir machen, und nicht wieder Hals über Kopf reagieren.«

»Gut, also was machen wir?«, fragte Alea aufgeregt. »Er ist bestimmt ein Meermensch!«

Ben und Sammy kamen zu ihnen. »Warum läuft der Typ raus?«, fragte Sammy empört. »Er scheint hier der Einzige zu sein, der uns Essen –«

»Der Barmann ist ein Meermensch!«, unterbrach Alea ihn.

»Was?«

»Er hat Knubbel hinter den Ohren, und er trägt Handschuhe!«, platzte Alea heraus.

Bevor sie noch weitersprechen konnte, hörten sie plötzlich einen Schrei.

Alea wurde heiß und kalt zugleich. Tess! Das war Tess!

Sie rannten nach draußen. Da sahen sie es: Tess war mit der *Hercules* schon ein gutes Stück vorangekommen. Der Steg war gar nicht mehr weit entfernt. Doch über dem Beiboot kreisten mehrere Möwen! Tess hielt die Hände über den Kopf und duckte sich.

Eine Möwe setzte zum Sturzflug an, schoss herab und schnappte sich etwas, das auf dem Sitz neben Tess lag. Gleich darauf stürzte eine zweite Möwe hinab und flog mit vollem Schnabel wieder auf. Tess schrie.

»Was holen die Möwen sich denn da?«, kiekste Sammy.

»Kekse«, flüsterte Alea entsetzt. »Tess hat Kekse mitgebracht.«

»Ist sie verrückt?«, rief Ben. »Ist doch klar, dass sich die Möwen daraufstürzen, wenn sie die Kekse einfach so auf den Sitz legt!« Er wedelte mit den Armen. »Tess!«, brüllte er. »Wirf die Kekse ins Meer!«

Aber Tess hörte ihn nicht. Sie schrie und schrie.

Der Barmann rief etwas mit lauter Stimme vom Steg herüber. Anscheinend ging es um Tess.

Bevor Ben antworten konnte, stand Tess plötzlich auf und sprang in den hintersten Winkel des Bootes – weg von den Möwen, die nun ohne Pause herabstürzten und in wildem Gerangel und mit lautem Gekreische um die Kekse kämpften. Die *Hercules* begann, durch Tess' Sprung gefährlich zu wanken.

»Ach, du Scheiße!«, entfuhr es Ben.

Im nächsten Augenblick verlor Tess das Gleichgewicht und fiel. Sie versuchte noch, sich festzuhalten, aber dabei zog sie das gesamte Schlauchboot mit. Die *Hercules* stand einen Augenblick lang auf der Seite, dann kippte sie und landete umgedreht auf dem Wasser.

Alea schrie auf. Tess war unter dem Boot gefangen! Zusammen mit mehreren Möwen, die nicht schnell genug hatten wegfliegen können.

Sammy schrie ebenfalls.

»Ich hol sie!« Ben lief los.

Alea rannte auch zum Steg. Im Meer war sie schneller als Ben. Lennox war gleich hinter ihr, gefolgt von Sammy.

Doch jemand anderes war noch vor ihnen im Wasser.

Der Barmann sprang hinein! Mit einem Satz, der viel zu gewandt für sein Alter schien, hechtete er in die Fluten und tauchte nicht wieder auf.

Ben wollte hinterherspringen, aber Alea hielt ihn zurück. »Er wird sie holen«, sagte sie, denn sie sah im Wasser eine feine graue Spur, die sich vom Steg in schneller Geschwindigkeit zum umgekippten Schlauchboot zog. »Er ist schon fast da.«

Ben, Sammy, Lennox und Alea blieben mit angehaltenem Atem auf dem Steg stehen und schauten zur umgekippten *Hercules*. Es verging keine Minute, da tauchte der Barmann mit Tess auf. Er trug sie in seinen Armen.

»Er hat sie!«, jubelte Sammy.

Alea staunte. Niemals hätte der Mann mit Tess in beiden Armen und in dieser Geschwindigkeit zum Steg zurückschwimmen können, wenn er nicht auf Meermenschenweise allein mit der Kraft seiner Beine vorangekommen wäre. Außerdem zog der Mann auch noch das Boot hinter sich her.

»Oh Gott«, stieß Ben hervor. Tess hing schlaff und klein in den Armen des Mannes.

»Sie scheint nicht verletzt zu sein«, sagte Lennox.

»Aber sie hat einen Schock fürs Leben«, erklärte Ben düster.

Alea schluckte schwer. Tess tat ihr furchtbar leid.

Jetzt hatte der Mann den Steg erreicht und streckte Ben die weinende Tess entgegen. Alea sah die Schwimmhäute und Kiemen des Mannes im Sonnenlicht blitzen, bevor sie sich zurückzogen und wieder zu Knubbeln wurden.

Ben hob Tess vorsichtig hoch und nahm sie in seine Arme. Sie klammerte sich eng an ihn und weinte hemmungslos. Alea schoss der Gedanke durch den Kopf, dass Tess nach diesem entsetzlichen Erlebnis bestimmt nirgendwo besser aufgehoben war als in Bens Armen.

Alea streckte dem Meermann die Hand entgegen und half ihm auf den Steg, während Sammy die *Hercules* festmachte.

Der Mann ließ sich schwer auf die Holzplanken fallen. Alea und Lennox knieten sich neben ihn. »*Sir?*«, fragte Lennox. »*Who are you?*« Aber der Mann sagte ihnen nicht, wer er war. Stattdessen hielt er sich mit gequältem Gesichtsausdruck den Kopf. Er hatte offenbar Schmerzen! Lag es am Wasser? War es bei ihm wie bei Lennox?

»Wenn wir bloß noch etwas Rotfarn hätten!«, rief Alea.

Der Meermann starrte schwer atmend in den Himmel.

Alea zog ihre langen Haare zurück und zeigte ihm die Knubbel hinter ihren Ohren.

Als der Mann das sah, wurden seine Augen groß. »*Child!*«, rief er – *Kind!*

»*I am ... like you*«, brachte Alea hervor. *Ich bin wie Sie.*

Der Mann griff nach ihrer Hand. »*Don't go into the water!*«

»Du sollst nicht ins Wasser gehen«, übersetzte Lennox die Worte des Mannes. »Warum nur?« An den Meermann gewandt, fragte er eindringlich: »*But why not?*«

Aber der Mann konnte nicht antworten. Er begann, zu zittern. Schon nach wenigen Augenblicken bebte er am ganzen Körper.

»Er hat Schüttelfrost!« Lennox legte seine Hand auf die Stirn des Mannes. »Und Fieber.«

»Genau wie du, wenn du ohne Rotfarn im Wasser warst!«

»Aber bei mir geht es nie so schnell«, sagte Lennox verwirrt. »Normalerweise dauert es eine Weile, bis die schweren Krämpfe losgehen.«

Bei dem Meermann schien das anders zu sein, denn er krümmte sich zusammen und stöhnte.

Lennox sagte etwas auf Englisch zu dem Mann, das Alea nicht genau verstand. Fragte er ihn, ob ihm Rotfarn helfen könnte?

»*No* …«, würgte der Meermann hervor. Dann sprach er weiter, aber Alea konnte ihm nicht folgen.

»Was sagt er?«, fragte sie Lennox nach ein paar Sätzen.

»Er scheint zu glauben, dass er sterben wird«, übersetzte Lennox betroffen. »Er sagt, er ist froh, dass er noch einmal im Wasser sein durfte. Und er sagt, dass er seit elf Jahren davon geträumt hat, noch einmal zu schwimmen. Nun war es ihm ein letztes Mal vergönnt.«

»*You can't die!*«, rief Alea dem Mann erschüttert zu. Er durfte doch jetzt nicht sterben!

Da stöhnte der Mann: »*Child, beware. The water kills.*« *Pass auf, Kind, das Wasser tötet.* Damit schloss er die Augen und lag ganz still da.

»Ist er tot?«, quiekte Sammy, der offenbar die ganze Zeit hinter Alea gestanden hatte.

Ben, der die schluchzende Tess in den Armen hielt, warf Lennox einen Blick zu und wies mit dem Kinn auf den Mann. Lennox schien zu verstehen. Er fühlte nach dem Puls des Mannes.

»Nein, er ist nicht tot«, erklärte er.

Ben schob Tess sanft von sich und sagte etwas auf Französisch zu ihr. Tess nickte und ließ sich auf dem Steg nieder, wo sie wie ein Häuflein Elend hocken blieb.

Ben untersuchte den Meermann nun selbst. Seine Miene war angespannt. »Hört zu«, richtete er sich an alle. »Ihr müsst weg, bevor Leute kommen. Ich rufe den Notarzt und bleibe hier.«

»Nein!«, entgegnete Lennox. Sein Blick war starr. »Der Notarzt darf den Mann nicht untersuchen!«

Ben war anderer Meinung. »Der Notarzt wird nichts finden, Lennox. Er wird nur Knubbel sehen, sonst nichts.«

Lennox atmete langsam aus. »Okay«, antwortete er leise.

Da hörten sie, dass sich ein Fahrzeug näherte. »Geht jetzt!«, ermahnte Ben sie. »Niemand darf euch hier sehen.«

»Aber du kannst doch gar nichts mehr für den Mann tun!«, rief Sammy. »Du wirst Ärger kriegen, wenn du bleibst!«

»Ich lasse diesen Mann nicht einfach hier liegen«, erklärte Ben, und sein Ton ließ keine Widerrede zu.

»Sollen wir zur *Crucis* rudern?«, fragte Lennox.

»Nein«, entgegnete Ben. »Ich glaube, der Bus kommt

gerade die Straße runter. Wenn jemand aussteigt, könntet ihr entdeckt werden, bevor ihr bei der *Crucis* seid.« Er überlegte. »Schleicht euch zu den Müllcontainern, die dahinten auf halber Strecke zur nächsten Bushaltestelle stehen. Versteckt euch dort. Ich komme zu euch, sobald ich kann.«

»Versprich es!«, verlangte Sammy. »Versprich, dass du später nachkommst.«

Ben seufzte schwer. »Ich verspreche es.«

Sammy fügte sich. »Gut.«

»Los!«, drängte Lennox nun, denn sie konnten hören, dass der Bus gerade hinter dem Pub anhielt und die Tür sich öffnete.

Alea warf dem Meermann noch einen letzten Blick zu, dann rannte sie mit den anderen los. Als sie hörten, dass Leute den Weg entlangkamen, versteckten sie sich hinter einer Hausecke.

Ben telefonierte bereits mit dem Handy. Als er die zwei Männer sah, die gerade aus dem Bus gestiegen sein mussten, winkte er ihnen zu. »*Help!*«, rief er.

»Weiter«, mahnte Lennox und schob Alea, Sammy und Tess zu den Büschen neben der Haltestelle. Im Schutz der Sträucher liefen sie neben der Straße her, bis sie die Müllcontainer erreicht hatten. Hinter den Containern ließen sie sich atemlos nieder. Hier würden sie warten.

»Ben wird doch kommen, oder?«, fragte Sammy und sah dabei so ängstlich aus, dass Alea ihre Arme öffnete und den kleinen Jungen an sich zog. Sammy presste sich an sie und murmelte in ihre Jacke hinein: »Ben hat noch nie ein Versprechen gebrochen.«

»Er kommt«, versicherte Alea.

Piratenherz

Eine kleine Ewigkeit saßen sie einfach nur da. Alea hielt Sammy im Arm, der sich eng an sie gekuschelt hatte und käseweiß im Gesicht war. Tess wirkte zittrig und aufgelöst, und Lennox war in grüblerisches Schweigen verfallen.

Alea durchbrach die Stille. »Tess, wie geht es dir?«

Tess antwortete mit schwankender Stimme. »Die Möwen ... unter dem Boot ... Das war hart.«

»Haben sie dich verletzt?«, fragte Lennox.

»Nein. Aber ich war eingesperrt mit ihnen ...«

»Warum hast du die Kekse denn überhaupt mitgenommen?«, fragte Sammy Tess in vorwurfsvollem Ton.

»Für dich, Draco!«, gab Tess zurück. »Für dein blödes Projekt Wampe.«

»Aber man legt doch keine Kekse offen ins Boot!«

»Ich hatte die Kekse in ein Küchentuch eingeschlagen«, verteidigte sich Tess. »Aber der Wind hat das Tuch aufgeweht.«

»Das war ganz schön behämmert!« Sammy war offenbar selbst viel zu aufgeregt, um behutsam mit Tess umzugehen.

»Sie hat das für dich gemacht, Sammy«, bremste Alea ihn. »Sie wollte dir eine Freude machen.«

Tess und Sammy sagten für eine Weile nichts mehr. Tess starrte ins Leere, und ihr Gesichtsausdruck wurde immer verzweifelter. »Der Mann ist meinetwegen ins Wasser gesprungen«, flüsterte sie kaum hörbar. »Wenn er stirbt, dann bin ich schuld.«

»Er war nur kurz im Wasser«, warf Alea ein. »Vielleicht erholt er sich wieder«, fügte sie hinzu und schien vor allem sich selbst überzeugen zu wollen.

»Wenn er sterben sollte, dann ist das Wasser schuld, Tess, nicht du«, versetzte Lennox.

»Aber was ist denn mit dem Wasser?«, fragte Sammy. »Ich kann doch ganz normal im Meer schwimmen gehen! Ben auch. Tess auch.«

Lennox sagte nachdenklich: »Es betrifft wohl nur die Meermenschen.«

Sammy setzte eine Grübelmiene auf, und Alea war froh, dass er von der Frage abgelenkt war, ob Ben wiederkommen würde.

»Aber wieso hat Alea keine Probleme im Wasser?«, wollte Sammy wissen.

»Ich glaube, es ist ungewöhnlich, dass ich keine Probleme habe«, erwiderte Alea. »Alle scheinen davon auszugehen, dass das Wasser genauso gefährlich für mich ist wie für Lennox und andere Meermenschen. Die Kobolde und dieser Meermann haben mich vor dem Wasser gewarnt, und meine leibliche Mutter …« Sie stockte. Der

Gedanke an ihre Mutter tat weh. »Sie hat Marianne erzählt, dass ich Kälteurtikaria hätte – Wasserallergie! –, obwohl das gar nicht stimmte. Das hat meine Mutter garantiert nur getan, damit ich mich vom Wasser fernhalte. Da bin ich inzwischen ganz sicher. Sie wollte mich davor beschützen. Sie kann nicht geahnt haben, dass das Wasser mir gar nichts ausmacht.« Aleas Stimme wurde leiser. »Wenn sie das gewusst hätte, wäre bestimmt alles anders gekommen.«

»Wenn du so auf das Wasser reagieren würdest wie der Meermann, dann wärst du nach deinem ersten Sturz ins Wasser auch schlimm dran gewesen«, sagte Lennox. »Was auch immer im Wasser ist – es hat die anderen Meermenschen getötet. Deswegen sind sie verschwunden.«

Es war das erste Mal, dass jemand das aussprach. Geahnt hatte Alea es jedoch schon länger. Trotzdem ergab das Ganze noch keinen Sinn. »Aber du bist am Wasser auch nicht gestorben!«, wandte sie an Lennox gerichtet ein. »Du hast mir doch erzählt, wie du als Kind oft wochenlang krank im Bett gelegen hast, nachdem du mit Meerwasser in Berührung gekommen bist. Warum ist es bei dir nicht so schlimm wie bei dem Meermann? Warum bist du nicht gestorben, so wie alle anderen?« Doch da erkannte Alea die Antwort selbst. Sie lag eigentlich auf der Hand. Wenn an ihr selbst irgendetwas anders war als an den meisten Meermenschen und das Wasser ihr deshalb nichts anhaben konnte … dann war es nur logisch, dass auch Lennox weniger Probleme hatte. Denn er war ihr Bruder. Zumindest schien er ihr Halbbruder zu sein. Sie hatten wahrscheinlich dieselbe Mutter, aber unterschiedliche Väter. Als ihr Halbbruder hatte Lennox wohl nur den »halben Schutz« vor dem, was im Wasser war. Alea hingegen schien ihn komplett zu besitzen. So musste es sein. Denn wenn Lennox nicht wenigstens »halb geschützt« wäre, dann wäre er schon längst ebenso tot wie die anderen.

Lennox war tief in Gedanken. »Irgendetwas muss vor elf Jahren mit dem Meer passiert sein. Deine Mutter hat damals noch versucht, dich zu retten, Alea. Sie hat dich an Land gebracht, weil man im Wasser offensichtlich nicht mehr leben konnte.«

»Aber warum ist sie denn nicht bei mir geblieben?«, fragte Alea aufgewühlt. »Wir hätten doch zusammen an Land leben können! Dieser Meermann hier hat sich schließlich auch irgendwie gerettet und jahrelang bei den Landgängern gelebt. Warum konnte meine Mutter das nicht auch?«

Darauf wusste niemand eine Antwort.

Schließlich sagte Lennox: »Deine Mutter konnte es aus irgendeinem Grund nicht. Aber vielleicht andere. Vielleicht ist dieser Meermann nicht der Einzige, der sich damals retten –«

Sie hörten Schritte.

Sammy und Tess sahen sich hektisch nach einer Versteckmöglichkeit um. Lennox hingegen sprang auf und spähte um die Ecke. Seine Körperhaltung war angespannt, als wäre er zum Angriff bereit. Doch im nächsten Moment entspannte er sich. »Mann, bin ich froh, dich zu sehen«, hörten sie ihn sagen.

Gleich darauf kam jemand um die Ecke.

»Ben!«, schrie Sammy und fiel seinem großen Bruder um den Hals. »Du bist gekommen!«, rief er und klammerte sich an ihn, als wollte er ihn niemals wieder loslassen.

Alea stand ebenfalls auf und umarmte Ben. »Ich bin so froh.«

»Was ist passiert?«, fragte Lennox.

Ben setzte sich – mit Sammy auf dem Rücken, der wie ein Äffchen an ihm hing. »Ich habe den Notarzt und die Polizei gerufen.«

»Und was hast du ihnen erzählt?«, fragte Alea.

»Ich habe sie angelogen«, erwiderte Ben. Die steile Falte zwischen seinen Augenbrauen verriet, wie unwohl er sich dabei gefühlt haben musste. »Es blieb mir nichts anderes übrig, als zu lügen. Ich habe ihnen gesagt, ich wäre hier im Urlaub und hätte lediglich gesehen, wie der Mann ins Wasser gefallen ist. Ich habe gesagt, ich hätte ihm auf den Steg geholfen, und da wäre er schon nicht mehr ansprechbar gewesen. Sie haben mich jede Menge Sachen gefragt, aber schließlich haben sie mich gehen lassen.« Ben fuhr sich über die Schläfen. Er sah müde aus.

»Hoffentlich bekommst du keinen Ärger«, sagte Alea matt.

Ben seufzte und wandte sich Tess zu, die zusammengesunken dasaß und ihn mit trüben Augen ansah. »Wie
geht es dir?«

»Nicht so gut«, erwiderte Tess mit kleiner Stimme.
»Dieser Mann wird sterben, oder? Er wird meinetwegen
sterben.«

»Das wissen wir nicht. Im Rettungswagen haben die
Ärzte noch Herztöne gehört. Ich stand gleich daneben
und hab es mitbekommen.« Ben rückte näher an sie heran.
»Das war heute ein echt schlechter Tag für dich, oder?«,
fragte er und legte Tess den Arm um die Schultern.

Tess wischte sich eine Träne aus dem Augenwinkel.
»Das mit den Möwen war … wie in meinem schlimmsten Albtraum.«

Ben legte den Kopf an ihren, und Tess schmiegte sich
an ihn. Sie schien mit den Nerven völlig am Ende zu sein.

»Ich bin keine mutige Piratenprinzessin«, kam es leise
aus ihr heraus. »Ich bin eigentlich ein Angsthase. Das war
ich schon immer.«

»Tess, mach dich doch nicht selbst fertig«, bat Ben. »Ich
weiß, dass du ein echtes Piratenherz hast.«

Tess lachte bitter. »Ich habe mir immer so sehr gewünscht, dass ich eins hätte.« Eine Träne rollte ihre
Wange hinab. »Deswegen habe ich mir diese coole Fassade aufgebaut. Damit man denkt, ich wäre echt hart im
Nehmen. Aber das ist doch alles nur Show. Ich wollte
bloß davon ablenken, dass ich in Wahrheit am meisten
Schiss von allen habe.«

Alea war nicht sehr überrascht von diesem Geständnis. Sie konnte sich noch gut an ihr erstes richtiges Gespräch mit Tess erinnern. Damals hatte Tess gesagt, dass das Leben zu kurz für Langeweile wäre. Wie stark und lässig sie ihr damals vorgekommen war! Doch nach und nach hatte Alea gelernt, hinter Tess' Pokerface zu schauen. Die toughe Piratin mit der harten Schale war im Kern eigentlich ganz weich.

»Aber du hast trotz deiner Angst total mutige Sachen gemacht!«, wandte Alea nun ein. Das hatte sie Tess bereits gesagt – doch sie fand, dass es wichtig genug war, um es noch einmal zu sagen. »Mutig sein heißt doch nichts anderes, als seine Angst zu überwinden. Und das hast du schon so oft gemacht! Weißt du denn nicht mehr, wie du ins Wasser gesprungen bist, als die Schiffsschraube blockiert war, obwohl sie jeden Moment hätte losgehen können? Und wie du den Taucher mit der Gitarre angreifen wolltest, obwohl er ein Messer in der Hand hatte?«

Bens Gesichtsausdruck war anzusehen, dass er diese Taten eher ziemlich unsinnig fand.

Alea sprach dennoch weiter. »Du bist mit uns zum Meeresgrund getaucht und in das Unterwasserhaus hineingeschwommen!« Sie überlegte. »Und du stellst dich, ohne mit der Wimper zu zucken, vor eine Menschenmenge und singst den Leuten was vor. Das finde ich noch viel mutiger als das mit dem Haus.«

Das entlockte Tess ein klitzekleines Lächeln. Aber dann

schüttelte sie den Kopf. »Ihr anderen seid viel mutiger als ich. Ich bin keine richtige Abenteurerin.«

»Hä?«, fragte Sammy. »Du bist doch von zu Hause weggelaufen, um dir die Welt anzusehen! Du hast dich ganz allein auf den Weg gemacht!«

Tess zog die Nase hoch. »Ja, schon. Weil durch die Scheidung zu Hause alles so schrecklich war. Ich wollte nur da raus, und deswegen habe ich mich zum ersten Mal getraut, was Verrücktes zu machen. Aber dann stand ich in London am Bahnhof und hatte solche Angst, dass ich mir fast in die Hosen gemacht hätte. Und, ehrlich gesagt, hab ich schon auf dem Weg nach London bereut, dass ich abgehauen war.«

»Und das war ja auch gut so«, sagte Ben.

Alle sahen ihn fragend an.

»Von zu Hause wegzulaufen, ist bescheuert«, machte Ben klar. »Das hat nichts mit Abenteuer zu tun. Das ist einfach nur gefährlich und dumm.«

Tess senkte beschämt den Kopf.

»Du bist nicht mutig, wenn du von zu Hause ausreißt«, fuhr er an Tess gerichtet fort. »Du bist nicht mutig, wenn du dich sinnlos in Lebensgefahr begibst, weil du eine Piratin sein willst. Das ist idiotisch!«

Eine Träne tropfte von Tess' Nasenspitze auf den Asphalt. »Sag ich doch. Ich bin eine totale … Nullnummer.«

»Nein, das bist du nicht«, widersprach Ben. »Ganz im Gegenteil. Du bist mein wertvollstes Crewmitglied.«

Tess hob erstaunt den Blick.

»Du bist die Einzige, die ihre Arbeiten an Bord absolut gründlich und pünktlich erledigt«, erklärte Ben. »Du beschwerst dich nie und machst sogar jede Menge extra – zum Beispiel meine Socken stopfen. Außerdem übernimmst du ständig Aufgaben von anderen. Wie oft hast du nachts Sammys Schicht übernommen, wenn er zu müde war?«

Verlegen schaute Tess zur Seite.

»Und dabei tust du immer so, als ob Sammy dir tierisch auf die Nerven gehen würde«, redete Ben weiter. »In Wirklichkeit hast du ihn total gern und schlägst dir die ganze Nacht um die Ohren, damit er sich ausschlafen kann.«

Nun war Alea doch überrascht. Sie hatte sich schon immer ein wenig darüber gewundert, dass Sammy derart hartnäckig darin war, Tess Komplimente zu machen und sie zu bewundern – obwohl sie so schroff mit ihm umging.

Ben war noch nicht fertig. »Als Sammy in der ersten Woche, die du an Bord warst, diese fiese Grippe hatte, hast du stundenlang an seinem Bett gesessen und dich um ihn gekümmert, Tess. Zwar hast du ihm dabei einen derben Spruch nach dem anderen reingedrückt, aber du warst da. Und ich war unglaublich froh, dass du auf ihn aufgepasst hast, während ich am Steuer sitzen musste.«

Tess ließ ihr Gesicht in die Hände sinken. Ihre Schultern begannen zu zucken, aber Ben sprach unbeirrt weiter. »Du hast das Herz am richtigen Fleck, Tess. Das weiß jeder, der dich kennt und der hinter deine Fassade gucken kann. Du würdest es nicht zugeben, aber ich weiß genau, dass du für jeden von uns dein letztes Hemd geben würdest. Du bist da, wenn man dich braucht. Und das ist es, was ein wahres Piratenherz ausmacht.«

Tess schluchzte auf. Ben nahm sie in die Arme, und sie vergrub ihr Gesicht an seiner Schulterbeuge.

Einen Augenblick lang war nur ihr Schluchzen zu hören, dann sagte Sammy: »Wohl gesprochen, Bruder. Tess ist eine wahre Piratenprinzessin.«

Tess richtete sich auf und wischte sich mit dem Ärmel über die Augen. »Draco!«

»Was denn? Krieg ich dafür eine Kopfnuss?«

»Ja!«, rief Tess, und schon verpasste sie ihm eine. Doch sie lachte dabei, und Sammy lachte ebenfalls. Dann umarmten sich die beiden, und Tess ließ es sich ausnahmsweise gefallen, dass Sammy sie ganz fest drückte. Ihr Gesicht wirkte weich und offen. Sie sah sehr erleichtert aus.

»Ich hab dich echt gern, Tess«, sagte Alea, um auch etwas zu dem schönen Augenblick beizutragen.

Tess' Augen leuchteten auf. »Ich dich auch«, erwiderte sie.

»Bandenbestmoment!«, krähte Sammy und streckte die Hand vor. Alle legten die Hände übereinander.

»Alpha Cru!«, erschallte daraufhin ihr Bandenruf, und Tess rief am allerlautesten.

Aufgeflogen

In diesem Augenblick klingelte Tess' Handy. Sie schaute auf das Display. »*Maman*«, sagte sie. »Seid bitte still, ich muss drangehen.« Sie nahm ab und begann, zu reden.

Während Tess telefonierte, bedeutete Ben den anderen ohne Worte, dass sie sich auf den Weg zurück zur *Crucis* machen sollten, sobald Tess fertig war.

Plötzlich hörten sie Stimmen. Auf der anderen Seite der Container gingen Leute vorbei! Sie lachten laut und grölten irgendetwas, das wie Fußballgesang klang.

Tess verdeckte hektisch das Mikrofon ihres Handys. Ihre Mutter durfte die schottischen Fußballrufe auf keinen Fall hören, denn sie glaubte doch, Tess wäre in einem kleinen französischen Ort bei ihrem Vater!

Die Fußballfans zogen weiter, ihre Stimmen wurden leiser. Tess hielt noch immer das Mikrofon zu, aber ihrer betroffenen Miene war anzusehen, dass sie zu spät reagiert hatte. Fragte ihre Mutter etwa gerade, wie es sein konnte, dass in einem französischen Kuhdorf schottische Fußballparolen gesungen wurden?

Ben und Sammy blickten Tess erschrocken an.

Tess nahm die Hand vom Mikrofon und fing an, schnell in das Handy zu sprechen. Es klang, als versuchte sie angestrengt, alles zu erklären.

Ben ließ das Kinn auf seine Brust sinken und sah aus, als wäre ihm die Welt gerade zu schwer geworden.

Lennox verstand Französisch ebenso wenig wie Alea und schaute Sammy fragend an, aber der schien vor Schreck wie erstarrt zu sein.

Tess sprach lauter und immer hektischer.

Schließlich hob Ben den Kopf und warf Tess einen traurigen Blick zu. »Es hat keinen Zweck«, sagte er. »Du bist aufgeflogen. Sag ihr die Wahrheit.«

Tess verstummte erschüttert. Dann nickte sie. In ihren Augen glitzerten Tränen. »*Maman* …«, begann sie erneut, und ihre Stimme klang nun schwer und dunkel.

Alea musste die Worte nicht verstehen, um zu begreifen, was gerade geschah: Tess gestand. Ihr Spiel war vorbei.

Nach ein paar Minuten legte Tess auf. Ihre Hand zitterte.

Ben sagte: »Ruf am besten gleich noch deinen Vater an. Sag ihm auch die Wahrheit.«

Tess wählte sofort und führte ein weiteres Gespräch auf Französisch. Ihre Miene war dabei wie versteinert, aber ihre Hände zitterten so sehr, dass ihr beinahe das Handy herunterfiel.

Nachdem Tess aufgelegt hatte, sagte sie gepresst: »Ich habe ihnen alles gestanden. Meine Mutter hat sich furchtbar aufgeregt. Mein Vater war ganz still. Ich glaube, er war geschockt. Aber ich habe ihnen endlich die Wahrheit gesagt«, fügte sie hinzu und wirkte traurig und erleichtert zugleich.

Sammy fragte: »Was passiert denn jetzt?«

»Sie kommen mich holen«, antwortete Tess.

»Was?« Sammy sackte regelrecht zusammen.

Ben nickte nur.

»Sie wollen beide noch heute nach Edinburgh fliegen«, erklärte Tess. »Wahrscheinlich begegnen sie sich im Flugzeug ...« Sie lachte kläglich. »Heute Abend sind sie schon hier.«

»Und sie nehmen dich mit nach Hause?«

»Ja«, bestätigte Tess, und ihre Stimme war eher ein Flüstern. »Meine Zeit auf der *Crucis* ist vorbei.«

»Nein!« Sammy schaute Tess flehend an, als könnte sie daran noch irgendetwas ändern.

Tess lächelte traurig. »Ich hätte nicht gedacht, dass ich das mal sage, aber ... du wirst mir fehlen, Samuel Draco.«

Sammy warf sich Tess in die Arme, und sie hielten einander fest.

Alea saß bestürzt daneben. Wie war es möglich, dass Tess nicht mehr Teil der Alpha Cru sein sollte? Wie konnte es so plötzlich vorbei sein?

»Gehen wir zum Schiff zurück«, sagte Ben beklommen.

Sie standen auf und trotteten zum Kai, der inzwischen menschenleer war. Als sie in die *Hercules* stiegen, sprach niemand ein Wort. Auch während der Fahrt zur *Crucis* herrschte bedrückte Stille zwischen ihnen. Immer noch schweigend, gingen sie hinunter in den Salon und ließen sich dort auf den Sofas nieder.

Inzwischen war Alea klar geworden, dass diese Sache weitaus größer war, als sie im ersten Moment erkannt hatte. Tess' Geständnis bedeutete nicht nur, dass sie ein Mitglied der Alpha Cru verlieren würden. Nein, es bedeutete noch viel mehr. Denn was würden Tess' Eltern wohl tun, wenn sie auf die *Crucis* kamen, um ihre Tochter abzuholen? Was würden sie tun, wenn sie den drei anderen Minderjährigen begegneten, die mit einem Achtzehnjährigen auf diesem Segelschiff unterwegs waren? Sie würden natürlich jemanden informieren. Wenn nicht die Polizei, dann irgendein Amt. Sie würden dafür sorgen, dass alle wieder nach Hause kamen. Lennox würde zu seinem Vater zurückgebracht werden. Sammy würde als Waise wahrscheinlich in irgendeinem Heim landen, falls Ben nicht das Sorgerecht übernehmen durfte oder Onkel Oskar wieder auftauchte. Und sie, Alea, würde sofort zu einer neuen Pflegefamilie kommen.

Bei diesen Gedanken schrie alles in Alea auf. Das durfte nicht passieren! Die Bande durfte nicht auseinandergerissen werden! Sie alle waren auf der *Crucis* viel besser aufgehoben als irgendwo sonst auf der Welt.

»Es war nur eine Frage der Zeit, bis das Ganze schiefgeht«, sagte Ben nun, der das alles ebenfalls durchdacht zu haben schien. »Man kann nicht mit vier Kindern durch die Welt schippern, ohne dass es jemand merkt.«

Sammy war völlig aufgelöst. »Können wir nicht einfach wegsegeln?«, fragte er mit hoher Stimme. »Wir stechen sofort in See und –«

Ben unterbrach ihn. »Nein. Tess' Eltern kommen, und wir müssen hier auf sie warten. Tess darf nicht noch mal vor ihnen weglaufen«, erklärte er mit Nachdruck. »Es ist gut, dass sie alles erfahren haben. Sie anzulügen, war von vornherein falsch. Tess' Eltern sind die Einzigen, die nicht tot sind und die ihr Kind lieb haben und bei sich haben wollen.«

Lennox holte geräuschvoll Luft.

Tess schien jeden Moment erneut in Tränen ausbrechen zu wollen. Das war alles ganz schön viel auf einmal. Außerdem schien sie nun wohl ebenfalls begriffen zu haben, dass ihre Beichte gleichzeitig das Ende der Alpha Cru bedeutete. »Ich könnte allein hier bleiben und auf meine Eltern warten«, schlug sie verhalten vor. »Ihr segelt einfach weiter ...«

Ben war dagegen. »Wir lassen dich nicht allein hier zurück. Was würden deine Eltern von uns denken?«

Abermals breitete sich Stille aus. Es gab nichts mehr zu sagen. Die Sache schien besiegelt.

Langsam erhob Alea sich. »Ich muss mal etwas Luft schnappen«, murmelte sie und kletterte die Stiege hoch an Deck. Dort ging sie zur Reling und hielt sich mit verkrampften Händen daran fest. Das durfte doch alles nicht wahr sein! Die Alpha Cru war das Beste, was ihr je passiert war. Außerdem musste sie zum Loch Ness! Der See war doch nur noch zwei Tagestouren entfernt. Sie war so nahe dran, endlich mehr über die Meermenschen zu erfahren. Es durfte jetzt nicht vorbei sein!

Nach einer Weile erklang eine Stimme. »Alea …« Sie drehte sich um. Lennox stand an Deck.

»Ja?«

Er kam näher. »Ich will dir was sagen.«

»Was denn?«

Lennox sah sie mit entschlossenem Blick an. »Was auch immer du tust, ich komme mit dir.«

»Wie meinst du das?«

»Wenn du auf eigene Faust zum Loch Ness willst, dann begleite ich dich.«

Alea rang nach Luft. »Was?« Auf diese Idee wäre sie niemals gekommen. »Ich soll allein zum Loch Ness?«

»Eben nicht allein«, entgegnete er. »Ich komme mit.«

»Aber wir können doch nicht einfach ohne die anderen …«

Die Bordtür klapperte, und Ben, Sammy und Tess kamen an Deck. »Hast du sie gefragt?«, wollte Sammy von Lennox wissen.

Der nickte. »Ja, aber ich habe noch keine Antwort.«

»Das war *eure* Idee?«, fragte Alea die anderen erstaunt.

»Wir haben das gerade zusammen besprochen«, antwortete Ben. »Sammy und ich bleiben bei Tess. Lennox und du, ihr zieht weiter zum Loch Ness.«

Alea war völlig baff. »Aber …«

»Lennox wird gut auf dich aufpassen, da bin ich mir sicher«, erklärte Ben und fügte wie zu sich selbst hinzu: »Besser, als ich es jemals könnte.«

Sammy trat zu Alea. »Es geht nicht anders, oder?«, fragte er bedrückt.

Tess antwortete an Aleas Stelle. »Lennox und Alea müssen herausfinden, wer sie sind. Sie müssen zum Loch Ness.«

Alea schlang fröstelnd die Arme um ihren Oberkörper. In ihrem Kopf drehte sich alles. Sie sollte die anderen hier einfach so zurücklassen? Gleichzeitig spürte sie, dass Loch Ness sie rief. Es war wie ein feines Vibrieren im Herzen, das ihr sagte, dass sie den Weg nicht umsonst auf sich nehmen würde. Es fiel ihr jedoch unendlich schwer, sich vorzustellen, ohne Ben, Sammy und Tess weiterzuziehen. Innerhalb weniger Wochen waren sie zu echten Freunden geworden. Zu einer Familie.

»Mach dir keine Sorgen, wir sehen uns wieder.« Ben versuchte, zu lächeln. »Piraten begegnen sich immer zweimal.«

»Wir können ja jeden Tag telefonieren«, schlug Tess vor, und man hörte ihr an, wie sehr sie mit den Tränen kämpfte.

Sammy nickte tapfer. »Mich rufst du auch an, ja?«

Und so war es entschieden. Alea und Lennox würden sich zu zweit auf den Weg zum Loch Ness machen.

Alea hörte sich sagen: »Okay.« Sie sah Lennox an.

»Okay«, sagte auch er.

Ein leichtes Beben ging durch Aleas Körper.

»Am besten brechen wir sofort auf.« Lennox blickte zur Sonne. Es war bereits später Nachmittag. »Wir sollten weg sein, bevor Tess' Eltern kommen.«

»Aber wie kommen wir zum Loch Ness?«, rief Alea, der nun tausend Fragen auf einmal durch den Kopf schossen. »Wir können ja nicht schwimmen ...« Lennox durfte ohne Rotfarn nicht ins Wasser.

»Wir müssen über Land zum Loch Ness«, erklärte Lennox bedauernd. »Wir könnten mit dem Zug nach Norden fahren.«

»Das ist eine gute Idee«, sagte Ben. »Ihr schafft das bestimmt.« Er sah Alea auf eine Weise an, die ihr verriet, dass er ihr eine solche Unternehmung durchaus zutraute, und das machte sie ein bisschen stolz.

Ben warf Lennox nun ebenfalls einen zuversichtlichen Blick zu. Mittlerweile schien er volles Vertrauen in ihn zu haben. Lennox hatte sich mehr als bewährt.

»Lass uns schnell ein paar Sachen packen«, forderte Lennox Alea auf. »Aber nicht zu viel.«

Alea nickte aufgeregt und lief in ihre Kajüte, um ein paar Dinge zusammenzusuchen.

Tess folgte ihr und gab Alea ihren Schlafsack und ihren roten Rucksack, der besser zu tragen war als Aleas Reisetasche. »Es tut mir leid, dass meinetwegen nun alles vorbei ist«, sagte sie beklommen. »Und ...« Ihre Stimme wurde leiser. »Es tut mir leid, dass ich gelogen habe.«

»Was meinst du?«, fragte Alea, während sie warme An-

ziehsachen in den Rucksack stopfte. In Schottland war es
kühl.

»Es ist wegen Lennox ...«

Aleas Kopf fuhr hoch. »Was ist mit ihm?«

»Ich ...« Tess suchte nach Worten. Sie sah ganz klein
und verweint aus. »Vor ein paar Tagen hast du mich gefragt, ob ich glaube, dass er in dich verliebt sein könnte.
Und ich habe ...«

»... Nein gesagt«, beendete Alea den Satz. Fragend hob
sie die Augenbrauen. Worauf wollte Tess hinaus?

»Ja, das habe ich gesagt. Aber ... das war nicht die
Wahrheit. Ich habe dich angelogen.«

Alea starrte Tess verwirrt an.

»Ich bin mir ziemlich sicher, dass ...« Tess stockte und
schien sich zu winden. Aber dann sprach sie weiter. »Ich
bin mir ziemlich sicher, dass er in dich verliebt ist.«

Aleas Augen wurden immer größer.

»Ich habe gelogen, und das tut mir so leid!«, brach es
aus Tess heraus. »Ich hätte dir die Wahrheit sagen müssen. Es ist total offensichtlich, dass Lennox in dich verliebt ist. Das sieht jeder! Nur du nicht.« Sie sprach schnell
und aufgeregt. »Ich habe dich angelogen, und es tat mir
schon gleich danach leid! Ich hatte so ein schlechtes Gewissen ...«

Alea fasste sich an die Stirn. Die braunschwarzroten
Tropfenformen, die sie gleich nach diesem Gespräch um
Tess herum im Wasser gesehen hatte – Lügengebilde –,
und die beigefarbenen Wölkchen, die auf ein schlechtes

Gewissen hindeuteten … Das alles hatte also gar nichts mit Tess' Eltern zu tun gehabt, sondern mit der Lüge über Lennox.

»Warum?«, stieß Alea hervor. »Warum hast du gesagt, du glaubst, dass er nicht in mich verliebt ist, wenn du dir doch sicher warst?«

Tess schloss kurz die Augen. Dann holte sie tief Luft, als wollte sie ein weiteres Geständnis ablegen.

In diesem Moment steckte Lennox den Kopf zur Tür herein. »Fertig?«

Tess zuckte zusammen.

»Ich, äh … nein«, erwiderte Alea.

»Ben sagt, wir sollen uns beeilen, damit wir für heute Nacht noch einen Schlafplatz in einer Jugendherberge bekommen.« Lennox' Blick wanderte von Alea zu Tess.

»Ich … wollte …«, stotterte Tess.

Nun quetschte sich auch noch Sammy durch die Kajütentür. »Nimmst du deine Gläser mit?«

»Nein, die sind zu schwer«, entgegnete Alea, ohne ihn anzusehen. Sie schaute Tess an, die gerade regelrecht in sich zusammenfiel.

»Lasst uns noch mal kurz allein, ja?«, bat Alea Lennox und Sammy.

»Wieso denn?«, fragte Sammy.

»Wir würden gern ein vertrauliches Gespräch führen.«

»Könnt ihr ja. Aber worüber denn?«, hakte Sammy nach.

Alea wollte ihn und Lennox gerade aus der Mädchenkajüte schieben, da kam Ben hinzu. »Ich hab hier die Adresse der besten Jugendherbergen in Edinburgh für euch«, sagte er und gab Lennox einen Zettel. »Aber selbst, wenn ihr in einer anderen unterkommt, müsst ihr euch bei den meisten Jugendherbergen bis sieben Uhr für die Nacht eingetragen haben.« Er warf einen Blick auf seine Armbanduhr. »Das wird ein bisschen knapp. Aber wenn ihr sofort aufbrecht, schafft ihr es noch.«

Lennox sah Alea fragend an.

Alea sah Tess fragend an.

»Ist schon okay«, sagte Tess schnell. »Ihr müsst euch beeilen.«

Lennox, Ben und Sammy eilten los und zogen Alea mit.

Bevor sie die Stiege nach oben kletterte, drehte Alea sich aber noch einmal um. Tess stand mit verzweifeltem Gesichtsausdruck im Türrahmen. Offenbar wollte sie nicht mit an Deck kommen.

Alea lief schnell zu ihr zurück und umarmte sie. »Ich rufe dich morgen früh an«, sagte sie. »Und dann können wir uns unterhalten, ja?« Sie ließ Tess los. Aber dann fiel ihr noch etwas ein. »Nur eins noch.« Alea senkte ihre Stimme und flüsterte Tess ins Ohr: »Sag Ben, was du empfindest, bevor du die *Crucis* verlässt.«

Tess blickte Alea verwirrt an. Alea konnte ihr aber nicht mehr erklären, woher sie wusste, dass Tess verliebt war. Ben rief bereits von oben.

Tess kramte hastig in ihrer Jackentasche. »Hier«, sagte

sie und gab Alea einen Fünfzigeuroschein. »Das ist meine eiserne Reserve. Nimm du sie.«

Alea wollte schon ablehnen, als ihr klar wurde, dass weder Lennox noch sie Geld besaßen. »Danke«, sagte sie und nahm den Geldschein an.

Tess lächelte. »Gern.«

Alea gab ihr einen Kuss auf die Wange. »Wir werden uns wiedersehen.«

Tess nickte mit Tränen in den Augen. »Ja. Irgendwann.«

»*Au revoir*«, sagte Alea und brachte die Worte kaum heraus.

»*Au revoir*«, hauchte Tess.

Dann drehte Alea sich um und ging mit schweren Schritten hinauf.

An Deck warteten Lennox, Ben und Sammy ungeduldig auf sie. Lennox hatte ebenfalls einen Rucksack dabei, und an der Seite hing seine Gitarre. Ben zurrte sie gerade fest.

Sammy nahm ganz zart Aleas Hand. »Schneewittchen …«, sagte er, und der schelmisch-freche Ton, der sonst immer in seiner Stimme mitschwang, war völlig verschwunden. »Müssen wir uns jetzt verabschieden?«

»Ich fürchte, ja.«

Sammy schaute sie mit seinen großen braunen Augen an, und Alea konnte sehen, wie sich Tränen darin sammelten. »Das ist doof …«

»Ja, das ist ganz schön doof«, gab sie ihm recht und schloss ihn in die Arme.

»Er war zwar kurz, aber es war trotzdem der beste Sommer, den ich je erlebt habe«, presste Sammy hervor.

»Ja, Bestsommer!«, flüsterte sie und lachte unter Tränen. »Wir haben unseren Schwur gehalten.«

»Ja, das haben wir«, flüsterte Sammy zurück und lachte und weinte ebenfalls gleichzeitig.

Ben wollte sie mit dem Beiboot übersetzen, und so stiegen Alea und Lennox mit ihm in die *Hercules*.

Als sie ablegten, stand Sammy an der Reling und winkte mit hoch erhobener Hand. Alea winkte zurück und prägte sich dieses Bild für immer ein – die *Crucis* im Licht der Sonne, den blauen Himmel über dem farbenwogenden Meer und den winkenden kleinen Jungen, den sie so sehr ins Herz geschlossen hatte. Dann wandte sie sich ab und blickte nicht noch einmal zurück. Denn sie wusste, wenn sie es tat, würde sie anfangen, hemmungslos zu weinen.

»Ich kann euch wegen der Ebbe nicht mehr bis zum Kai bringen«, sagte Ben. »Aber dort drüben von der Insel aus führt ein Steinweg zum Land, über den man bei Niedrigwasser gehen kann.«

Alea versuchte, Ben genau zuzuhören, aber es fiel ihr schwer.

Ben brachte sie zu einer Anlegestelle auf der nahe gelegenen Insel und beschrieb Lennox den Weg, der zum Festland führte. Lennox schien Bens Beschreibungen aufmerksam zu lauschen.

»Dann geht mal los«, forderte Ben sie schließlich auf.

Alea wollte sich nicht auch noch von ihm verabschieden, aber es blieb ihr gar nichts anderes übrig.

Als sie mit Lennox ausstieg, blieb Ben im Boot stehen. »Passt auf euch auf«, sagte er und klang so, als hätte er einen dicken Kloß im Hals. »Meldet euch von unterwegs, ja? Ich –« Ihm brach die Stimme weg.

Da sprang Alea noch einmal ins Boot und umarmte Ben. »Danke für alles«, flüsterte sie, während sie den großen Rockstar-Jungen fest an sich drückte. »Du hast das größte Piratenherz von allen.«

In Bens Augen glänzten Tränen. »Ich danke dir, Meermädchen«, antwortete er. »Ohne dich wüsste ich nichts von den Geheimnissen des Wassers.«

Alea machte sich schweren Herzens los.

Ben und Lennox tauschten einen Handschlag und nickten sich bedauernd zu. Die beiden hatten sich seit Lennox' schwieriger Ankunft auf der *Crucis* immer besser verstanden und in den vergangenen Tagen sogar öfter zu zweit am Heck gesessen und auf ihren Gitarren gespielt. Bestimmt hätten sie richtig gute Freunde werden können, wenn sie mehr Zeit gehabt hätten.

Schließlich fragte Lennox Alea: »Bereit?«

Alea wusste nicht, ob sie bereit war. Dennoch sagte sie: »Bereit.«

Und so machten sich Lennox und Alea gemeinsam auf den Weg ins Ungewisse.

Märchenmoment

Lennox ging voran. Er und Alea wanderten über die kleine, verlassene Insel und suchten den Steinweg, der zum Festland führte. Alea konnte sich jedoch nicht konzentrieren. In ihrem Inneren schäumte alles durcheinander wie wilde, wogende Wellen.

Sie hatten die *Crucis* für immer verlassen. Die Alpha Cru war Vergangenheit. Allein deshalb war Alea schon völlig durch den Wind, aber die Sache mit Tess hatte ihr Übriges getan. Vor allem Tess' Worte über Lennox wiederholten sich in Aleas Gedanken immer wieder: *Es ist total offensichtlich, dass Lennox in dich verliebt ist. Das sieht jeder! Nur du nicht.*

Aleas Schritte wurden langsamer. Konnte das tatsächlich wahr sein? Konnte es sein, dass Lennox in sie verliebt war? Bei dieser Vorstellung begann es in Aleas Bauch, wie verrückt zu prickeln und zu flattern, als wären dort Dutzende von Vögeln eingesperrt, die endlich fliegen wollten.

Lennox drehte sich zu ihr um. »Alles in Ordnung?«

»Ja.« Alea wich seinem Blick aus. »Ich komme.«

Während sie an verlassenen, graffitibeschmierten Gebäuden vorbeiliefen, wanderten auch Aleas Gedanken weiter. Weder Tess noch Lennox selbst schienen zu ahnen, dass Lennox Aleas Halbbruder sein könnte. Darüber hatte Ben offenbar mit niemandem außer ihr gesprochen. Und Alea hatte es ebenso wenig erwähnt – als könnte ihr Schweigen die Tatsachen ändern. Nichts wünschte sie sich mehr, als dass er *nicht* ihr Bruder war.

Da schüttelte sie den Kopf. Das war doch Unsinn! Schon bevor sie erfahren hatte, dass Lennox ihr Bruder sein könnte, hatte sie Zweifel gehabt! Sie hatte Angst gehabt, Lennox würde nur deswegen ihre Nähe suchen, weil er sie beschützen wollte. Weil er spürte, dass es seine Aufgabe war, auf sie aufzupassen. Und in Aufgaben verliebte man sich nicht, man erledigte sie. Tess hatte diese Vermutung geteilt, und da Tess Lennox viel unvoreingenommener einschätzen konnte als Alea selbst, hatte Alea ihr geglaubt.

Doch Tess hatte gelogen.

Warum sie gelogen hatte, war Alea ein Rätsel. Eines, das sie erst morgen, wenn sie mit Tess telefonieren würde, aufklären konnte. Aber in Bezug auf Lennox durfte sie sich trotz allem keine neuen Hoffnungen machen. Denn selbst, wenn er tatsächlich Gefühle für sie haben sollte, gab es doch keinen Ausweg für sie. Die Hinweise darauf, dass er ihr Halbbruder war, waren einfach erdrückend. Und mit seinem Bruder durfte man doch auf keinen Fall …

»Da vorn!«, rief Lennox gerade und wies auf einen steinernen Weg, der im zurückgehenden Wasser sichtbar wurde. Alea staunte. Hier war ein Steinpfad gebaut worden, der nur bei Ebbe beschritten werden konnte! Bei Flut lag er wohl unter der Wasseroberfläche, und man musste mit einem Boot zum Festland übersetzen, aber jetzt, bei Niedrigwasser, konnte man zu Fuß gehen. Das Wasser hatte sich gerade weit genug zurückgezogen, dass sie keine nassen Füße bekommen würden.

Alea schloss zu Lennox auf und betrat mit ihm den Steinweg. Nachdem sie eine Weile nebeneinanderher gewandert waren, fragte sie:»Wie geht es jetzt weiter?«

»Lass uns mit dem Bus nach Edinburgh fahren und dort in der Jugendherberge übernachten, die Ben uns empfohlen hat«, antwortete Lennox.»Morgen können wir dann mit dem Zug zum Loch Ness fahren.«

Alea konnte kaum glauben, dass sie morgen bereits da sein würden.

»Es gibt nur ein Problem …«, sagte Lennox.

»Was für eins?«

»Wir haben nicht genug Geld.« Er kramte in seiner Tasche.»Ben hat mir ein paar Münzen mitgegeben, die er noch hatte. Damit können wir den Bus bezahlen. Für mehr reicht es aber nicht. Wir –«

»Tess hat mir fünfzig Euro geschenkt!«, unterbrach Alea ihn und zeigte ihm stolz den Schein.

Lennox lächelte, allerdings wirkte er dabei nicht ganz so begeistert, wie Alea gehofft hatte.»Das ist super. Aber in Schottland bezahlt man mit Pfund. Mit Euros können wir hier nichts anfangen.«

»Oh.« Alea spürte, wie ihr das stolze Lächeln aus dem Gesicht bröckelte. »Und wie willst du die Jugendherberge bezahlen?«

Lennox klopfte auf den Hals seiner Gitarre. »Wir sind Straßenmusiker, schon vergessen?«

Aleas Mund klappte auf. »Was? Aber ich habe meine Gläser gar nicht dabei! Außerdem war der Auftritt heute Vormittag ein totaler Reinfall!«

»Ja, irgendwie war er das«, gab Lennox zu. »Aber aufzutreten ist die einzige Möglichkeit, an Geld zu kommen. Ben hat mir eine Stelle in der Nähe der Jugendherberge beschrieben, an der wir wahrscheinlich bessere Chancen als heute Vormittag haben, etwas zu verdienen.«

»Aber wenn du allein Gitarre spielst, übersehen dich die Leute doch! Und ich kann ohne meine Gläser nichts machen.«

»Kannst du singen?«

»Was? Ich ...«, stammelte Alea. »Das ... weiß ich nicht.«

Lennox schaute sie forschend an. »Ich glaube, du kannst singen. Du hast dich bloß bisher nicht getraut.«

Alea schluckte. Es war einfach unmöglich, vor diesen azurblauen Augen ein Geheimnis zu bewahren.

»Ich kann auch singen«, verriet Lennox. »Nicht so wie Tess, aber ganz okay, glaube ich.« Er lächelte. »Lass es uns versuchen. Ich spiele Gitarre, und wir singen zusammen. Wenn du mich ansingst, hören die Leute mich auch.«

Alea schwieg. In ihrem Nacken kribbelte die Nervosität wie verrückt.

»Wir müssen ja gar nicht viel einnehmen, nur genug, um die Jugendherberge und den Zug zu bezahlen«, fuhr Lennox fort. »Vielleicht reicht schon ein Lied.«

»Welches denn?«, piepste Alea.

»Wie wäre es, wenn wir eine langsame Version von unserer Eingangsnummer spielen? Wir machen eine Ballade daraus.«

»Hrgh«, machte Alea, die schon bei der Vorstellung keinen Ton mehr herausbekam.

Lennox lächelte sie an. »Lass es uns wenigstens probieren.«

Sie hatten nun das Festland erreicht und strebten auf eine Bushaltestelle zu. Während Alea noch mit sich kämpfte, kam schon der Bus.

Eine Dreiviertelstunde später marschierten sie durch die Straßen von Edinburgh. Lennox fand sich gut zurecht. Seine Erfahrung als Straßenjunge kam ihnen zugute. Er bekam schnell heraus, wo sie langmussten, und bald erreichten sie das Viertel, in dem sich die Jugendherberge befand. Sie liefen bis zu einer belebten Einkaufsstraße, dann blieb Lennox stehen. Mit aufmerksamem Blick legte er seinen Rucksack ab. »Das ist eine gute Stelle.«

Alea konnte nicht widersprechen. Hier waren jede Menge Leute unterwegs. Das machte sie aber erst recht zappelig. Sie sollte vor all diesen Menschen singen?

Lennox lächelte sie an. »Falls wir nicht besonders gut sein sollten, passiert ja nichts«, sagte er, während er sich seine Gitarre umhängte und sie stimmte. »Wir kriegen höchstens ein paar Buhrufe zu hören – aber damit kann man leben, oder?«

Lennox hatte gut reden! Alea wollte sich auf keinen Fall blamieren. Vor allem nicht vor ihm. »Sollen wir den Song nicht wenigstens einmal vorher proben?«

»Dafür haben wir keine Zeit«, entgegnete Lennox mit Blick auf die Uhr. »Aber das kriegen wir schon hin. Wir kennen das Lied in- und auswendig. Am besten singen wir alles zusammen, oder willst du ein paar Stellen allein singen?«

»Nein!«, rief Alea heftig.

Lennox lachte. »Du bist wirklich süß, wenn du nervös bist«, murmelte er. Im nächsten Augenblick schien ihm bewusst zu werden, was er da gesagt hatte, und plötzlich wurde er rot.

Alea stutzte. Seine Wangen waren tatsächlich von einer hellen Röte überzogen! Oder bildete sie sich das nur ein?

Lennox wandte sich ab und fummelte an den Saiten der Gitarre herum, obwohl er sie gerade erst gestimmt hatte. Ein paar Momente später fragte er sachlich: »Können wir deine Mütze auf den Boden legen, damit die Leute Geld reinwerfen?«

Alea nickte, und Lennox streifte ihr vorsichtig die meerblaue Lieblingsmütze vom Kopf. Mit einer sanften Bewegung schob er ihr Haar über das linke Ohr nach vorn, damit die Knubbel gut verdeckt waren. Die Berührung sandte einen wohligen Schauder durch Aleas Körper.

Lennox legte die Mütze auf den Boden. Dann sah er Alea fragend an. »Sollen wir?«

Alea schloss die Augen und atmete tief durch. »Mhm.« Ihr Herz schlug zwar zum Zerspringen, aber da musste sie jetzt wohl durch.

Lennox fing an, zu spielen. Der krachige Rocksong, den sie schon so oft mit der Alpha Cru geprobt hatten, klang nun ganz anders. Zart und sehnsuchtsvoll drangen die Gitarrenklänge den überfüllten Gehsteig hinab.

Alea schaute Lennox an. Sie musste ihn ansehen, damit er wahrgenommen wurde, aber sie hielt sich auch regelrecht an seinen Augen fest. Ihre Kehle fühlte sich rau und trocken an. Gleich würde ihr Einsatz kommen.

Sie begannen, zu singen. Aleas Stimme klang leise und ein wenig erstickt. Doch über Lennox' Gesicht huschte ein Lächeln, als wollte er sagen: *Wusste ich's doch.*

Lennox selbst sang mit einer schönen, warmen Stimme, die fast wie aus einer anderen Welt klang.

Alea blickte kein einziges Mal zu den Zuhörern. Sie sah starr zu Lennox und konzentrierte sich allein auf seine Stimme und auf seine Augen.

Ihre Stimmen harmonierten perfekt. Mit jeder Zeile wurde Alea mutiger, und im Refrain nahm sie die Schultern zurück und sang frei heraus. Sie war nicht Tess, sie hatte keine cool kratzende Rockröhre, dafür war ihre Stimme aber hell und glasklar. Und jetzt gerade klang sie so gut wie nie zuvor – wie eine verzauberte Nachtigall.

In Lennox' Augen trat ein Strahlen, das Alea noch nie gesehen hatte. Fühlte er dasselbe wie sie? Auch er sah nicht ein Mal zu den Menschen hin, sondern einzig zu ihr. Ihre Augen waren tief ineinander versunken. Noch nie hatten sie einander so angesehen. Sie verschmolzen geradezu in ihren Blicken und in dem Lied, und Alea ahnte, dass dies einer der Momente war, die man sein ganzes Leben lang nicht vergisst.

Dann war das Lied vorüber. Wie aus weiter Ferne hörte Alea Applaus aufbranden, aber sie wollte sich immer noch nicht von Lennox' Augen lösen. Sie sah ihn einfach weiter an, und auch er wandte sich nicht ab. Erst als die Leute ihnen etwas zuriefen, rissen sie sich voneinander los und verbeugten sich nach allen Seiten.

Dutzende von Menschen drängten sich um sie. Der Beifall war stürmisch, und es landeten unzählige klirrende Münzen und auch einige Scheine in Aleas Mütze.

Eine Frau rief ihnen etwas zu. Lennox übersetzte: »Sie sagt, das war ein Moment wie aus einem Märchen.«

Alea bedankte sich und machte einen überschwänglichen Knicks. Lennox lachte, und Alea fiel in sein Lachen ein. Sie war unglaublich erleichtert und froh und stolz.

Einige der Zuhörer fragten nun, ob sie noch einen weiteren Song singen könnten. Andere fragten, ob es CDs von ihnen gäbe oder ob sie bald wieder irgendwo auftreten würden. Lennox verneinte alle Fragen freundlich und verabschiedete sich.

Dann packten sie ihre Sachen zusammen, schnappten sich die volle Mütze und rannten los. In einer ruhigen Seitenstraße hielten sie an und zählten das Geld. Es waren zweihundertunddrei Pfund. Ein kleines Vermögen.

Lennox bündelte die Scheine und steckte sie zusammen mit den Münzen in eine leere Plastiktüte, die auf der Straße herumgelegen hatte. »Damit kommen wir locker zum Loch Ness«, sagte er und strahlte über das ganze Gesicht.

Wieder einmal fiel Alea auf, wie schön er war. Als sie merkte, dass sie ihn zu lange angestarrt hatte, schaute sie schnell weg. »Ja, das ist bestimmt genug, um –«

Abrupt verstummte sie.

Denn vor ihnen stand plötzlich ein Junge.

174

Räuber

Der Junge war wie aus dem Nichts aufgetaucht. Er stand einfach nur da und fixierte sie.

Lennox reagierte sofort und zog Alea hinter sich. »*What are you looking at?*«, fragte er den Jungen. *Was guckst du so?*

Der lachte amüsiert. »*You are interesting*«, antwortete er und beugte sich vor. »*You got money*«, fügte er grinsend hinzu. Mist, er hatte das viele Geld gesehen!

Lennox' Muskeln spannten sich an. »*Leave us alone!*«, knurrte er drohend. *Lass uns in Ruhe!*

An Stelle des fremden Jungen hätte Alea nun eine Heidenangst vor Lennox bekommen. Er war im Kriegermodus, und da war mit ihm nicht zu spaßen.

Der Junge lachte jedoch noch einmal und sagte etwas, das Alea nicht verstand. Dann pfiff er auf zwei Fingern. Daraufhin traten drei weitere Jungs aus einem Hauseingang. Zwei von ihnen hatten schwere Stöcke dabei.

Alea schnappte erschrocken nach Luft. Das war eine Straßengang! Große, bewaffnete Burschen! Und nach den finsteren Gesichtern zu urteilen, waren sie fest entschlossen, sich das Geld von Lennox und Alea zu holen.

»Gib es ihnen«, flüsterte Alea Lennox ängstlich zu.

»Auf keinen Fall«, knirschte Lennox zwischen angespannten Kiefermuskeln hervor. »Ich habe es schon mal mit vier Kerlen gleichzeitig aufgenommen.«

Aleas Hände krampften sich um die Gurte ihres Rucksacks. Sie hatte zwar gesehen, wie Lennox kämpfte, und sie traute ihm durchaus zu, dass er diese Jungs in die Flucht schlagen konnte. Aber was, wenn es diesmal schiefging? Was, wenn er verletzt wurde? Das waren zweihundert Pfund nicht wert!

»Sie haben Stöcke dabei«, sagte Alea lauter.

»Das sehe ich.« Lennox wich keinen Zentimeter zurück.

»*Give it to us and we'll let you go*«, sagte der Junge. *Wenn ihr es uns gebt, lassen wir euch gehen.*

Alea sah sich hektisch um. Zwei der Burschen hatten sich an den nächsten Hausecken aufgestellt, sodass Lennox und sie nicht fliehen konnten, ohne ihnen in die Arme zu laufen. Der dritte Junge kam mit seinem schweren Stock immer näher.

Da sah Alea, dass an der Hauswand gegenüber ein Fenster offen stand. Ein Mann lehnte in der zweiten Etage am Fensterrahmen, rauchte und schaute zu ihnen herunter.

»*Help!*«, rief Alea gellend zu ihm hinauf. »*Please, call the police!*«

Der Mann antwortete nicht. Stattdessen zog er in aller Ruhe an seiner Zigarette.

»Ich glaub, der Typ am Fenster gehört zu den Jungs«,

stieß Lennox mit einem schnellen Blick nach oben hervor. Offenbar hatte er den Mann schon viel eher wahrgenommen als Alea. »Verdammt!«, fluchte er. »Sie sind zu weit verstreut, um sie vergessen zu lassen, dass wir Geld haben.«

Alea schnappte nach Luft. Daran hatte sie ja noch gar nicht gedacht. Lennox könnte seine Gabe einsetzen! Aber nein, er hatte recht. Selbst, wenn er es schaffen sollte, den vier weit auseinander stehenden Jungs nacheinander in die Augen zu sehen und sie alles vergessen zu lassen – zu dem Mann am Fenster konnte er nicht hinauf. Und einen Zeugen seiner magischen Fähigkeit konnte Lennox wirklich nicht gebrauchen. Das wäre noch gefährlicher, als ausgeraubt zu werden!

Der große Bursche mit dem Stock stellte sich gerade breitbeinig neben den Jungen vor ihnen, der anscheinend ihr Anführer war.

Lennox' Rückenmuskeln spannten sich an. Ganz offensichtlich wollte er kämpfen. »Lennox, nein!«, rief Alea. »Gib ihnen das Geld!« Sie hatte nicht vergessen, was Ben gesagt hatte: Mut konnte manchmal unsinnig sein.

Lennox hörte nicht auf sie. Er beugte sich vor und ging leicht in die Knie. Jeden Moment würde er angreifen.

»Nein!«, schrie Alea, und plötzlich veränderte sich etwas in ihr. Es war, als ob irgendwo in ihrem Inneren ein Schalter umgelegt wurde. Auf einmal fühlte sie eine große, unerklärliche Stärke in sich.

Mit einer schnellen Bewegung riss Alea Lennox die

Plastiktüte aus der Hand und warf sie dem Anführer vor die Füße. »Da!«, rief sie.

Lennox grollte wie ein Raubtier. Aber er versuchte nicht, sich das Geld zurückzuholen.

Der Junge hob die Tüte auf, schaute prüfend hinein und lächelte. »*Thank you*«, bedankte er sich in charmantem Ton und schnippte mit den Fingern. Seine Komplizen drehten daraufhin ab und entfernten sich. Der Mann am Fenster lächelte und zog die Vorhänge zu. Der Junge sagte höflich »*Goodbye*« und lief den anderen leichtfüßig nach. Gleich darauf waren sie hinter einer Hausecke verschwunden.

Lennox wirbelte zu Alea herum. »Warum hast du das gemacht? Das waren nur Jungs! Den Kampf hätte ich gewonnen!«

»Wahrscheinlich«, gab Alea zurück. »Aber vielleicht auch nicht. Das Risiko war zu groß. Es ging schließlich nur um Geld.«

Lennox betrachtete sie irritiert. »Was ist mit dir?«

»Mit mir?«

»Du wirkst so … groß.«

Alea schaute an sich hinab, dabei wusste sie genau, was er meinte. Es hatte nichts mit der Länge ihres Körpers zu tun. »Ja, das … passiert manchmal«, erwiderte Alea und spürte, dass die innere Stärke bereits wieder nachließ.

»Was passiert manchmal?«

»Dass ich in Notsituationen ganz *stark* werde.«

Lennox' Gesicht war ein einziges großes Fragezeichen.

»Als Tess einmal bei Sturm über die Reling geschleudert wurde, habe ich es zum ersten Mal gespürt«, versuchte Alea, zu erklären. »Ich hatte auf einmal die Kraft, die Situation in die Hand zu nehmen. Und ein paar Tage später, als die Schiffsschraube verklemmt war, war es so ähnlich.«

»Ja, stimmt.« Lennox erinnerte sich daran. »Du hast den Überblick behalten und Hilfe geholt.«

»Es ist dann, als würde eine große Kraft über mich kommen. Als würde etwas in mir *angeschaltet* werden.«

»So, als würdest du in einen bestimmten *Modus* gehen?«, fragte Lennox. »In den ... *Anführermodus*?«

Alea sah ihn überrascht an. Seine Worte lösten etwas in ihr aus. Etwas in ihrem Kopf begann, sich zu bewegen, als hätte es ein Eigenleben, aber sie konnte nicht sagen, was es war. Es fühlte sich an, als verbärge sich hinter Lennox' Worten eine geheime Wahrheit. »Als uns diese Gangster nach dem Müllabladen auf die *Crucis* gefolgt sind, bin ich aber in keinen *Modus* gegangen«, wandte Alea ein. »Und das war wirklich eine Notsituation! Aber die hab ich nicht in die Hand genommen, ganz im Gegenteil.«

»Du warst durch die Chemieabfälle geschwächt«, sagte Lennox. »Vielleicht ist es deswegen nicht passiert.«

»Ja, vielleicht. Zum Glück warst du da.«

Lennox lächelte. »Sieht aus, als würden wir uns ganz gut ergänzen.«

Alea lächelte zurück und erlaubte sich einen winzigen

Augenblick lang, Lennox' Blick zu genießen. »Bist du wegen dem Geld sauer?«, fragte sie dann.

»Ein bisschen schon. Jetzt können wir uns ja noch nicht mal die Jugendherberge leisten.«

»Und wo sollen wir schlafen?«

Lennox verdrehte die Augen. »Daran hättest du mal denken sollen, bevor du diesen Jungs unser Geld hingeschmissen hast!«

Damit hatte er natürlich recht. Dennoch bereute Alea nicht, was sie getan hatte. Der Gedanke, dass Lennox sich unnötig in Gefahr brachte, war ihr unerträglich. »Was machen wir jetzt?«, fragte sie ihn. Immerhin hatte er ja Erfahrung damit, ohne Geld zurechtzukommen.

Lennox seufzte. »Wir suchen uns einen Platz, komm«, antwortete er, und sie setzten sich in Bewegung. »Ich habe heute Vormittag was gesehen«, erklärte Lennox im Gehen. »Mal gucken, ob wir Glück haben.«

Lennox führte sie durch die Straßen, über Brücken und Plätze, und schließlich standen sie wieder gegenüber dem Postamt, wo Ben an diesem Vormittag Geld von Onkel Oskar hatte abholen wollen.

Auf Lennox' Gesicht breitete sich ein Grinsen aus. »Wir haben tatsächlich Glück.«

»Womit?«

Lennox deutete auf eine Tür an der Ecke des Gebäudes. Es war ein Notausgang – und er stand einen Spaltbreit offen, weil sich eine Glasflasche darin verkeilt hatte.

Alea runzelte die Stirn. »Willst du da etwa reingehen?«

»Ja, über der Post sind Büroräume. Da ist um diese Uhrzeit keiner mehr.«

Alea zögerte. »Aber wir wären Einbrecher!«

»Wir klauen ja nichts!«, wandte Lennox ein. »Wir wollen nur einen ungefährlichen Schlafplatz. Und wenn die Leute morgen zur Arbeit kommen, sind wir längst wieder weg.«

Als er nun die Straße überquerte, folgte Alea ihm mit weichen Knien. War das erlaubt? Durfte man einfach irgendwo hineingehen und dort schlafen, wenn die Tür offen stand?

Eine Minute später fuhr rumpelnd ein Lkw vorbei, und Lennox nutzte den Moment, um Alea in das Gebäude zu ziehen. Sie befanden sich nun in einem Treppenhaus. Lennox schlich die Stufen hoch, und Alea folgte ihm mit pochendem Herzen. Was würde passieren, wenn jemand sie erwischte?

Sie erreichten die erste Etage. Eine Glastür führte zu den Büros. Als Lennox allerdings die Klinke hinunterdrückte, stellten sie fest, dass die Tür verschlossen war. Lennox fluchte leise, und sie liefen eine weitere Etage hoch. Aber auch hier war die Tür geschlossen, ebenso im dritten und vierten Stock. Enttäuscht schlichen sie noch eine Etage höher. Hier befanden sich allerdings keine Geschäftsräume mehr. Durch ein Fenster konnte man sehen, dass hier oben nur noch das Dach war.

»Sollen wir im Treppenhaus schlafen?«, fragte Alea, während Lennox an der Klinke der Dachtür rappelte.

Die Tür öffnete sich. Lennox und Alea sahen einander überrascht an. Dann traten sie auf eine riesige Dachterrasse hinaus.

»Hier werden wir schlafen!«, sagte Lennox triumphierend.

»Wow«, entfuhr es Alea. Von hier oben hatte man freien Blick auf die Stadt, und die Aussicht war wirklich großartig. Hypermoderne und altehrwürdige Gebäude drängten sich in verwinkelten Straßenzügen dicht an dicht, und in der Ferne lag sogar eine Burg. Die Stadt unter ihnen polterte und lärmte, aber hier oben herrschte wunderbare Ruhe.

»Das ist ein toller Schlafplatz«, sagte Alea.

Lennox grinste zufrieden. »Hier oben sind wir vor Straßengangs sicher.« Er ließ seinen Rucksack zu Boden gleiten. »Komm, wir schlagen unser Lager auf.«

Alea war einverstanden. »Ja, lass uns heute Nacht hierbleiben.«

Sternenhimmel

Alea setzte sich auf den Schlafsack, den Tess ihr mitgegeben hatte.

»Hast du Hunger?«, fragte Lennox, während er seinen Schlafsack neben ihren legte und sich darauf niederließ.

»Und wie!«

Lennox zauberte einen Beutel aus seinem Rucksack hervor. »Ben hat uns ein paar Sachen eingepackt«, sagte er und breitete belegte Brote, zwei Birnen und eine Dose mit Keksen vor ihr aus.

»Das ist ja super!« Alea lachte. »Danke, Ben!«, rief sie und sandte ein Flugbussi in Richtung der Küste. Gleich darauf verstummte ihr Lachen jedoch. Vielleicht würde sie Ben niemals wiedersehen …

Lennox schien ihre Gedanken zu erraten. »Ben und die anderen sind echt was Besonderes, oder?«

»Ja, sie sind alle ein bisschen schräg«, erwiderte Alea traurig. »Aber genau das ist ja das Tolle.«

»Ich glaube allerdings, Tess mag mich nicht besonders«, sagte Lennox.

Alea wollte schon nicken, da kam ihr ein Gedanke. Sie

kräuselte überrascht die Stirn. Was, wenn Tess Lennox ganz im Gegenteil sogar *sehr* mochte? Was, wenn *er* es war, in den Tess verliebt war? Perplex stellte Alea fest, dass das absolut Sinn ergab. Warum sonst hätte Tess sie anlügen sollen? Sie hatte mit ihrer Lüge ja offensichtlich verhindern wollen, dass Alea und Lennox einander näherkamen.

Lennox begann, zu essen, während Alea ihren Gedanken nachhing. Letztlich musste sie das Thema jedoch auf den nächsten Morgen verschieben. Wenn sie mit Tess telefonierte, würde Alea sie ganz offen fragen, ob sie in Lennox verliebt war und deswegen gelogen hatte. Alea seufzte. »Glaubst du, wir sehen die anderen jemals wieder?«

»Ich weiß es nicht.« Lennox biss in die Birne. »Ich habe keine Ahnung, was nach Loch Ness passiert. Irgendwie kann ich nur bis dahin denken, und danach … Leere.«

»Was, wenn wir am Loch Ness nichts finden?« Alea griff nach einem Brot und fing ebenfalls an, zu essen. »Was machen wir dann?«

»Das wird nicht passieren«, entgegnete Lennox. »Dort ist etwas.« Er schien nach Worten zu suchen. »Es ist, als könnte ich es spüren. Wie ein … Vibrieren im Herzen.«

Alea ließ das Brot sinken. »Genau!«, rief sie verdutzt. »Als ob Loch Ness nach mir rufen würde!«

»Ja!« Lennox lächelte überrascht.

Sie aßen mit einem Schmunzeln weiter. »Ich habe übrigens die Schneekugel dabei.« Lennox holte das kleine, glitzernde Ding aus seinem Rucksack. »Sammy hat sie mir in die Hand gedrückt und mit mir geschimpft, weil ich sie fast vergessen hätte.«

Lennox betrachtete die Kugel von allen Seiten, wie er es schon so oft getan hatte. Schließlich stellte er sie zur Seite und kramte seine Thermoskanne heraus. »Ich hoffe, der Tee ist noch heiß«, sagte er und schenkte sich einen Becher voll. Der Tee dampfte jedoch nicht, und Lennox prüfte mit der Hand die Temperatur des Plastikbechers. »Immerhin noch lauwarm«, stellte er fest und trank. »Hoffentlich habe ich in den nächsten Tagen die Möglichkeit, Wasser zu kochen, sonst ... verdurste ich.«

Es sollte wohl wie ein Witz klingen, aber Alea wusste natürlich sehr gut, dass es keiner war.

»Hier oben auf dem Dach könnte man ja kein Lagerfeuer machen ...«, murmelte Lennox.

Alea lächelte. »Wir brauchen kein Lagerfeuer!«, rief sie und wühlte nun ihrerseits in ihrem Rucksack.

»Hast du eine Herdplatte mitgenommen?«, scherzte Lennox.

»Nein, etwas viel Besseres.« Alea hatte gefunden, was sie gesucht hatte, und zeigte es ihm.

Lennox' Augen verengten sich. »Was ist das?«

»Das ist ... eine Feuerkartoffel.«

Lennox lachte kurz, aber dann staunte er wieder.

»Ich habe sie in dem Unterwasserdorf gefunden. Sie macht so etwas wie flüssiges Feuer.«

Lennox schien sich nicht vorstellen zu können, wie die eingedrückte Marzipankartoffel Feuer produzieren sollte.

»Es funktioniert auch an Land«, erklärte Alea. »Ich hab es ausprobiert.« Sie rieb mit dem Daumen über die glatte Unterseite, und sofort quoll das grüne Feuer hervor.

Lennox schnappte nach Luft. »Das gibt's ja gar nicht!« Alea nahm seine Thermoskanne und hielt die Feuerkartoffel verkehrt herum über das darin verbliebene Wasser. Das grüne Feuer reagierte sofort und dehnte sich aus. Es sah aus, als ob sich viele kleine grüne Brennstäbe in das Wasser hineinstrecken würden.

»Wahnsinn«, entfuhr es Lennox.

»Zuerst dachte ich, man müsste es unter einen Topf halten, wie an Land«, sagte Alea, während sie zusahen, wie das Wasser langsam anfing, zu dampfen. »Aber man kann es auch direkt in etwas hineinhalten.« Nun stiegen kleine Bläschen in dem Wasser hoch. Es kochte! Alea rieb abermals mit dem Daumen über die Unterseite, und das Feuer verschwand.

»Versuch du es mal«, forderte sie Lennox auf.

Er nahm das kleine Ding in die Hand, rieb daran, und das grüne Feuer quoll hervor.

»Interessant«, sagte Alea. »Bei Sammy hat es nicht geklappt. Ich glaube, es funktioniert nur bei Meermenschen.«

Lennox starrte in das grüne Feuer. »Glaubst du wirklich, dass ich ein Meermensch bin?«, fragte er leise.

Das war für Alea gar keine Frage. »Du kannst schwimmen, ohne es je gelernt zu haben!«, erwiderte sie sofort. »Du reagierst genau wie der Meermann auf Wasser – allerdings zum Glück nur halb so heftig. Außerdem konntest du die Nachricht in der Schneekugel lesen. Und du sprichst Wassersprache!«

»Ja, schon.« Lennox runzelte die Stirn. »Ich verändere mich aber nicht im Wasser. Und ich sehe im Meer auch keine Farben.«

»Du bist eben nur ein halber Meermensch«, erinnerte Alea ihn. »Dein Vater ist offenbar ein Landgänger, aber ... deine Mutter nicht.« Sie biss sich auf die Lippe. Beinahe hätte sie *unsere Mutter* gesagt.

»Ja, aber es ist ja nicht nur so, dass mir die Hälfte von dem fehlt, was dich zu einem Meermenschen macht«, sagte er nachdenklich. »Ich habe immerhin auch Fähigkeiten, die du nicht hast. Wenn das Vergessenlassen zur typischen Meermenschenausstattung gehören würde, müsstest du es doch auch können.« Er rieb das grüne Feuer aus und blickte Alea an. »Hast du es schon mal versucht?«

»Was?«

»Jemanden etwas vergessen zu lassen.«

»Nein, daran habe ich noch nie gedacht.«

»Dann probieren wir es doch mal«, schlug er vor.

Alea war überrascht, aber auch neugierig.

Lennox setzte sich ihr gegenüber. »Du musst mir tief in die Augen schauen und mir sagen, was ich vergessen soll«, erklärte er. »Aber überleg dir gut, was du sagst. Lass mich bloß nicht vergessen, dass ich dich jemals getroffen habe oder so.«

Alea konzentrierte sich. Es zeugte von großem Vertrauen, dass er das mit ihr versuchen wollte. Mit festem Blick sagte sie:»Du kannst dich nicht daran erinnern, dass ich bei Auftritten immer nervös bin.«

Sie starrte Lennox an, und er starrte zurück.

»Hm, ich glaube, es funktioniert nicht«, sagte Lennox nach einem Moment.»Ich weiß noch sehr gut, wie nervös du vorhin warst«, fügte er grinsend hinzu.

Alea spürte, dass sie rot anlief.»Vielleicht können Meermenschen sich nicht gegenseitig Dinge vergessen lassen«, sagte sie schnell.»Weißt du noch? In Amsterdam hat es bei mir auch nicht geklappt.«

»Stimmt. Bei dir ging es nicht.« Lennox legte den Kopf schief.»Darf ich es noch mal bei dir versuchen? Nur, um ganz sicher zu sein?«

Alea nickte langsam.»Na gut.« Der Gedanke machte ihr zwar ein kleines bisschen Angst, weil sie wusste, welche Konsequenzen Lennox' Gabe haben konnte. Aber sie vertraute ihm.»Überleg dir gut, was du sagst!«, wiederholte sie seine Worte von eben.»Lass mich nicht vergessen, dass ich ein Meermensch bin oder so!«

»Keine Sorge«, antwortete er und lächelte so warm, dass Alea sich entspannte.

Er blickte ihr tief in die Augen.»Du kannst dich nicht daran erinnern, dass ich meine Gitarre vorhin zweimal gestimmt habe.«

Sie sahen sich an.

Dann sagte Alea: »Du hast vorhin zweimal deine Gitarre gestimmt.«

Lennox schnalzte verdrossen mit der Zunge. »Klappt wirklich nicht.«

Alea musste lachen. »Irgendwie finde ich das gut.«

Lennox lachte auch. »Bin ich nun ein richtiger Meermensch oder nicht?«

»Du bist ein halber Meermensch ... mit Sonderausstattung.«

Lennox grinste. »Wenn mich irgendwann mal jemand fragt, wer ich bin, dann sag ich genau das.«

»Ja, das kann man doch in jedes Freundebuch schreiben!«

»Unter der Rubrik *Und sonst so*?«

»Genau!« Sie brachen in schallendes Gelächter aus.

Lennox lächelte noch immer, als er die Überreste ihres kleinen Festmahls wegräumte. »Ich bin froh, dass wir ...« Er überlegte. »... dass wir wieder so miteinander sind.«

Alea verwünschte ihre Wangen, die erneut heiß wurden. »Ja, ich ... finde das auch schön.«

»Und warum geht das erst jetzt wieder?« Lennox sah sie unverwandt an. »Warum hast du mich tagelang ignoriert?«

Alea nestelte verlegen an ihrem Handschuh herum. Diese Frage erwischte sie kalt. Was sollte sie sagen? Lennox' Miene war offen und wirkte sogar ein wenig verletzlich. Sie nahm all ihren Mut zusammen und antwortete: »Ich hatte Angst.«

»Angst? Wovor?«

Aleas Herzschlag beschleunigte sich. Jetzt musste sie mit der Wahrheit herausrücken. »Ich hatte Angst, dass du ...«

Lennox hob leicht die Augenbrauen.

»... dass du mich gar nicht ... wirklich magst.« Ihre Wangen glühten.

Er schien überrascht. »Wie kommst du darauf?«

»Ich dachte, dass du vielleicht nur in meiner Nähe sein willst, um mich besser beschützen zu können«, sagte sie. Jetzt gab es kein Zurück mehr. »Ich dachte, dass du in mir vielleicht nur eine Aufgabe siehst. Und ich wollte ... dir nicht zur Last fallen. Ich wollte nicht etwas für dich sein, das du erledigen musst, weil es dir irgendein Instinkt so vorgibt. Du hast ja alles andere stehen und liegen gelassen, wenn was mit mir war!« Sie sagte nicht, dass ihr dummes Herz in seiner Nähe sofort schneller schlug. Sie sagte nicht, dass sie es einfach nicht ausgehalten hatte, bei ihm zu sein und zu denken, dass er nur an ihr als Verbündete interessiert war. Und sie sagte auch nicht, dass er wahrscheinlich ihr Bruder war. Ihre Gefühle zu erklären, war in diesem Augenblick schon schwer genug. »Ich wollte nicht, dass du dich verpflichtet fühlst. Du solltest auf der *Crucis* einfach froh und ... frei sein können.«

Lennox hörte ihr aufmerksam zu. Doch als Alea ihn genauer betrachtete, wurde ihr klar, dass sein Gesichtsausdruck nicht aufmerksam war, sondern vielmehr fassungslos.

»Froh und frei sein?«, stieß er hervor. »Das ist unglaublich.« Er schüttelte den Kopf. »Hast du eigentlich eine Ahnung, wie ich mich gefühlt habe, als du mich einfach so links liegen gelassen hast? Du hast kein Wort mehr mit mir gesprochen. Ohne Erklärung! Und das, nachdem wir in der ersten Woche ...« Er brach ab. Aber dann sprach er doch weiter. »Nach dem, was in der ersten Woche passiert ist!«

»Was ist denn passiert?«, fragte Alea leise.

»Wir ...« Lennox hob hilflos die Hände. »Du hast in meinem Bett geschlafen!«

Alea spürte ihren Herzschlag bis in die Fingerspitzen pochen. Ja, sie hatte in Lennox' Bett geschlafen. Zweimal sogar. Nachdem er zu lange im Regen gewesen war, hatte er Schüttelfrost bekommen – und Alea hatte ihn eine ganze Nacht lang festgehalten und mit ihrem Körper gewärmt. Er war damals aber kaum bei Bewusstsein gewesen, deshalb schien er sich daran gar nicht zu erinnern. Gerade hatte er von der zweiten Nacht gesprochen, der Fiebernacht. In dieser Nacht hatte sein Kopf bis zum Morgengrauen auf Aleas Schoß geruht, während sie auf ihn aufgepasst hatte.

»Und wir haben stundenlang geredet!«, fuhr Lennox fort. »Ich habe dir mein halbes Leben erzählt – und du mir deins. Und wir haben herausgefunden, dass wir beide etwas total Unglaubliches gemeinsam haben! Und dann, ganz plötzlich – nichts mehr!« Seine Stimme klang aufgebracht. »Ich sollte froh und frei sein?« Er lachte freudlos. »Ich habe mich total scheiße gefühlt!«

Alea konnte ihm ansehen, wie sehr ihn ihr Verhalten verletzt hatte. Und das tat ihr nun furchtbar leid.

»Klar habe ich da dieses Gefühl, dass ich dein Beschützer bin«, räumte er ein. »Und die Kobolde haben ja auch bestätigt, dass das anscheinend wirklich mein Job ist. Aber das ist doch nicht alles!«

Alea merkte, dass ihre Beine zitterten. »Nein?«

Lennox schaute sie aufgewühlt an. »Nein«, sagte er, und es klang wie ein Bekenntnis.

Es war auch eins. Es änderte alles.

»Es ist nicht so, dass ich dich nur beschützen will«, sprach er stockend weiter. »Ich will … mehr als dein Beschützer sein. Aber … ich habe keine Ahnung, … was du denkst, … worum es bei all dem geht.«

Alea zitterte nun am ganzen Körper, denn obwohl Lennox ein wenig herumgestammelt hatte, hatte er ihr gerade gesagt, dass er mehr für sie sein wollte als nur ihr Bodyguard. Und nun wollte er im Gegenzug wissen, was sie für ihn empfand. »Ich … bin froh, dass du mich … nicht nur als Aufgabe siehst«, kam es aus ihr heraus. »Weil ich mir auch wünsche, … dass es mehr ist.«

Lennox' azurblaue Augen schienen bis auf den Grund ihrer Seele zu blicken, und Aleas Herz klopfte wie wild. Hatten sie sich etwa gerade gegenseitig eine Liebeserklärung gemacht?

»Das hättest du auch mal eher sagen können«, bemerkte Lennox.

»Du auch!«, feuerte sie sofort zurück. Wenn sie das eher gewusst hätte – wenn Lennox ihr nur früher ein eindeutiges Zeichen gegeben hätte, dass sie mehr für ihn war als höchstens eine beste Freundin –, dann hätte Alea sich das ganze Grübeln und Traurigsein sparen können!

Lennox seufzte. »Es ist total schwer, so was zu sagen …«

Da musste Alea ihm allerdings recht geben. Sie hatte keine Ahnung, wie man einem Jungen sagte, dass man ihn mochte. Sie hatte noch nie einen Freund gehabt.

Plötzlich rollte eine heiße Welle durch ihren Körper. Wie sehr hatte sie davon geträumt, dass Lennox etwas für sie empfand … Und nun schien es wirklich so zu sein! Das war unfassbar! Alea musste die Hände auf ihre Knie legen, um ihre zitternden Beine festzuhalten. Sie war völlig flatterig. Wenn sie Flügel gehabt hätte, wäre sie in diesem Augenblick abgehoben und hätte vor Freude eine Pirouette in der Luft gedreht.

Den Gedanken, dass es nicht sein durfte – dass Lennox ihr Bruder sein konnte! –, ließ sie in diesem Moment nicht zu. Sie schob ihn einfach zur Seite, denn für eine kurze Zeit, nur für einen Augenblick, wollte sie in dem wirbelnden Gefühl schwelgen, das da durch ihre Adern brauste.

Lennox schaute zum Horizont. Die Sonne ging gerade unter, und die ersten Sterne zeigten sich am Himmel. Er lächelte still in sich hinein. Er sah glücklich aus. Ein wenig aufgekratzt, aber vor allem glücklich.

Genauso fühlte Alea sich auch. Sie lächelte ebenfalls. Aber dann fröstelte sie. Mittlerweile war es recht frisch geworden.

Lennox legte den Arm um sie. Es war eine leichte Geste, und er bewegte sich langsam – als wollte er ihr die Möglichkeit geben, ihm zu sagen, dass er das lassen sollte.

Das tat Alea jedoch nicht.

Lennox rückte an sie heran und war nun ganz nah. So nah wie damals in jener Nacht, als sie ihn festgehalten hatte. Damals hatte er jedoch Fieber und Schmerzen gehabt, und sie hatte ihm vor allem helfen wollen. Jetzt war es ganz anders. Jetzt war Lennox gesund, stark und … hatte ihr gestanden, dass er Gefühle für sie hatte. Zumindest so etwas Ähnliches.

Sollte sie sich an ihn schmiegen, um ihm zu zeigen, dass sie gern in seinem Arm war? Sie hatte ihn zuvor so sehr zurückgestoßen. Nun musste sie ihm deutlich machen, was sie fühlte. Aber was fühlte sie eigentlich? Die Situation hatte sie völlig überrollt.

Alea schloss die Augen. In Lennox' Arm war es warm. Sie fühlte sich beschützt, aber nicht nur das, sie fühlte sich … gemocht und gewollt. Und das war einfach überwältigend. Doch gleichzeitig war sie auch aufgeregt und unsicher. Lennox war so nah. Was ging wohl gerade in ihm vor? War es für ihn auch schön, sie im Arm zu halten?

Alea atmete so ruhig wie möglich durch und stellte wieder einmal fest, wie unglaublich gut Lennox roch – nach Weite, nach Wärme, nach Wasser. Und dann wusste sie, was sie fühlte: Sie hatte sich noch niemals irgendwo so wohl gefühlt wie genau hier, genau jetzt.

Sie schmiegte sich an ihn.

Lennox' Hand streichelte vorsichtig ihre Schulter.

Sie sprachen kein Wort, sondern betrachteten einfach nur den Sonnenuntergang über den Dächern der Stadt und die am Himmel aufblitzenden Sterne.

»Da ist der Skorpion«, sagte Lennox nach einer Weile und wies auf ein Sternbild, das ganz am unteren Rand des Himmels zu erkennen war.

Alea schaute genau hin. »Ja, stimmt.« Ben hatte ihr inzwischen eine ganze Menge über Sternbilder beigebracht. Und das dort drüben war eindeutig der Skorpion.

»Den Wassermann können wir von hier aus zu dieser Jahreszeit aber nicht sehen.«

»Macht nichts«, antwortete Alea. Dann schoss ihr etwas in den Kopf, was sie noch hinzufügen könnte. Sie zögerte. Es wäre vielleicht ein bisschen viel ... Aber nein. Sie würde es sagen. Denn es war genau das, was sie fühlte, und das wollte sie mit Lennox teilen. »Mir fehlt hier nichts«, fügte sie hinzu. Beinahe hatte sie geflüstert.

Lennox drehte den Kopf zu ihr. »Mir auch nicht.«

Ihre Gesichter waren sich ganz nah.

Aleas Herz fing an, schneller zu klopfen. Wollte er sie küssen? Oh Gott, er wollte sie küssen! Wollte sie das auch? Sie hatte noch nie einen Jungen geküsst!

Da fiel ihr ein, dass es nicht wichtig war, ob sie ihn küssen wollte. Denn das durften sie sowieso nicht tun.

Nun konnte sie diesen Gedanken, den sie nicht denken wollte, nicht länger fortschieben. Denn sie durfte auf keinen Fall ihren Bruder küssen!

Lennox neigte den Kopf.

Alea wich zurück. »Ich ...«, stammelte sie. »Wir ...«

»Ist schon okay.« Lennox lächelte. »Ist alles ganz schön viel, was?«

»Ja ...«, brachte Alea hervor.

»Lass uns einfach schlafen gehen, hm?« Er stand auf, zog sich die Schuhe aus und schlüpfte in seinen Schlafsack.

Alea tat es ihm gleich, legte sich in ihrem Schlafsack auf den Rücken und blickte aufgekratzt in den Sternenhimmel.

Lennox lag neben ihr. Er kam so nahe heran, dass seine Schläfe ganz leicht die ihre berührte. Auch er schaute in die Sterne.

Alea wagte kaum, zu atmen. Es war einfach wunderschön, Lennox so nahe zu sein. Kribbelig, aufregend und wunderschön. Aber durfte sie das überhaupt schön finden? Sie biss sich auf die Lippe. Er lag neben ihr. *Das ist doch erlaubt, oder?,* dachte sie mit einem gewissen Trotz. Sie wollte dieses Gefühl einfach nur genießen, gegen jede Vernunft und jeden unliebsamen Gedanken.

Und so schlief sie ein, mit Lennox an ihrer Seite und flatternden Vögeln in ihrem Bauch.

Nach Norden

Als Alea am nächsten Morgen erwachte, war die Sonne bereits aufgegangen. Lennox lag noch immer neben ihr. Seine Schläfe berührte ihre zwar nicht mehr, aber er war ganz nah. Er schlief. Alea rückte ein kleines Stück von ihm ab und betrachtete ihn – seine blasse Haut, die fein geschwungenen Augenbrauen und die vollen Lippen. Wie fühlte es sich wohl an, diese Lippen zu berühren?

Lennox regte sich, und Alea legte sich schnell wieder hin. Mit geschlossenen Augen drehte er sich zu ihr auf die Seite, und sie bemerkte, dass er lächelte. Er lächelte im Schlaf.

Alea lächelte zurück.

Lennox öffnete die Augen. Als er Alea sah, wurde sein Lächeln breiter. Dann erst schien er richtig wach zu werden. Abrupt setzte er sich auf. »Oh, äh … guten Morgen.«

»Guten Morgen.«

Lennox rieb sich die Augen. »Wie spät ist es?«

Alea griff nach ihrem Handy, um nachzusehen. Ihr Display war schwarz. »Mein Akku ist leer«, murmelte sie. »Aber ich habe mein Ladekabel dabei.« Sie musste ihr Handy so schnell wie möglich wieder aufladen. »Was meinst du, wo gibt es hier in der Stadt eine öffentliche Steckdose?«

Lennox schien sich ein Lachen zu verkneifen. »Öffentliche Steckdosen gibt es nicht.«

Alea sah ihn erschrocken an. »So was gibt es nicht? Aber ich muss unbedingt Tess anrufen!«

»Warum?«, fragte er verwundert.

»Sie wollte mir gestern etwas Wichtiges erzählen, aber wir mussten aufbrechen und hatten keine Zeit mehr. Ich habe ihr gesagt, dass ich sie heute Morgen anrufe!«

Lennox hob bedauernd die Achseln. »Tut mir leid, aber Strom ist auf der Straße schwer zu kriegen.«

Alea kam sich sehr dumm vor. »Ich muss doch auch Marianne jeden Tag eine SMS schicken«, sagte sie beklommen. »Sonst macht sie sich Sorgen!«

Lennox schien zu grübeln. »In Cafés gibt es manchmal Steckdosen.« Er schälte sich aus seinem Schlafsack und griff in die Tasche seiner Lederjacke. »Ich habe noch zwei oder drei Pfund von Bens Geld übrig«, sagte er und zählte die Münzen. »Zwei Pfund neunzig. Vielleicht bekommen wir dafür zwei Tassen Tee in einem Café. Und während wir die trinken, kannst du dein Handy aufladen.«

Alea nickte erleichtert. »Ja, lass uns das machen.« Sie musste auch dringend aufs Klo, und in einem Café gab es bestimmt eine Toilette.

Sie packten alles zusammen und schlichen sich im Treppenhaus die Stufen hinunter. Alea warf einen Blick in die Büros. Es waren noch keine Leute da. Steckdosen gab es hinter den Glastüren aber jede Menge. Allesamt leider unerreichbar für sie. Unbemerkt schlüpften sie durch die Notausgangstür und marschierten los. Es schien noch recht früh zu sein, aber das eine oder andere Geschäft hatte bereits geöffnet. Nach ein paar Minuten kamen sie an einem Café vorbei, in dem schon einiges los war. Lennox blickte suchend hinein. »Dahinten in der Ecke ist eine Steckdose«, sagte er.

Sie gingen durch das Café zu einem freien Tisch, gleich neben der Steckdose. Alea ließ sich auf einem der Stühle nieder und holte unter dem Tisch ihr Handy und das Ladekabel heraus. Sie wusste nicht, ob es erlaubt war, deswegen wollte sie lieber nicht auffallen. Als sie den Stecker des Ladekabels jedoch in die Steckdose stecken wollte, ging es nicht. Sie versuchte es noch einmal und stellte dabei fest, dass in der Steckdose drei Löcher waren anstatt zwei. Ihr Stecker passte nicht hinein!

Lennox bemerkte, dass sie Probleme hatte, und sah sich die Steckdose an. »Verdammt! Die haben hier andere Anschlüsse«, murmelte er. »Ich fürchte, das mit dem Strom kannst du vergessen.«

Alea hätte beinahe gewimmert. Das durfte doch nicht wahr sein! Sie musste Tess anrufen. Sie musste wissen, was sie ihr hatte sagen wollen. Außerdem würde Marianne sich fürchterliche Sorgen machen, wenn Alea sich nicht mehr meldete.

»Tut mir leid«, sagte Lennox.

Alea schaute ihn resigniert an, dann stand sie auf und ging zur Toilette. Dort wusch sie sich das Gesicht und putzte sich die Zähne. Sie versuchte, sich damit abzufinden, dass sie jetzt, da sie auf der Straße unterwegs war, eben auf einige Annehmlichkeiten wie ihr Handy oder auch eine Dusche verzichten musste. Wie machten es wohl die Leute, die richtig auf der Straße lebten? Natürlich hatten die keine Handys – aber gingen sie auch in irgendein Café, um sich die Zähne zu putzen? Alea hatte noch nie irgendwo geschlafen, wo es kein Badezimmer gab. Nicht einmal im Urlaub. Sie hatte das als völlig selbstverständlich angesehen – dass es das nicht war, begriff sie jetzt.

Als sie zu Lennox zurückkam, sprach dieser gerade auf Englisch mit dem Kellner. Alea verstand, dass Lennox dem nett aussehenden Mann erzählte, sie wären auf Klassenfahrt hier und bräuchten dringend einen Stromadapter, um sich mit dem Handy zu Hause zu melden.

»Tut mir leid, ich habe keinen Adapter«, erwiderte der Kellner daraufhin, ebenfalls auf Englisch. »Aber ihr könnt mein Handy benutzen, wenn es nur ein Anruf ist.«

Alea japste vor Freude auf. »*That's really nice!*«, rief sie, denn das war wirklich nett.

Der Kellner reichte ihr lächelnd sein Handy.

Alea überlegte kurz, ob sie Tess oder Marianne anrufen sollte. Aber im Grunde war die Entscheidung klar. Sie wählte. Marianne war sofort dran. »Wer ist denn da?«

»Ich bin es, Alea.«

»Hallo, Schatz!«, rief Marianne überrascht. »Was ist das für eine fremde Nummer?«

»Mein Handy funktioniert nicht«, erklärte Alea. »Hier ist ein netter Kellner in einem Café, der mir kurz sein Telefon geliehen hat. Ich wollte dir Bescheid sagen, dass ich mich erst einmal nicht mehr melden kann. Aber mach dir keine Sorgen«, sagte sie schnell. Der Kellner stand wartend neben ihr. »Es ist alles gut.«

»Warum rufst du mich nicht mit dem Handy von Ben oder Tess an?«

Alea überlegte rasch. »Wir haben hier in Schottland alle Netzprobleme«, antwortete sie, weil ihr nichts Besseres einfiel.

»Oh.«

»Ich melde mich wieder, sobald wir Schottland verlassen. Bis dahin ist mein Handy bestimmt repariert, und wir haben wieder Netz.«

»Aha ...« Marianne schien diese Neuigkeit nicht gern zu hören. »Wie viele Tage bleibt ihr denn?«

Alea wusste es nicht. Wie Lennox konnte auch sie nur bis Loch Ness denken. »Vielleicht drei oder vier, mal schauen.«

»Mhm.«

»Das mit dem Handy ist doof, aber mir geht es gut.«

Marianne seufzte. »In Ordnung. Dann ruf wieder an, sobald es geht, ja?«

»Das mache ich«, versicherte Alea. »Bis bald!«

»Alles Liebe, Schatz. Ich drücke dir die Daumen dafür, dass du mehr über deine Mutter herausfindest.«

»Ja, danke. Alles Liebe zurück!« Alea legte auf und reichte dem Kellner sein Handy. »*Thank you so much*«, sagte sie.

Der Kellner sagte »*Welcome*« und ging zurück zur Bar. Alea atmete erleichtert aus. Den Gedanken, dass Marianne sich sorgte, hatte sie nicht ertragen. Zwar war es kaum besser auszuhalten, dass sie nicht mit Tess sprechen konnte – aber sie würde es sich hoffentlich irgendwie erklären können.

Während sie auf ihren Tee warteten, verschwand Lennox in der Toilette und kam mit frisch gewaschenen Haaren zurück. »Ich hab einfach den Kopf unter den Hahn gehalten«, erklärte er, als Alea ihn fragend ansah.

»So macht man das?«, fragte sie neugierig. »Man wäscht sich die Haare im Café?«

»Wenn man warmes Wasser zum Waschen kriegen kann, dann benutzt man es auch, ja.«

»Hast du deine Haare auch gefönt?«

Lennox grinste. »Mit dem Handtrockner. Darin bin ich mittlerweile Experte.«

Alea nickte. Lennox musste sich die Haare sofort nach dem Waschen fönen, so wie sie es früher auch immer getan hatte. Kalte Nässe am Kopf war das Letzte, was jemand mit einer Kaltwasserallergie gebrauchen konnte.

»Guck mal, was ich dahinten gefunden habe«, unterbrach Lennox ihre Gedanken. Er präsentierte Alea ein kleines Heftchen, in dem die Abfahrtszeiten von Bussen und Zügen aufgelistet waren.

»Oh, super!« Alea fing sofort an, zu blättern. »Die Stadt, die Loch Ness am nächsten ist, heißt Inverness, oder?«

»Genau.« Lennox trank von seinem Tee, der gerade auf den Tisch gestellt worden war, und bezahlte gleich.

Alea las. »Hm. Es fährt nur zweimal am Tag ein Zug nach Inverness. Einer um neun Uhr und einer um sechzehn Uhr.«

»Echt? Dann sollten wir den frühen Zug nehmen. Bei Einbruch der Nacht anzukommen, wäre blöd. Wie spät ist es?«

»Halb neun«, erwiderte Alea nach einem Blick auf die Wanduhr hinter der Bar.

»Dann müssen wir sofort los.« Lennox stand auf.

Alea trank ihren Tee mit mehreren großen Schlucken aus und erhob sich ebenfalls. »Wir haben aber kein Geld für die Tickets …«, fiel ihr auf einmal ein.

»Wir haben keine Zeit, um noch mal zu singen«, sagte Lennox knapp.

»Also fahren wir schwarz?«

»Es bleibt uns wohl nichts anderes übrig.«

Aleas Mund verhärtete sich. Das gefiel ihr ganz und gar nicht. Würden sie nun ständig die Regeln brechen und verbotene Dinge tun? Gab es keinen anderen Weg? Aber Lennox hatte recht – ihnen blieb in diesem Fall gar nichts anderes übrig. Sie konnten nur hoffen, dass sie nicht erwischt wurden.

»Okay«, sagte sie. »Auf nach Norden!« Sie folgte Lennox, der mit Rucksack und Gitarre den Weg zum Bahnhof einschlug.

Wenig später standen sie am Bahnsteig, und der Zug nach Inverness fuhr ein. Alea war aufgeregt. Loch Ness kam plötzlich in greifbare Nähe. Womöglich würden sie schon in wenigen Stunden dort sein.

Sie stiegen ein. Es war ein recht alter Zug mit urigen Garderobenhaken neben den Sitzen, mit klapperigen Türen und alten Fenstern, deren obere Hälfte man öffnen konnte.

Alea und Lennox suchten sich zwei freie Plätze.

Keine Minute später setzte sich plötzlich eine Frau auf Lennox' Schoß.

»Oh!«, rief sie erschrocken. »Ich hab dich nicht gesehen!«, entschuldigte sie sich auf Englisch bei Lennox.

Der versicherte »It's okay« und lächelte die Frau charmant an.

Nachdem diese mit verstörtem Kopfschütteln fortgegangen war, sagte Lennox: »Ist nicht das erste Mal, dass sich in der Bahn jemand auf mich draufsetzt.«

Das konnte Alea sich gut vorstellen. Übersah ihn ein Schaffner womöglich auch? Höchstwahrscheinlich sogar! Aber sie selbst würde wohl nicht übersehen werden.

Der Zug fuhr los. Alea blickte aus dem Fenster und ließ Edinburgh und die folgenden Orte an sich vorüberrauschen. Es war schön, einfach nur neben Lennox zu sitzen, nichts tun und nichts Dringendes überlegen zu müssen.

Einzig die Wagentür behielt sie im Blick. Falls ein Schaffner den Gang herunterkommen würde, mussten sie sich sofort aus dem Staub machen und auf einer Toilette verstecken.

Es kam jedoch niemand, und Alea träumte zum Fenster hinaus. Die Umgebung wurde mit der Zeit zunehmend grüner, und es gab immer weniger Ortschaften. Schließlich führte die Bahnstrecke sie zwischen Bergen durch endlose grüne Auen und Täler.

»Wo sind wir hier?« Alea blickte fasziniert hinaus. Die Welt dort draußen wirkte regelrecht verwunschen – als hätte jemand den Zug in eine Märchenlandschaft hineingezaubert. »Sind das die Highlands?« Alea hatte in den vergangenen Tagen oft in einem alten Reiseführer geblättert, den sie im Salon der *Crucis* gefunden hatte. Das schottische Hochland war darin als eine der schönsten Regionen der Welt bezeichnet worden.

»Ja, ich glaube schon.« Lennox sah ebenfalls gebannt aus dem Fenster. Aber im nächsten Moment betrat ein Schaffner den Wagen und bat um die Fahrausweise.

Alea duckte sich instinktiv. Der Mann kam auf sie zu! Dann blieb er jedoch vor zwei anderen Passagieren stehen und überprüfte deren Fahrausweise.

Lennox stand auf und zog Alea mit sich. So ruhig wie möglich verließen sie den Wagen.

»Ist hier irgendwo ein Klo?«, flüsterte Alea aufgeregt.

Lennox sah sich um. »Es muss irgendwo eins sein. Wir –«

Plötzlich hörten sie eine Stimme hinter sich auf Englisch sagen: »Wohin gehst du, junge Dame?«

Der Schaffner war ihnen gefolgt!

»Verflucht!« Lennox fuhr herum. »Komm!«, rief er und rannte los. Alea nahm die Beine in die Hand. Im Laufschritt durchquerten sie einen weiteren Wagen, aber der Schaffner blieb ihnen dicht auf den Fersen. Wohin sollten sie laufen? Es war zu spät, um sich zu verstecken.

Alea sah, dass der Schaffner im Laufen telefonierte. Er rief bestimmt einen Kollegen zu Hilfe!

Lennox hatte es auch gesehen. »Wir müssen raus aus dem Zug!«

»Was? Aber wie denn? Er fährt doch!«, rief Alea zurück, während sie in den nächsten Wagen stürmten. Einige der Fahrgäste hoben den Kopf und sahen sie neugierig an.

Der Schaffner war weiter hinten stehen geblieben und telefonierte immer noch. Bestimmt würde er Verstärkung rufen. Sie durften keine Zeit verlieren.

»Kannst du den Schaffner dazu bringen, mich zu vergessen?«, fragte Alea gehetzt.

Lennox schüttelte den Kopf. »Hier sind überall Leute!«, raunte er.

»Aber die sehen dich doch nicht!«, gab Alea zurück und senkte automatisch die Stimme.

»Doch! Du redest mit mir, also hast du sie auf mich aufmerksam gemacht. Wahrscheinlich auch den Schaffner.«

Alea biss sich erschrocken auf die Lippe.

»Ich müsste zuerst dem Schaffner in die Augen sehen und dann jedem einzelnen Fahrgast, der das mitbekommen hat«, sagte Lennox. »Das dauert viel zu lange. Während ich mit dem einen beschäftigt bin, holt irgendein anderer sein Handy raus und filmt uns …«

Alea atmete scharf ein. Das durfte auf keinen Fall passieren! Mist. Es gab in diesem Zug keinen einsamen Ort, an den sie den Schaffner locken konnten.

»Da!« Lennox wies auf einen freien Sitzplatz ganz hinten im Wagen. Was meinte er?

Dann verstand Alea. Das Fenster war geöffnet.

»Du willst doch wohl nicht aus dem fahrenden Zug springen!«, rief sie entsetzt.

»Wenn wir geschnappt werden, war es das, Alea! Wir sind Streuner. Die holen die Polizei!« Lennox blickte kurz aus dem Fenster. »Der Zug fährt hier nicht besonders schnell. Komm!« Er lief weiter, und Alea stolperte hinter ihm her.

Vor dem offenen Fenster blieben sie stehen. Nur die obere Hälfte des Fensters war geöffnet, und man würde sich hindurchquetschen müssen, um hinauszukommen.

Lennox sah sie an. »Willst du zum Loch Ness oder nicht?«

»Ich will«, antwortete Alea, ohne lange zu überlegen. *Sie musste.*

Lennox nickte und sprang am Fenster hoch. Alea stieg auf den Sitz und zog sich von dort aus ebenfalls nach oben. Lennox half ihr.

Als sie nach draußen sah, wurde ihr mulmig. Unter ihr jagten Büsche und Gräser vorbei. Obwohl der Zug nicht sehr schnell fuhr, fuhr er doch schnell genug!

Lennox schob seine Gitarre und seinen Rucksack durch die Öffnung und ließ los. Dann kletterte er hinterher.

Alea stieß ihren roten Rucksack ebenfalls durch die Öffnung und quetschte sich dann selbst hindurch.

Der Fahrtwind erfasste sie. Sie hingen draußen am Zug!

Alea hörte aufgeregte Stimmen hinter sich.

Lennox rief: »Jetzt!«

Dann sprangen sie.

Highlands

Der Aufprall war hart. Obwohl sie inmitten von Sträuchern landete, hatte Alea das Gefühl, gegen eine Mauer zu prallen. Dumpf schlug sie auf dem Boden auf, und ein stechender Schmerz zuckte durch ihren Ellbogen.

Alea blieb liegen, wo sie war. Hatte sie sich etwas gebrochen? Prüfend bewegte sie die Beine, dann den Nacken, die Arme und Hände. Der linke Ellbogen tat zwar weh, aber sie konnte den Arm beugen und strecken.

Langsam öffnete sie die Augen. Ihre Unterarme waren zerkratzt. Ihre Jeans war am Knie aufgerissen, ihre rosa Seidenjacke hatte schwarze Dreckspuren. Aber alles in allem schien sie in Ordnung zu sein.

»Lennox?«, rief sie. Taumelnd richtete sie sich auf. Sie stand inmitten von Büschen, die ihr bis zur Hüfte reichten. Wo waren ihre Sachen? Ein Stück weiter sah sie etwas Rotes zwischen den Blättern am Boden aufblitzen. Sie stolperte hin und hob ihren Rucksack auf. »Lennox!«

Ein lautes Quietschen dröhnte ihr in den Ohren. Der Zug hielt an! Jemand musste die Notbremse gezogen haben!

»Lennox!«, schrie Alea.

»Hier«, hörte sie eine ächzende Stimme.

Lennox schien nur ein paar Meter entfernt zu sein. Suchend lief Alea los und fand ihn zwischen den Büschen. Er rappelte sich gerade auf. Vor Erleichterung stöhnte sie auf. Bei solch einem Sprung hätten sie sich auch alle Knochen brechen können!

»Bist du verletzt?«, fragte sie. Er hatte eine blutende Schramme auf der Stirn.

»Nein«, murmelte er und kam auf die Beine. »Wo ist meine Gitarre?«

»Sie muss da drüben sein.« Alea lief ein Stück zurück und fand Lennox' Gitarre und seinen Rucksack auf den Büschen. Schnell lief sie damit zu Lennox zurück.

Der prüfte gerade seine Glieder. Anscheinend war er wirklich unverletzt.

»Der Zug hat angehalten!«, sagte Alea schnell.

»Was?« Nun sah er es selbst. »Verdammt! Wir müssen weiter.« Mit einer schnellen Bewegung hievte er sich seinen Rucksack und die Gitarre auf den Rücken, dann liefen sie los.

Sie jagten knapp neben den Büschen her und sprangen über Hasenlöcher und Geröll. Sie wussten nicht, ob ihnen jemand folgte, aber sie mussten so schnell wie möglich außer Sichtweite gelangen.

»Dorthin!« Lennox deutete auf einen Waldsaum. Sie rannten weiter, bis sie ihn erreicht hatten, aber auch dort blieben sie nicht stehen. Sie liefen und liefen, bis sich der kleine Wald wieder lichtete und sich eine weite Grasland-schaft vor ihnen ausbreitete.

Alea verlangsamte ihre Schritte. Ihr Herz klopfte so hart in ihrer Brust, dass sie dachte, es müsste zerspringen. Noch nie im Leben war sie so schnell gerannt.

Lennox hielt ebenfalls an und stützte sich schwer at-mend auf seine Oberschenkel. »Ich glaube, hier finden sie uns nicht«, brachte er keuchend hervor und ließ sich auf den Waldboden fallen. Die Schramme an seiner Stirn blutete noch.

Alea setzte sich neben ihn. Sie spürte jeden einzelnen Muskel. »Wir haben es geschafft«, japste sie. »Wir sind aus einem fahrenden Zug gesprungen!«

Lennox lachte kurzatmig. »Ist das mutig oder bescheu-ert?«

»Ich glaube, beides«, antwortete Alea, und sie lachten, obwohl sie kaum Luft dafür hatten.

Nach einer Weile ging es besser. Während Lennox seine Gitarre untersuchte, sah Alea sich um. Hinter ihnen lag der Wald, vor ihnen eine schier unendliche Heideland-schaft zwischen grünen Hügeln. »Wie kommen wir jetzt zum Loch Ness?«

»Ich fürchte, wir müssen laufen.«

»Ja, das müssen wir wohl.« Sie waren mitten in den Highlands. Hier gab es wahrscheinlich keine Haltestel-len, an denen man einfach auf den nächsten Bus warten konnte. Außerdem hatten sie sowieso kein Geld.

»Wir wandern weiter nach Norden«, überlegte Lennox

laut. »Vielleicht schaffen wir es noch heute. Loch Ness kann doch eigentlich nicht mehr so weit entfernt sein. Lass uns –«

»Warte mal«, hielt Alea Lennox zurück, der schon wieder aufstehen wollte. »Kannst du mir mal deine Thermoskanne geben?«

Verwundert zog er sie aus seinem Rucksack, während Alea eine saubere Socke aus ihrem eigenen holte. Es war noch lauwarmes Wasser in der Thermoskanne, und damit befeuchtete sie die Socke. »Deine Schramme muss gereinigt werden«, sagte sie und begann, die Wunde abzutupfen.

Lennox zuckte bei der ersten Berührung zusammen, aber dann hielt er still. Als Alea fertig war, lächelte er sie an. »Danke.«

»Gern.«

Alea reinigte schnell noch die Kratzer an ihren Unterarmen, dann tranken sie das restliche Wasser und gingen los. Sie marschierten mitten in die Heidelandschaft hinein und scheuchten wilde Ziegen auf, die es sich dort gemütlich gemacht hatten. Gemeinsam lachten sie über das protestierende Gemecker der Tiere, und Alea fühlte sich mit einem Mal richtig wohl. Angesichts der Umstände war das zwar außerordentlich seltsam, denn immerhin waren sie mitten im Nirgendwo gelandet, ohne etwas zu essen und ohne die Aussicht auf einen richtigen Schlafplatz für die Nacht. Aber wenn Alea in den vergangenen Wochen eines gelernt hatte, dann war es das: die schönen

Momente zu genießen, wenn sie sich zeigten – denn sie konnten allzu schnell vorbei sein.

Lennox schien es ähnlich zu gehen. Lächelnd wies er auf einen Adler, der über ihnen am blauen Himmel kreiste. »Es ist echt schön hier«, sagte er. »Wir hätten uns eben zwar fast den Hals gebrochen, aber ich finde, es ist ein toller Tag.«

Alea lachte. »Du bist echt ein komischer Vogel«, neckte sie ihn.

»Oh, vielen Dank«, erwiderte er grinsend.

Dann nahm er ihre Hand.

Alea fuhr leicht zusammen, doch sie zog ihre Hand nicht fort. Vielmehr begann ihr Herz, einen kleinen Freudentanz aufzuführen, und es tat einen richtigen Sprung, als Lennox seine Finger behutsam zwischen ihre schob.

Alea lächelte. Lennox' Hand war warm und stark. Ihre eigene Hand fühlte sich sicher in seiner an, und am liebsten hätte Alea ihre Handschuhe ausgezogen, um ihn noch besser spüren zu können.

Hand in Hand wanderten sie weiter. Irgendwann begann Lennox, ihr von seiner Schule zu erzählen, von seinem Vater, von Amsterdam und von kalten Nächten, in denen er ganz allein gewesen war. Er erzählte ihr, dass er seit dem vorherigen Tag in Edinburgh immer wieder Ausschau nach seiner Mutter hielt. Schließlich war das letzte Lebenszeichen von ihr eine Postkarte aus Schottland gewesen …

Alea bat ihn um Details über seine Mutter. Und obwohl

Lennox nicht viele Erinnerungen an Xenia hatte, waren die wenigen Bruchstücke doch wie kleine Schätze, und Alea hörte ganz genau zu.

Lennox wiederum fragte Alea nach Marianne, und sie erzählte ihm davon, wie Marianne ihr abends immer Lieder zum Einschlafen vorgesungen hatte. Dann sprach Alea von ihrer eigenen Schule und davon, wie schwer es gewesen war, ihre Knubbel vor den anderen zu verstecken, und wie sie deswegen ihren »Modetick« entwickelt hatte. Schließlich redeten sie über das Wasser, das Alea ihr ganzes Leben lang zugleich vermisst und gefürchtet hatte.

Sie wanderten stundenlang, und nachdem sie einander zuvor ihr halbes Leben erzählt hatten, erzählten sie sich nun die andere Hälfte. Lennox hielt die ganze Zeit über Aleas Hand und ließ sie erst los, als sie eine Rast machten.

Am Fuße eines kleinen Bergs befand sich eine windgeschützte Ecke hinter einem Felsen. Hier setzten sie ihre Rucksäcke ab und ließen sich ächzend nieder. Alea lehnte sich gegen den Felsen und schloss die Augen. Sie war völlig geschafft. Ihr Ellbogen pochte schmerzhaft. Aber vor allem taten ihr die Füße weh.

»Sollen wir hier übernachten?«, fragte Lennox. »Das ist ein guter Platz, windstill und versteckt. Und da drüben ist ein Bach.«

Alea zögerte. Vielleicht war Loch Ness gar nicht mehr weit entfernt. Wenn sie noch eine oder zwei Stunden wei-

terliefen … Aber dann merkte sie, dass sie einfach nicht mehr konnte. »Ja, lass uns hierbleiben.«

Lennox schien erleichtert.

»Meinst du, es gibt hier Wölfe oder Bären?«

»Keine Ahnung«, antwortete er. »Aber wenn ein Feuer brennt, hält das Tiere ab. Viel gefährlicher wären da Menschen.« Sie hatten während der letzten Stunden nur sehr wenige Leute gesehen – vereinzelte Wanderer, eine Handvoll Ausflügler, ein paar Angler. Aber die konnten sie an zwei Händen abzählen. »Ich glaube, hier hinter dem Felsen können wir nur schwer entdeckt werden.«

Alea war froh, denn sie mochte diesen Platz.

Sie ruhten sich noch ein paar Minuten lang aus, dann sagte Lennox: »Ich suche Holz für ein Lagerfeuer. Holst du Wasser aus dem Bach?«

»Gut.« Alea erhob sich mühsam, nahm die Thermoskanne und schlurfte zu dem kleinen Bach, der um den Fuß des Bergs herumfloss.

Das strömende, klare Wasser plätscherte fröhlich vor sich hin, und Alea musste lächeln, obwohl sie hundemüde war. Dieses Bachwasser wirkte sehr lebendig und irgendwie unbeschwert, so als hätte es bisher nichts als Leichtigkeit erlebt. Kam dieses Wasser direkt aus einer Quelle des Bergs? Es musste so sein, denn es waren kaum Farben oder Formen darin zu erkennen. Nur hier und da schimmerten pastellfarbene, helle Streifen in der Strömung – rosa, hellgelb und himmelblau. Gespannt konzentrierte

Alea sich darauf und hatte im nächsten Moment mehrere unzusammenhängende Gedanken im Kopf, die von *hinauf* über *fließen* bis *hinab* reichten. Viel mehr Informationen enthielt dieses Wasser wohl noch nicht, es war vielmehr rein und unschuldig, als hätten das Erdreich und der Berg alles herausgewaschen.

Während Alea nun die Thermoskanne volllaufen ließ, entdeckte sie eine weggeworfene Plastikflasche am Ufer. Zuerst ärgerte sie sich darüber, dass jemand einfach seinen Müll in diese unberührte Landschaft geworfen hatte. Aber dann holte sie sich die Flasche, spülte sie aus und füllte sie ebenso wie die Thermoskanne mit Wasser. Gleich darauf nahm sie ein paar große Schlucke. Das kristallklare Wasser schmeckte phantastisch, und sie konnte gar nicht genug bekommen.

Da hörte sie ein leises Lachen.

Alea blickte sich erschrocken um, konnte jedoch niemanden sehen. Einen Augenblick lang verharrte sie regungslos und lauschte, aber sie hörte nichts Ungewöhnliches mehr. Vielleicht hatte sie sich das Lachen nur eingebildet.

Langsam ging sie zurück zum Felsen und brachte das Wasser in der Thermoskanne mit der Feuerkartoffel zum Kochen.

Wenig später kam Lennox mit einem Arm voll trockener Äste zurück. Wie man ein Lagerfeuer machte, wusste niemand besser als er, und dazu brauchte er noch nicht einmal die Feuerkartoffel. Kurz darauf züngelten die ersten Flammen hoch, und Alea setzte sich nah ans Feuer. Es war recht kühl geworden, und die Nacht würde bestimmt richtig kalt werden.

Sie hatten nur das heiße Wasser, das sie trinken konnten. Wenn sie bloß ein paar Brote übrig gehabt hätten! Selbst eine Birne erschien Alea nun wie eine Köstlichkeit. Aber es war nichts mehr da. Am Nachmittag hatten sie zwar ein paar wilde Beeren gegessen, aber das hatte sie beide nicht richtig satt gemacht.

Lennox nahm seine Gitarre, stimmte sie und fing an, leise zu spielen. Beim Sprung aus dem Zug hatte das Instrument zwar einige Macken abbekommen, aber seinem Klang hatte das nicht geschadet.

Alea lauschte Lennox. Er spielte mit viel Gefühl, und sie liebte es, ihm zuzuhören. Schließlich begann er, zu singen. Überrascht lächelte Alea. Lennox sang ein trauriges Lied vom Meer und von der Sehnsucht, und sie seufzte wohlig. Seine Stimme war wunderschön, weich und doch stark. Und als er beim Singen des Refrains die Augen schloss, fühlte Alea sich, als würde sie mit ihm in dem Lied schwimmen.

»Singst du mir auch etwas vor?«, fragte er, nachdem er geendet hatte. »Vielleicht eins von den Schlafliedern, die Marianne immer für dich gesungen hat?«

Alea zögerte. Für ihn zu singen, fiel ihr schon schwer, aber dann auch noch eins von Mariannes Liedern? Doch Lennox lächelte sie so bittend an, dass sie ihm diesen Wunsch nicht abschlagen konnte.

Sie setzte sich gerade hin und brauchte einen Moment, um genügend Mut zu finden. Dann sang sie: »*Die Blümelein, sie schlafen schon längst im Mondenschein* ...« Es war eines ihrer liebsten Schlaflieder, und oft hatte sie es zusammen mit Marianne gesungen.

Lennox hörte ihr mit versonnenem Gesichtsausdruck zu.

Als sie fertig war, senkte Alea den Kopf. Das Lied hatte sie gerührt. Plötzlich vermisste sie Marianne so sehr, dass es wehtat.

Lennox schien das zu bemerken. Er rückte näher und legte den Arm um sie. Alea lehnte sich dieses Mal sofort an ihn und ließ sich festhalten.

Eine kleine Ewigkeit lang saßen sie einfach so da und sahen ins Feuer. Dann strich Lennox Alea eine Haarsträhne hinters Ohr und sah sie an. Sein Gesicht war ihrem ganz nah. Seine Augen schienen etwas zu fragen, und sie wusste, wenn sie ihn nicht aufhielt, würde er sie jetzt küssen. *Will ich ihn küssen?*, fragte Alea sich mit klopfendem Herzen ein zweites Mal. Aber nun war die Antwort für sie ganz klar: Ja, sie wollte ihn küssen. Zwar hatte sie keine Ahnung, wie man das machte, und außerdem ein bisschen Angst, sich dabei dumm anzustellen. Trotzdem wollte sie es. Es wäre bestimmt aufregend und ... schön.

Doch gleich darauf kamen die unerwünschten Gedanken wieder – die Gedanken, die sich einfach nicht wegschieben ließen.

Alea wandte den Kopf ab.

»Was hast du?«, fragte Lennox.

Alea schwieg.

»Irgendwas ist doch, oder?«, hakte er nach. »Eigentlich hab ich das Gefühl, du möchtest das auch. Warum ...«

»Ich kann nicht«, flüsterte sie.

Lennox zog ihr Gesicht mit einer sanften Geste zu sich herum, sodass sie ihn ansehen musste. Sobald seine azurblauen Augen sich in ihre versenkten, wusste sie, dass sie die Wahrheit nicht länger vor ihm verbergen konnte.

»Was ist los?«, fragte er.

Mit erstickter Stimme antwortete sie: »Wir dürfen uns nicht küssen.«

Lennox runzelte die Stirn. »Wieso nicht?«

»Weil ...« Jetzt musste sie es sagen. »Weil du wahrscheinlich mein Bruder bist.«

Lennox' Augen verengten sich. »Was?« Irritiert ließ er sie los. »Wieso soll ich dein Bruder sein?«

Nun war der Augenblick gekommen, den sie so lange hinausgezögert hatte. Alea holte tief Luft. »Das andere Kind, das damals am selben Tag wie ich einer fremden Urlauberin in die Arme gedrückt wurde ...«

Lennox zog die Brauen zusammen.

»... das könntest du gewesen sein.«

Er starrte sie überrascht an.

»Wahrscheinlich waren meine Mutter und die Frau, die das andere Kind weggegeben hat, ein und dieselbe.«

Sie ließ ihm Zeit, das zu verarbeiten. »Wir haben wahrscheinlich dieselbe Mutter.«

Langsam begann er, den Kopf zu schütteln. »Aber ich bin doch in Lübeck geboren!«

»Weißt du das genau?«

»Mein Vater hat das gesagt«, erwiderte er und schien auf einmal unsicher zu werden.

Alea konnte sehen, dass die Vorstellung, sie könnten Geschwister sein, Lennox völlig aus der Bahn warf. Das verstand sie mehr als gut. Sie hatte sich davon ebenso überfahren gefühlt.

»Ben hat mich vor ein paar Tagen darauf angesprochen«, erklärte sie. »Warum sollten zwei verschiedene Frauen am selben Tag auf die Idee kommen, ihre Kinder am Strand in die Obhut von Fremden zu geben? Es ist viel wahrscheinlicher, dass es dieselbe Frau war.«

Lennox war sprachlos.

Alea fügte hinzu: »Ben sagte, es wäre vielleicht Schicksal gewesen, dass wir beide uns in Amsterdam wiederbegegnet sind. Ich habe damals gleich so eine ... tiefe Verbundenheit mit dir gespürt. Außerdem ist deine Mutter genau in dem Jahr verschwunden, in dem meine mich abgegeben hat.«

Lennox rieb sich die Schläfen. »Aber das sind doch alles nur Hinweise, keine Beweise!«

»Weißt du, wo du im Sommer vor elf Jahren warst?«

»Natürlich nicht. Ich war zwei Jahre alt! Aber das muss doch nicht bedeuten –«

»Kannst du dich erinnern, ob deine Mutter vielleicht kurz nach deiner Geburt wieder schwanger war?«

»Nein, ich kann mich nicht erinnern. Da war ich ein Baby!«

»Hast du keine Fotos von ihr aus dieser Zeit gesehen?«

»Nein, ich habe überhaupt keine Fotos von ihr – oder Kinderfotos von mir. Aber das heißt doch nichts!«

Alea konnte allzu gut verstehen, warum er sich so vehement gegen diesen Gedanken wehrte.

Lennox grübelte. »Falls ich wirklich das andere Kind gewesen bin, damals am Strand in Renesse ...«, sagte er, »... Wem hat meine Mutter mich dann übergeben? Wie bin ich bei meinem Vater gelandet?«

Das wusste Alea auch nicht.

Nach einer Weile des Schweigens sagte Lennox frustriert: »Ich will nicht dein Bruder sein.«

»Ich will auch nicht deine Schwester sein.«

Sie sahen einander lange an. In Lennox' Blick erkannte Alea Traurigkeit und Enttäuschung, aber auch Trotz und Zweifel.

Mit einer beinahe wütenden Bewegung schürte er das Feuer und legte weitere Äste hinein. »Lass uns schlafen«, sagte er tonlos. Es wurde bereits dunkel.

»Ja, gut.« Alea kramte in ihrem Rucksack. »Ich geh mir am Bach die Zähne putzen.«

Lennox wies auf die Thermoskanne. »Ich nehme das Wasser da.«

Alea ging zum Bach, wo sie sich mit einem Waschlappen wusch. Sie trug immer noch die Jeans, die sie bei ihrem Alpha-Cru-Auftritt in Edinburgh getragen hatte, und fühlte sich insgesamt ein wenig schmuddelig. Aber zum Glück hatte sie ja Wechselklamotten dabei und würde sich morgen früh etwas Frisches anziehen.

Als sie gerade mit allem fertig war, hörte sie wieder ein leises Lachen. Wachsam drehte Alea sich um die eigene Achse. Waren hier noch andere Wanderer? Nein. Hier war niemand.

Jetzt erklang das Lachen erneut – süß und hoch, als würde ein Kind lachen.

»Hallo?«, rief Alea in die aufziehende Dunkelheit hinein. »Hallo? Ist da jemand?«

Sie erhielt keine Antwort.

Als sie zu ihrem Lager zurückkam, wollte sie Lennox fragen, ob er womöglich auch ein Lachen gehört hatte. Lennox lag jedoch schon in seinem Schlafsack und sah mit starrem Blick in die Sterne. Er war verärgert, das war deutlich zu sehen.

Alea breitete ihren Schlafsack ein Stück von Lennox entfernt auf dem Gras aus. Sie traute sich nicht, sich direkt neben ihn zu legen. Vielleicht war er ja sauer auf sie.

Bevor sie in den Schlafsack kroch, zog sie sich noch einen Pulli über ihre Jacke. Es war mittlerweile richtig kalt, und sie fror. Außerdem tat ihr der Ellbogen weh.

Alea schaute nun ebenfalls in den Himmel. Es waren

immer mehr Sterne zu sehen, und sie suchte nach dem Großen Wagen. Der würde ihr sagen, ob sie heute in die richtige Richtung gelaufen waren. Lennox und sie hatten sich den Tag über zwar an der Sonne orientiert, aber die Sterne waren, wenn es um Navigation ging, sehr viel aussagekräftiger als die Sonne.

Schnell fand Alea das Sternbild. Ben hatte ihr beigebracht, dass man vom Kasten des Großen Wagens aus eine gedachte Linie ziehen musste, und diese führte direkt zum Polarstern. Dort war Norden.

Erleichtert stellte Alea fest, dass sie tatsächlich in die richtige Richtung gewandert waren. Dann überlegte sie sich, wo sie morgen langgehen mussten, um weiter nach Norden zu kommen. Am liebsten hätte sie das mit Lennox besprochen, aber der hatte die Augen bereits geschlossen. Ob er böse auf sie war?

Mit grummelndem Magen und pochendem Ellbogen drehte Alea sich auf die Seite und fiel in einen leichten Schlaf.

Als sie erwachte, war es stockdunkel. Das Feuer war erloschen, und es war bitterkalt. Ihre Zähne klapperten. Doch nicht nur das. Sie zitterte am ganzen Körper. Mit klammen Händen versuchte sie, sich die Arme zu reiben, aber das brachte nichts.

Sie hörte Lennox' Stimme neben sich. »Ist dir kalt?« Er schien ganz nah zu sein, gleich neben ihr, aber sie konnte nur Umrisse erkennen.

»Ziemlich«, bibberte sie.

»Ich kann dich wärmen.«

»Ja.«

Sie spürte, wie Lennox in seinem Schlafsack gleich neben sie rutschte.

»Ich dachte, du bist sauer auf mich …«, flüsterte sie.

»Ich bin nicht sauer auf dich. Ich bin sauer auf … das Schicksal«, raunte er knurrig. »Es ist nicht verboten, dich zu wärmen, wenn du frierst, oder?« Er rückte noch näher an sie heran. Alea lag auf der Seite und wollte sich ihm zuwenden, da umarmte er sie schon von hinten. Wie ein schützender Mantel umschloss er sie.

Aleas Herz klopfte so laut, dass sie dachte, er müsste es hören. Aber das war egal. Es war warm in Lennox' Armen, und sie fühlte sich sicher und geborgen. Ihre Wange berührte seine ganz leicht, und sie atmeten dieselbe Luft.

»Schlaf«, raunte Lennox.

Und Alea schlief ein.

Bachgeister

Am darauffolgenden Morgen erwachte Alea in Lennox'
Armen. Sie hatten sich in der Nacht einander zugewandt,
und ihre Stirn ruhte an seiner Stirn.

Lennox schien ebenfalls wach zu sein, denn er rückte
mit seinem Schlafsack noch eine Winzigkeit näher an sie
heran, als wollte er sagen: *Lass uns noch ein bisschen so
liegen bleiben.*

Nichts tat Alea lieber als das.

Lennox' Arm lag unter ihrem Kopf wie ein Kissen. Sein
anderer Arm umschlang sie, und seine Hand ruhte auf
ihrem Rücken. Dann hob er die Hand und strich ihr über
die Wange.

Alea öffnete die Augen. Lennox lächelte sie an. Er war
so nah wie noch nie zuvor. Vorsichtig malte er ihre Wan-
genknochen nach, zart und zugleich neugierig, als wollten seine Fingerspitzen ihre Haut kennenlernen.

Alea wagte nicht, sich zu bewegen. Die Berührung war
unglaublich schön, aber sie konnte sie kaum genießen,
denn ihr Herz schlug vor Aufregung wieder so schnell,
dass sie sich kaum aufs Fühlen konzentrieren konnte.

Außerdem hüpften in ihrem Kopf unliebsame Gedanken herum.

Lennox' Fingerspitzen fuhren über Aleas Brauen und ihr Kinn. »Ich kann dir gar nicht sagen, wie gern ich dich küssen würde«, flüsterte er. Dann stand er ruckartig auf. »Ich geh zum Bach.«

»Lennox, was …«, begann Alea, aber er stapfte schon davon.

Mit klopfendem Herzen blieb sie liegen und hatte das Gefühl, seine Fingerspitzen noch immer auf ihrer Haut spüren zu können. Er hatte gesagt, dass er sie küssen wollte! Alea legte die Hand auf ihr Herz, als könnte sie es so beruhigen. Wie war es möglich, dass sie beide sich so sehr zueinander hingezogen fühlten, wenn sie Geschwister waren? Das dürfte dann doch gar nicht passieren, oder?

Widerwillig richtete sie sich auf. Augenblicklich fuhr ein quälender Schmerz durch ihren Arm. »Au!«, ächzte sie und zog sich den Ärmel hoch. Ihr Ellbogen war grün und blau und ein klein wenig geschwollen.

Mit zusammengebissenen Zähnen stand sie auf, trank einen Schluck aus der Plastikflasche und versuchte, nicht an ihren Ellbogen zu denken. Der Himmel war wolkenfrei und die Temperatur angenehm zum Wandern. Bestimmt würden sie es heute bis zum Loch Ness schaffen.

Als Alea das Wasser in der Plastikflasche betrachtete, stoben dort rosarote Funken herum. Natürlich. Neben den Funken waren jedoch auch dunkelbraune Gebilde zu sehen, die an ausgefranste Klötze erinnerten. So sahen in den Farben des Wassers also *starke Schmerzen* aus. Alea zog eine Grimasse. Diese Information hätte sie ausnahmsweise nicht gebraucht.

Während sie den Rest des Wassers trank, knurrte ihr Magen. Sie hatte nicht nur Schmerzen, sondern auch unglaublichen Hunger. Frustriert drückte sie die Plastikflasche zusammen.

Da hatte sie eine Idee. Wie ein Güterzug rauschte sie in ihren Kopf hinein. Alea sprang auf und wühlte in ihrem Rucksack. Aber sie fand nicht, was sie suchte.

»Lennox!«, rief sie. »Lennox!«

Es vergingen keine fünf Sekunden, bis er angerannt kam. »Was ist los? Was ist passiert?«

»Alles okay!«, versicherte sie. »Ich hatte nur eine Idee. Hast du zufällig einen Stift und Papier dabei?«

Lennox entspannte sich. Er schien nach ihrem aufgeregten Ruf wohl Schlimmeres erwartet zu haben. »Ich glaube nicht …« Er schaute in seinem Rucksack nach. »Warte mal!« Er griff in die Innentasche seiner Lederjacke und holte das kleine Heftchen mit den Abfahrtszeiten der Züge hervor. »Guck mal!«

»Super!« Alea nahm das Heft. Auf der letzten Seite war eine Kaffeemilch-Anzeige mit Kühen auf einer Weide. Auf der breiten Grasfläche konnte man schreiben. »Jetzt brauche ich nur noch einen Stift.« Sie wühlte noch einmal in ihrem Rucksack, der eigentlich Tess gehörte, und stieß in einer Seitentasche auf einen Kuli. »Hier!«, rief sie aufgeregt und hätte den Stift vor Freude fast fallen gelassen. »Danke, Tess!«, sagte sie und sandte ein Flugbussi in die Richtung, wo sie Frankreich vermutete. Tess war inzwischen bestimmt schon wieder zu Hause.

»Was hast du vor?« Lennox setzte sich zu ihr.

»Kannst du mir mal die Schneekugel geben?«, bat Alea ihn.

Lennox holte die Kugel mit fragendem Gesicht aus seinem Rucksack und reichte sie Alea.

Alea betrachtete die Botschaft, die in Wasserschrift am Boden der Kugel prangte. Dann nahm sie den Stift und das Heftchen, setzte den Kuli an und schrieb ebenfalls in Wasserschrift:

Ihr, die ihr dies lesen könnt, ...

Diese ersten Worte malte sie aus der Schneekugelbotschaft ab, aber nun musste sie eigenständig weitermachen. Kurz schloss sie die Augen. Sie konnte sie lesen, also konnte sie die Schrift bestimmt auch schreiben, ohne sie je gelernt zu haben. *Nicht nachdenken, sondern einfach machen!*, sagte sie sich selbst, öffnete die Augen wieder und schrieb:

... ruft diese Nummer an ...

Darunter notierte sie ihre Handynummer.

228

Triumphierend grinste sie. Es ging! Sie konnte in Wasserschrift schreiben!

Lennox kniff die Augen zusammen.

»Kannst du das entziffern?«, fragte sie.

»Ja, irgendwie schon.« Lennox kam noch näher heran. »Aber einem Halbling wie mir fällt das nicht so leicht. Die Buchstaben sind ganz schwach und verschwimmen ständig.«

»Sie verschwimmen?« Alea lächelte. »Ich finde, das passt.«

Ihr Lächeln schien ansteckend zu wirken. Lennox' Mundwinkel bogen sich ein klein wenig nach oben. »Was willst du mit der Botschaft machen?«

Aleas Lächeln wurde breiter. »Ich verschicke sie als Flaschenpost!« Sie riss die Seite ab, faltete sie, steckte sie in die leere Plastikflasche und schraubte den Verschluss zu.

Lennox staunte nicht schlecht.

»Wenn Ben recht hat und es so etwas wie Schicksal gibt«, erklärte sie, »dann wird diese Flaschenpost irgendwo an Land gespült und rollt einem Meermenschen direkt vor die Füße. Einem, der sich damals an Land retten konnte und überlebt hat. Und bis es so weit ist und der mich dann anruft, ist mein Handy wieder voll aufgeladen!« Sie lachte.

Lennox grinste ein bisschen. »Du bist optimistisch.«

»Ja, ich will nicht glauben, dass wir die beiden Letzten sind.«

Lennox atmete tief durch. »Gut, schicken wir sie ab.«
Sie gingen zum Bach, und mit einer feierlichen Geste ließ
Alea die Flaschenpost zu Wasser. Der kleine Bach nahm
sie mit sich und trug sie im plätschernden Wasser fort.
Danach machte Lennox sich mit der Feuerkartoffel
Wasser in der Thermoskanne zum Waschen und Trinken warm, und Alea kehrte zum Bach zurück, um zu
baden. Das Gebirgswasser war zwar eiskalt, aber das
würde sie nicht davon abhalten, komplett einzutauchen.
Sie vermisste das Wasser. Seit drei Tagen war sie nicht
geschwommen. Der Bach war zwar bei Weitem nicht tief
genug, aber es wäre allein schon eine wahre Wohltat, einmal wieder ganz unterzutauchen.

Alea zog die schmuddeligen Klamotten aus, ließ sich
in das fließende Bachwasser gleiten und seufzte tief auf,
als sie sich verwandelte. Auch an diesem Morgen waren
im Wasser nicht mehr Farben zu sehen als am vergangenen Abend. Es gab hauchzarte Pastellstreifen hier und da,
aber sonst war der Bach kristallklar. *Fast wie Wasser in
einem Glas*, dachte Alea. Leitungswasser beinhaltete auch
nie viele Informationen. Es war allerdings auch längst
nicht so lebendig wie dieses Bachwasser hier und wirkte
in seiner Farblosigkeit immer etwas dumpf.

Da hörte Alea wieder das helle Lachen.

Sie schreckte hoch und schaute sich um, aber auch
dieses Mal konnte sie niemanden entdecken. Mit schief
gelegtem Kopf konzentrierte sie sich auf ihr Gehör und
hatte plötzlich den Eindruck, dass das Lachen aus dem

Bach selbst kam. Es klang leicht und fröhlich wie das Gekicher kleiner Mädchen, aber auch ein wenig geisterhaft, denn das Lachen schien im Wasser zu fließen.

Zum ersten Mal fragte Alea sich, ob es nicht nur in den Ozeanen und Meeren Magische gab, sondern womöglich auch in Bächen und Flüssen.

»Hallo?«, rief sie. Dann, lauter: »Seht her! Ich bin ein Meermädchen!« Sie hielt ihre Hand in die Höhe und spreizte die Finger, sodass man ihre Schwimmhäute sehen konnte. »Zeigt euch doch bitte!« Unbewusst hatte sie in Wassersprache gesprochen.

Alea wartete, aber nichts geschah.

Enttäuscht ließ sie ihren Oberkörper ins Wasser zurückgleiten. Dabei fiel ihr etwas auf. Etwas, das gleich neben ihr am steinigen Ufer lag. Überrascht beugte Alea sich darüber. Es waren Blumen. Frisch ausgerissene Blumen mit gelben Blüten. Die hatten eben noch nicht hier gelegen!

Jetzt bemerkte Alea, dass neben den Blumen etwas in Wasserschrift auf den Stein geschrieben worden war:

Für deinen Ellbogen.

Alea konnte es kaum fassen. Hier gab es magische Wesen! Es sah aus, als ob eine winzig kleine Hand diese Nachricht mit einem wassernassen Fingerchen auf den Stein gemalt hätte. Die Wesen hatten ihr Heilkräuter für ihren Ellbogen gebracht!

Das Kichern erklang erneut, gleich hinter ihr.

Alea wandte sich um. Nichts.

Dann entdeckte sie eine weitere Nachricht am anderen Ufer! Dort lag ein kleiner Haufen … Knollen. Alea krabbelte im fließenden Bachwasser hinüber und untersuchte das, was wohl das zweite Geschenk der Magischen war: Wurzeln und Beeren.

Daneben stand eine weitere Nachricht auf einem Stein, wie von Geisterhand geschrieben:

Für deinen Magen.

Alea stieß einen kleinen Jauchzer aus. Das waren bestimmt essbare Wurzeln und Beeren!

»Danke!«, rief sie in alle Richtungen. Dann fügte sie bittend hinzu: »Könnt ihr euch nicht zeigen?«

Doch nichts geschah.

»Trotzdem danke«, sagte Alea und lächelte. Dann wusch sie sich schnell, zog sich eine saubere Jeans und ein Holzfällerhemd mit Strassgürtel an und schlug die Geschenke in ihr altes Unterhemd ein. Anschließend lief sie zu ihrem Lager hinter dem Felsen zurück.

»Schau mal!« Alea zeigte Lennox, was sie bekommen hatte. »Am Bach gibt es Bachgeister!«, sprudelte es aus ihr hervor. »Sie haben sich nicht gezeigt, aber sie haben mir was für meinen Ellbogen gegeben – und etwas zu essen!«

Lennox hörte ihr erstaunt zu. Dann lachte er. »Na, dann lass uns essen!«, rief er und griff nach einer Beere.

Hungrig machten sie sich über die kleine Mahlzeit her. Noch nie hatte Alea etwas derartig gut geschmeckt, und sie dachte bei sich, dass sie rohes Essen fast sogar noch lieber mochte als gekochtes.

Nachdem er den letzten Bissen heruntergeschluckt hatte, fragte Lennox: »Und diese Blumen hier sind für deinen Ellbogen?«

Alea nickte. »Könnte das Arnika sein?« Sie erinnerte sich daran, dass Marianne ihr auf blaue Flecken immer Arnikasalbe geschmiert hatte. Auf der Salbentube war eine Pflanze abgebildet gewesen, die dieser hier sehr ähnlich sah.

Lennox zuckte die Achseln. »Keine Ahnung.« Er schien nachzudenken. »Sollen wir die Blumen mit einem Stein zerstampfen und mit Wasser vermischen?«

»Ja«, stimmte Alea zu. »Und dann tränken wir einen Verband damit – also mein Unterhemd.« Genau das taten sie, und schließlich war ihr Arm versorgt.

Sie packten alles zusammen und machten sich wieder auf den Weg nach Norden. Stundenlang wanderten sie nun durch weite Moorlandschaften und über endlose Wiesen. Unzählige Tiere begegneten ihnen – grasende Schafe, gackernde Moorhühner, scheues Rotwild und merkwürdige, langhaarige Rinder –, aber sie sahen keinen einzigen Menschen. Nur einmal hörten sie in der Ferne einen Zug. Die Gleise der Zuglinie nach Norden mussten gleich hinter dem nächsten Berg verlaufen, deswegen machten sie einen großen Bogen darum.

Heute nahm Lennox nicht Aleas Hand. Sie hätte sich gefreut, wenn er es trotz allem getan hätte, aber sie verstand auch, dass er es nicht wollte. Das Ganze konnte einen regelrecht verrückt machen.

Nach einiger Zeit sagte Lennox:»Ich hab schon wieder Hunger.«

Alea musste lachen, aber es war ein verzweifeltes Lachen, denn ihr ging es genauso. Die Beeren und Wurzeln hatten sie nur kurzzeitig gesättigt, und auf ihrem heutigen Weg hatten sie nichts Essbares gesehen – oder zumindest nichts, von dem sie sicher waren, dass man es essen konnte. Aleas Ellbogen schmerzte zwar nicht mehr so stark, aber in ihrem Bauch rumorte es. Wahrscheinlich war es das Beste, nicht auch noch darüber zu reden.

»Was meinst du, was der Schaffner gestern gemacht hat?«, fragte sie ablenkend. »Wir sind immerhin aus dem Zug gesprungen, und jemand hat die Notbremse gezogen!«

»Wahrscheinlich hat er die Polizei informiert und denen eine Personenbeschreibung von uns gegeben.«

Alea blieb stehen. Sie wurden von der Polizei gesucht?

»Du bist ja plötzlich weiß wie eine Wand!«

»Ich hab noch nie die Regeln gebrochen«, erklärte Alea beklommen. »Nicht, bevor ich Mitglied der Alpha Cru wurde.«

»Wirklich nie?«

»Nein, ich war immer ein … braves Mädchen. Weißt du, viele Regeln ergeben Sinn.«

Überraschenderweise nickte Lennox. »Ja, absolut.« Er

lachte. »Weißt du, früher, als ich klein war, wollte ich immer Polizist werden.«

»Echt?«

Lennox lächelte in sich hinein, dann verschwand sein Lächeln jedoch. »Ja, aber jetzt stehe ich auf der anderen Seite des Gesetzes. Seit ich unterwegs bin, geht es nicht anders. In Amsterdam musste ich … ein paar Sachen machen.« Er verzog den Mund. »Weißt du, ich wollte das nicht. Aber wenn man keinen anderen Ausweg weiß, dann tut man manchmal etwas Verbotenes. Wenn man Hunger hat …«

Es klang, als würde Lennox damit etwas Bestimmtes meinen. »Hm?«

Er sah sie unverwandt an. »Alea, wir werden irgendwann etwas zu essen stehlen müssen.«

»Nein! Ich will nichts stehlen!«

»Wenn wir erst wieder in einer Ortschaft sind, dann werden wir das müssen.« Lennox hob ratlos die Hände. »Hier im Norden kann man bestimmt nicht viel mit Straßenmusik verdienen. Hier leben nur wenige Leute.«

»Aber wir können doch nicht …«

»Uns wird nichts anderes übrig bleiben«, machte er klar. »Wenn man aus Hunger stiehlt, ist das außerdem Mundraub und nicht richtig kriminell.«

Alea fragte sich, ob das stimmte. Sie konnte sich gar nicht vorstellen, in einem Supermarkt einfach klammheimlich etwas mitzunehmen – oder Lennox etwas stehlen zu lassen, den man dabei garantiert nicht erwischen würde. Aber nein. Das war etwas ganz anderes, als schwarzzufahren – und *dabei* hatte sie sich schon mies gefühlt! Diebstahl war eine ernste Sache.

Kaum hatte sie diesen Gedanken gedacht, knurrte ihr Magen so laut, dass Lennox traurig den Kopf schüttelte.

»Recht und Unrecht liegen meist ganz nah beieinander«, sagte er. »Und oft ist es Zufall, auf welcher Seite man landet. Wir haben einfach Pech gehabt.«

Darüber musste Alea erst einmal nachdenken. Schweigend marschierten sie weiter.

Wenig später entdeckten sie eine Straße. Als sie näher kamen, erkannten sie eine Handvoll Häuser, die sich zwischen die Straße und einen Fluss quetschten.

Alea schirmte die Augen vor der Sonne ab. »Ist das dahinten ein Imbiss?«

»Ja!«, rief Lennox. »Das ist ein Imbiss!«

Alea blieb stehen. Was sollten sie tun? Sie hatten kein Geld, um sich dort etwas zu kaufen ...

Zavana Ravanda

»Auf dem Schild da vorn steht *Fish & Chips*!«, rief Lennox.

Frittierter Fisch mit Pommes! Aleas Magen zog sich geräuschvoll zusammen. Fisch hatte sie zwar noch nie gemocht, aber der Gedanke an Pommes ließ ihr das Wasser im Mund zusammenlaufen. Sie schluckte und versuchte, klar zu denken. Einmal davon abgesehen, dass sie kein Geld hatten, war es vielleicht auch gefährlich, diesen Imbiss zu betreten. »Hat die Polizei womöglich unsere Beschreibung im Radio durchsagen lassen? Was, wenn man uns erkennt?«

»Ich könnte allein reingehen und uns etwas besorgen«, sagte Lennox und sah sie ernst an. »Mich sieht keiner.«

Alea kämpfte mit sich. Er konnte doch nicht dort hineinspazieren und sich einfach zwei Tüten Pommes nehmen! »Stehlen ist … scheiße«, brachte sie fast schuldbewusst hervor.

Lennox seufzte. »Dann bleibt uns nur eines.«

»Was denn?«

»Wir gucken, ob in den Mülltonnen etwas drin ist, das

man noch essen kann.« Er wies auf ein paar Tonnen an der Hausseite. Alea wurde schlecht. Sie sollten Sachen aus dem Müll essen? »Entweder das«, fügte Lennox hinzu, »oder wir stehlen was.«

Alea biss sich auf die Lippe. »Es gibt noch eine dritte Möglichkeit.«

»Und welche wäre das?« Lennox klang skeptisch.

»Wir bitten darum, dass wir umsonst etwas essen dürfen.«

Er runzelte die Stirn. Auf diese Idee wäre er offenbar nie gekommen. »Ich glaube zwar nicht, dass das klappt, aber wir können es versuchen.«

Alea lächelte zufrieden und setzte sich wieder in Bewegung. Kurz darauf erreichten sie den Imbiss. Der Duft von Essen hing in der Luft und tat geradezu weh. Sie betraten den kleinen Verkaufsraum. Hinter der Theke stand ein bärbeißig aussehender Mann, der sie nicht begrüßte. Neben ihm lag ein riesiger brauner Hund.

Alea trat bis an die Theke heran und sagte schüchtern: »*Hello.*«

Der Mann antwortete nicht, sondern verschränkte abwartend die Arme. Konnte man ihr ansehen, dass sie eine Vagabundin war? Ihre Seidenjacke war verdreckt und ihr Haar ziemlich zerzaust.

»Ähm … *I have no money*«, sagte Alea mit ihrem schweren Akzent. *Ich habe kein Geld.*

Der Mann erwiderte etwas, aber Alea verstand ihn nicht.

»Ich habe Hunger«, setzte sie schnell hinzu, wieder auf Englisch, und anstatt auf das warnende Kopfschütteln von Lennox zu achten, versuchte sie, zu lächeln. »Könnten Sie bitte …«

Der Mann ließ sie nicht ausreden, sondern polterte los. Alea verstand nichts von dem, was er da schrie, aber sein rotes Gesicht und wildes Gestikulieren machten ihr klar, dass er ihr keine Pommes schenken würde.

Lennox zog sie am Ärmel. »Komm«, sagte er und schob Alea hinaus.

»Verdammt!«, fluchte sie draußen. »Warum hat er mir nichts gegeben? Das würde ihn doch nicht arm machen!«

Lennox schnaubte. »Ganz bestimmt nicht. Scheint eher so, dass er ganz grundsätzlich nichts verschenkt. Er sagte was davon, dass er nicht jedem dahergelaufenen Bettler was geben könnte.«

»Muss er ja auch nicht. So viele kommen hier doch bestimmt gar nicht vorbei!«, rief Alea. Fragend schob sie nach: »Sind wir Bettler?«

»Na klar.«

Alea nickte. Das waren sie wohl.

Lennox ging um die Hausecke herum und zog Alea mit. Dort standen die Mülltonnen. Alea hätte am liebsten angefangen, zu weinen, aber sie riss sich zusammen. Lennox öffnete die erste Tonne, und Alea trat neben ihn. Tapfer blickte sie hinein und versuchte, den muffigen Geruch zu ignorieren. In der Tonne waren Verpackungen, leere Dosen … und ein paar weggeworfene Spaghetti.

Lennox angelte danach, holte sie heraus und schnupperte daran. »Die sind noch gut.«

Hin- und hergerissen betrachtete Alea die Nudeln und die eingetrocknete Tomatensoße, die daran klebte. Ihr Magen schien nicht recht zu wissen, ob er sich ekeln oder freuen sollte.

Im nächsten Moment erschrak Alea furchtbar. Der Mann aus dem Imbiss stand auf einmal hinter ihnen! Er war ihr gefolgt und schrie sie an! War es verboten, etwas aus einem Mülleimer zu nehmen? Brüllend und mit hochrotem Kopf hob der Mann die Faust und schwenkte sie drohend durch die Luft.

Lennox ließ die Spaghetti fallen. »Weg hier!«, rief er und lief los.

Alea folgte ihm. Sie jagten über die Straße und zum Fluss hinunter. Am Flussufer wuchsen jede Menge Sträucher, die Schutz boten. Im Laufen blickte Alea zurück, und diesmal erschrak sie bis ins Mark. Der große braune Hund preschte hinter ihnen her! Das riesige Tier bellte lauthals, und Lennox bemerkte ihn nun auch. »Verdammt!«

Sie rannten, und Alea hatte das Gefühl, sie liefe um ihr Leben. Der Hund sah aus, als könnte er es kaum erwarten, seine Zähne in ein Menschenbein zu versenken.

Sie hetzten über das steinige Flussufer. Der Hund kam immer näher.

»Da!«, rief Lennox. »Die Brücke!« Vor ihnen befand sich eine schmale Holzbrücke ohne Geländer, die über den Fluss führte. Alea wusste nicht, wieso Lennox über die Brücke laufen wollte. Der Hund würde ihnen auch dorthin folgen. Aber sie dachte nicht lange nach und sprang auf die Holzplanken. Im Laufen sah sie sich nach Hilfe um. Weiter vorn hatten Angler ihre Angeln in den Zwischenräumen der Planken festgeklemmt. Von den Anglern war jedoch weit und breit nichts zu sehen.

Als Alea die Mitte der Brücke schon hinter sich hatte, merkte sie, dass Lennox ihr nicht mehr folgte. Sie schaute zurück. Lennox war stehen geblieben. Er stellte sich dem Hund entgegen. Er wollte ihn abfangen!

»Nein!«, gellte Alea. Dieser Hund war kein Junge mit einem Stock, sondern ein Raubtier mit scharfen Zähnen!

Lennox wappnete sich zum Kampf. »Lauf weiter!«, rief er ihr über die Schulter zu.

»Nein!«, schrie Alea erneut, drehte um und wollte zu Lennox zurücklaufen. Doch plötzlich stolperte sie. Ihr Bein hatte sich in der Schnur einer der festgehakten Angeln verfangen! Sie taumelte und versuchte, das Gleichgewicht zu halten, verheddertte sich dabei aber nur noch mehr. Mit rudernden Armen fiel sie ins Wasser.

Alea landete mitten im Fluss. Der Sturz tat nicht weh, aber schnell merkte sie, dass die Angelschur um ihre Beine gewickelt war. Mehrmals hatte sie sich um ihre linke Wade und ihren rechten Knöchel geschlungen. Ihr Rucksack saugte sich rasch voll Wasser und hing schwer an ihr.

Während Alea hektisch versuchte, sich aus der Schnur

zu befreien, blickte sie zur Brücke. Dort spielte sich etwas Eigenartiges ab. Der Hund war auf der Brücke stehen geblieben und bellte aus vollem Halse zum Fluss hinab. Er bellte Alea an.

Lennox versuchte, seine Aufmerksamkeit zu erregen. »Hier! Schau hierher! Sieh mir in die Augen!«, rief er, aber offenbar hatte der Hund sich vollkommen auf Alea fixiert.

Mit sabbernden Lefzen und fuchsteufelswildem Gekläffe kam er dem Rand der Brücke immer näher.

Dann stürzte er sich in den Fluss.

Alea quiekte vor Entsetzen.

Lennox wirbelte zu ihr herum. »Schwimm!«, schrie er. »Schwimm weg!«

Das wollte sie ja! Aber sie bekam die Schnur nicht ab. Sie konnte nicht fortschwimmen! Mit den Armen konnte sie sich zwar in der Strömung halten und hatte dadurch dem Hund gegenüber einen Vorteil, der leicht flussabwärts getrieben wurde. Aber das Tier schien wild entschlossen, sich gegen die Fluten zu stemmen. Und das tat es. Mit weit aufgerissenem Maul kam es nun gegen die Strömung auf sie zu.

»Schwimm!«, rief Lennox abermals, diesmal verwirrt.

Alea antwortete ihm nicht. Wenn sie ihm sagte, dass sie ihre Beine nicht bewegen konnte, würde Lennox bestimmt in den Fluss springen, um sie zu beschützen. Aber das durfte er nicht. Wenn Lennox ohne Rotfarn ins Wasser kam, konnte das grauenhafte Folgen haben!

Lennox schien jedoch zu ahnen, dass sie nicht fortschwimmen konnte, und ließ seinen Rucksack und die Gitarre auf die Planken fallen. Es war klar, was er vorhatte: Er wollte sich zwischen sie und den Hund stürzen.

»Das darfst du nicht!«, schrie Alea. Seinem Gesichtsausdruck war allerdings anzusehen, dass er nicht auf sie hören würde. Eher würde er sein Leben riskieren, als dabei zuzusehen, wie sie ungeschützt einer Gefahr ausgesetzt war.

Der Hund war nur noch wenige Meter entfernt. Alea entfuhr ein Angstschrei. »Los!«, rief sie panisch, und meinte sich selbst. Das hatte in Edinburgh doch auch funktioniert. Und das hier war ebenfalls eine Notsituation! Sie brauchte jetzt dringend wieder diese übergroße Stärke, die sie dort gespürt hatte. »Mach schon! Sofort!«, schrie sie sich selbst an.

Gleich darauf bemerkte Alea, dass sie größer wurde. Doch es war nicht ihr Körper, der wuchs, sondern irgendetwas in ihr. Sie fühlte sich stark, ruhig und konnte plötzlich viel klarer denken. Sie musste sich sofort vor dem Hund schützen. Das Tier kam immer näher!

Während sie noch diesen Gedanken fasste, bemerkte sie, wie etwas aus ihren Fingerspitzen floss. Es war leuchtend orangefarben, schoss aus mehreren Fingern ihrer linken Hand hervor und zerstob im fließenden Flusswasser wie Pulver im Wind.

Alea erstarrte. Das war doch schon mal passiert! Als sie

243

vor den Tauchern hatte fliehen wollen! Was war das für orangefarbenes Zeug? Sollte sie das etwa vor dem wütenden Tier retten?

Der Hund hatte sie fast erreicht. Um ihn herum zuckten feuerrote Flammenzungen im Wasser. Alea war seine Beute.

Und dann passierten drei Dinge gleichzeitig.

Lennox setzte zum Sprung an.

Ein helles Lachen erklang.

Aus dem Wasser sprang ein Fisch. Im hohen Bogen flog er über die Oberfläche … und klatschte dem Hund gegen die Nase.

Der Hund jaulte erschrocken auf.

Da sprangen ein zweiter und ein dritter Fisch aus dem Wasser! Beide flogen auf den Hund zu und klatschten ihm ihre Schwanzflossen ins Gesicht, als wollten sie ihm eine Ohrfeige verpassen.

Alea klappte der Unterkiefer herunter. Was geschah hier? Waren das Forellen? Wieso taten sie das?

Mit einem Mal war die Luft voller springender Fische, die dem Hund ihre Flossen um die Ohren hauten. Der Hund fiepte verstört. Von Fischen war er bestimmt noch nie angegriffen worden.

Alea verfolgte das Spektakel mit offen stehendem Mund. Etwas an den Forellen war sonderbar. Es schien fast, als ob sie … flimmerten. Alea schärfte den Blick, aber die Fische schossen zu schnell durch die Luft, als dass sie etwas Genaues hätte erkennen können.

Der Hund hatte nun so viele Ohrfeigen und Klatscher abbekommen, dass er verängstigt abdrehte. Er schwamm davon! Da ließen die Fische ihn sofort in Ruhe.

Alea konnte es kaum fassen. Am Flussufer schüttelte der Hund sich, blickte noch einmal zu Alea zurück, grunzte unzufrieden und lief davon.

Lennox stand mit entgeisterter Miene auf der Brücke. Dann begann er, zu lachen. Er lachte wie ein Wahnsinniger.

Alea lachte ebenfalls. Ihr Lachen klang schrill und etwas irre, aber das, was gerade passiert war, *war* auch irre. Völlig verrückt.

»Warte, ich tauche unter!«, rief sie Lennox zu. »Ich will die Fische sehen!«

Alea tauchte unter die Oberfläche. Vor ihr wimmelten die Forellen durcheinander. Sie rief mitten in das wirbelnde Treiben hinein: »Ich danke euch!«

Abrupt hielten die Fische inne und wandten sich ihr zu.

Alea stockte der Atem.

Auf den Forellen saßen kleine Gestalten! Sie ritten auf den Fischen! Die Wesen schauten sie mit riesengroßen Augen an, dann schnappten sie alle gleichzeitig erschrocken nach Luft.

Innerhalb eines Wimpernschlags waren alle Forellen samt der Gestalten verschwunden.

»Wartet!«, rief Alea in Wassersprache. »Bitte bleibt!« Hastig drehte sie sich um die eigene Achse.

Die Wesen waren fort.

Alea war sicher, dass es dieselben Magischen gewesen waren, die sie gestern »Bachgeister« genannt hatte, denn soeben hatte sie ein helles Kinderlachen gehört.

»Ich brauche Hilfe!«, rief Alea, die nicht vergessen hatte, wie hilfsbereit die Bachgeister in dem Gebirgsbach gewesen waren. »Meine Beine sind in dieser Schnur verhakt. Bitte helft mir!«

Da! Dort hinten kam eine Forelle zurück! Vorsichtig schwamm sie heran. Und dort drüben eine zweite! Auf beiden saßen Wesen, die Alea scheu und mit übergroßen, dunklen Augen anstarrten. Sie waren kaum größer als junge Vögelchen. Und sie flimmerten. Sie flimmerten, als wären sie nicht ganz von dieser Welt.

»Hallo«, sagte Alea, so sanft sie konnte. »Danke, dass ihr zurückkommt.«

»Wir sind schüchtern«, antwortete eines der beiden Wesen mit Kleinmädchenstimme. »Wir kennen Fremde nicht.«

»Sie ist keine Fremde«, warf das andere Wesen ein und ritt auf seinem Fisch voran. »Sie ist ein Meermädchen.«

»Gibt es also doch noch Menschen im Meer?«, fragte die andere verwundert. »Das hätte ich nicht gedacht!«

Langsam kamen sie näher. Alea erkannte, dass hinter ihnen weitere Forellen herschwammen, die ebenfalls kleine Bachgeister auf ihren Rücken trugen. Die winzigen Reiterinnen hatten einen zierlichen Körper und langes, luftiges Haar, das an ausufernde Wolken erinnerte.

Ihre überlangen Arme und Beine wirkten dünn und zart, doch zwischen den Fingern und Zehen befanden sich starke Schwimmhäute.

»Du bist wirklich ein Meermädchen!«, rief eine von ihnen und kicherte begeistert.

»Sag ich doch!«, rief die, die ganz vorn ritt. »Sonst hätte sie ja auch kein Zavana Ravanda schicken können.«

»Hab ich gar nicht gesehen!«, antwortete die andere.

»Ich auch nicht«, gestand eine weitere. »Das mit dem Hund hat Spaß gemacht!«, kicherte sie.

Daraufhin kicherten alle bis auf die Erste. Die verdrehte die Augen. »Wenn außer mir keiner das Zavana Ravanda gesehen hat, war es ganz schön leichtsinnig von euch, gegen den Hund zu reiten! Das Mädchen hätte auch eine Landgängerin sein können«, schimpfte sie. »Und wir haben niemanden mehr, der die Landgänger vergessen lässt, was sie gesehen haben.«

»Wir sind in der Luft doch kaum zu erkennen …«, murrte eine andere. »Das wäre für die halt ein Fischwunder gewesen.«

»Wir dürfen keine Risiken eingehen!«, sagte die Erste streng. »Wir dürfen nicht entdeckt werden.«

Die anderen senkten reumütig die Köpfe.

Die Erste seufzte, und als sie Alea erreichte, hielt sie auf ihrem Fisch an. Die anderen reihten sich im Halbkreis um Alea herum auf und bestaunten sie.

Alea war nun furchtbar aufgeregt. Doch sie wollte diese Wesen weder verschrecken wie das Seepferd noch mit

Fragen löchern wie die Kobolde. »Ich freue mich, euch kennenzulernen«, sagte sie freundlich.

Die kleinen Gestalten lächelten glucksend.

»Wir sind Isibellen«, stellte die Erste sich vor. »Wir sind die Hüterinnen dieses Flusses.«

»Ich danke euch für eure Hilfe«, sagte Alea so ruhig wie möglich, während sich immer mehr Forellen mit kleinen Reiterinnen um sie scharten. Zwei der Isibellen schwammen zu Aleas Beinen und befreiten sie von der Schnur. Alea stöhnte erleichtert auf, als sie ihre Beine und Füße wieder bewegen konnte. »Danke auch dafür.« Sie lächelte die Isibellen an. »Und ich danke euch für die Hilfe mit meinem Ellbogen und mit meinem Magen heute Morgen.«

Die Isibellen wirkten irritiert.

»Oh, waren das eure ... Schwestern?«, erkundigte sich Alea. Lennox und sie waren seitdem stundenlang gewandert, und wahrscheinlich war der Bach vom Morgen nicht einmal mit diesem Fluss verbunden.

»Bestimmt waren sie das!«, kicherte eine Isibelle. »Hast du sie gerufen, so wie uns?«

»Vielleicht ... Ich weiß nicht«, antwortete Alea unsicher. »Wie habe ich euch denn gerufen?«

Die Isibellen starrten sie an, dann verfielen sie in perliges Gelächter.

Alea grinste schief. »Was ist ... ein Zavana Ravanda?«

Die Isibellen verstummten.

»Das weißt du nicht?«, fragte die Erste verdutzt. »Wieso nicht? Du hast es doch geschickt!«

»Meint ihr dieses orangefarbene Etwas, das aus meinen Fingerspitzen gekommen ist?«

»Natürlich!« Die Erste schüttelte den Kopf. »Ts, ts, ts! War das etwa das erste Mal, dass du das gemacht hast?«, fragte sie. »Na, dann ist es ja kein Wunder, dass nur so wenig rauskam und die anderen gar nichts davon bemerkt haben.«

»Das musst du üben!«, wies eine weitere Isibelle Alea zurecht. »Woher soll man denn sonst wissen, wann du Hilfe brauchst?« Sämtliche Isibellen nickten eifrig.

»Tut mir leid«, sagte Alea. »Ich werde das auf alle Fälle üben. Aber was genau muss ich denn tun, damit ich ein Zavana Ravanda machen kann?«

Kehliges Lachen ertönte. »Ihr *macht* kein Zavana Ravanda!«, belehrte eine Isibelle sie. »Ihr *schickt* es!«

Sie giggelten.

Die Erste sagte: »Wir haben lange niemanden wie dich gesehen. Seid ihr endlich zurück?«

Die Isibellen wurden still und schienen allesamt die Luft anzuhalten.

Doch Alea musste verneinen. »Ich glaube nicht.« Sie sah enttäuschte Gesichter. »Kennt ihr Meermenschen gut?«, fragte sie.

»Am besten kannten wir natürlich Flussmenschen«, erwiderte eine Isibelle. »Aber ich bin auch schon mal einem Meermenschen begegnet!«

»Ich kannte zwei Meermenschen!«, rief eine andere.

»Ich kannte eine ganze Familie!«, behauptete eine dritte.

»Flussmenschen gibt es also auch?«, fragte Alea fasziniert und hätte die Isibellen am liebsten ans Ufer mitgenommen, damit Lennox ebenfalls hören konnte, was sie ihr verrieten. »Könnt ihr mir etwas über die Flussmenschen und Meermenschen erzählen?«

Die Erste fragte: »Wie meinst du das? *Du* bist doch ein Meermädchen. Erzähl du uns etwas!«

»Ich weiß aber nichts.«

Die Erste zog die winzig kleinen Augenbrauen zusammen. »Wie kann das sein?«

Alea erklärte kurz, dass sie an Land aufgewachsen war und erst jetzt ihren Wurzeln auf die Spur kam. »Mein Freund und ich sind auf dem Weg zum Loch Ness.«

»Was für ein Freund?«

»Er steht dort oben.« Alea wies in Richtung Brücke.

»Den sehe ich mir mal an!«, rief eine kleine Isibelle, ritt auf ihrem Fisch an die Oberfläche und streckte vorsichtig den Kopf hinaus. »Hui, das ist ja ein ganz Hübscher!«, vermeldete sie gleich darauf begeistert.

Kaum hatte sie das gesagt, schwammen sämtliche der Forellen nach oben, und ihre Reiterinnen linsten neugierig aus dem Wasser. »Sehr hübsch!«, riefen mehrere durcheinander.

»Ist er ein Meermensch?«, fragte eine Isibelle Alea.

»Ja, klar ist er das«, antwortete ihr eine andere. »Das ist doch eindeutig.«

»Man sieht ja an seinen Augen, was er ist«, erklärte eine weitere.

Alea erkannte durch das Wasser, dass Lennox am Rand der Brücke hockte und angestrengt in den Fluss hinunterschaute. Schnell tauchte sie auf. »Ich spreche gerade mit den Bachgeistern!«, rief sie ihm schnell in Wassersprache zu. »Alles in Ordnung!«

Lennox blickte sie überrascht an, und Alea wusste, dass er alles dafür gegeben hätte, zu ihr in den Fluss springen zu können. Aber er nickte nur.

Als Alea wieder untertauchte, sah sie, dass die Isibellen in haltlose Lachsalven ausgebrochen waren. »Bachgeister! Das ist ja zum Totlachen!«

»Ist das falsch? Was seid ihr denn?«

»Haben wir doch gesagt! Wir sind Isibellen!«, antwortete eine, als erklärte das Wort alles, was man darüber wissen musste.

»Wieso geht ihr zum Loch Ness?«, nahm die Erste den Faden wieder auf.

»Ich war schon mal im Loch Ness!«, rief eine andere dazwischen.

»Ich auch!«, krähte eine Dritte.

»Ich war mal im Loch Moy!«, tönte eine Vierte, und Alea vermutete, dass auch Loch Moy ein See war, denn *Loch* hieß ja nichts anderes als *See*. »Letztes Frühjahr erst! Die Seemenschen dort waren aber auch weg.«

Alea blinzelte überrascht. Seemenschen. Aber natürlich, warum sollte es die nicht auch geben? Ob wohl noch Seemenschen im Loch Ness lebten? Hatten diese sie gerufen? »Wie weit ist es bis zum Loch Ness?«, fragte sie.

»Man braucht etwa einen Tag«, kam die Antwort. »Ziemlich viele Stromschnellen.«

Die Erste schaute Alea mit gerunzelter Stirn an, und Alea erinnerte sich, dass sie ihr eine Frage gestellt hatte. »Wir wollen zum Loch Ness, weil wir eine Nachricht in einer Schneekugel gefunden haben«, antwortete sie endlich. »Sie war in Wasserschrift geschrieben, und darin stand, dass wir kommen sollen.«

Die Isibellen staunten sie mit ihren übergroßen Augen an.

Die Erste sagte: »Davon habe ich ja noch gar nichts gehört. Aber so eine *Schneekugel* ist bestimmt auch Landgängerkram, oder?« Sie sprach das Wort aus, als wäre ihr völlig schleierhaft, was das sein sollte. »Wenn ihr zum Loch Ness gerufen wurdet, dann solltet ihr unbedingt dorthin gehen.«

»Das machen wir«, versicherte Alea. »Könnt ihr mir denn vielleicht sagen, warum die Meermenschen verschwunden sind?«, fragte sie schnell und blickte die Isibellen bittend an.

Die Erste antwortete: »Was genau passiert ist, wissen wir leider auch nicht.«

Alea sank das Herz.

»Es war damals alles so verwirrend«, sprach die Isibelle weiter und schien doch etwas erzählen zu wollen. »Es ging furchtbar schnell. Irgendetwas war plötzlich im Wasser. Von einem Tag auf den anderen. Eine ... Krankheit. Aber uns machte sie nichts aus. Nur den Flussmenschen.«

Alea hörte ihr gebannt zu.

»Ich habe einen Flussmann sterben sehen«, fuhr die Erste fort. »Ich wollte ihm noch helfen, aber sein Fieber war zu stark.« Ihre Miene verdunkelte sich, und die Erinnerung schien sie unendlich traurig zu machen. »Und dann verschwanden die anderen. Innerhalb kürzester Zeit war niemand mehr da. Die Höhlen waren verlassen, alles war still …«

»Wir warten bis heute darauf, dass sie zurückkommen«, sagte eine andere Isibelle betrübt. »Wir wissen aber nicht, ob überhaupt jemand von unseren Flussfamilien überlebt hat.«

Die Erste blickte Alea mit wehmütigem Lächeln an. »Es ist schön, dich zu treffen. Auch wenn du uns nichts erklären kannst.« Sie beruhigte ihren Fisch, der auf einmal unruhig wurde. »Dass du hier bist, heißt, dass es Hoffnung gibt.«

Alea lächelte zurück. »Ich –«

»Landgänger!«, schrie plötzlich eine helle Stimme.

Die Forellen schwammen hektisch hin und her.

»Wir müssen fort«, sagte die Erste, während sie ihren Fisch im Zaum zu halten versuchte. »Ich wünsche dir stets guten Wellenschlag.«

Damit drehten die Forellen ab und stoben in der Strömung davon.

Schön

Alea schwamm unter die niedrige Brücke und kletterte dort an Land. Über sich hörte sie Männerstimmen. Bestimmt waren die Angler zurückgekehrt. Einer von ihnen schien seine Angel zu vermissen.

Jemand näherte sich. Es musste Lennox sein. Alea erkannte ihn inzwischen am Schritt. Tatsächlich kam er gleich darauf geduckt zu ihr unter die Brücke.

»Haben die Angler dich nicht gesehen?«, flüsterte sie.

Lennox schaute sie an, als wäre das eine sehr unsinnige Frage. War es auch. »Bist du in Ordnung?«, fragte er.

»Ja.« Zwar waren ihre Anziehsachen und ihr Rucksack pitschnass, aber davon abgesehen, ging es ihr gut.

»Haben die Bachgeister die Fische zum Springen gebracht?«, wollte Lennox wissen.

»Ja, aber sie heißen Isibellen«, wisperte Alea. »Lass uns erst mal hier weg, dann erzähl ich dir alles.«

Lennox spähte unter der Brücke hervor und prüfte die Lage. »Wenn wir hinter den Büschen da drüben herlaufen, kriegen die Angler das gar nicht mit.«

Alea nickte, zog ihren tropfenden, schweren Rucksack

zurecht und huschte hinter Lennox her, der wie ein Tiger durch das hohe Gras am Ufer schlich – was er gar nicht nötig gehabt hätte. Aber vielleicht wollte er ihr zeigen, wie man es machte. Geduckt liefen sie im Schutz der Büsche, bis sie eine Flussbiegung erreichten. Dann überquerten sie eine Straße und rannten weiter durch einen kleinen Wald, um möglichst viel Abstand zwischen sich, die Angler und den Hund des Imbissbesitzers zu bringen. Schließlich fanden sie sich in der weiten Heidelandschaft wieder. Neben einem großen alten Baum blieb Alea stehen. Ihre Kleider und Haare klebten ihr am Körper, und ihr war kalt.

»Du musst aus den Sachen raus.« Lennox legte seinen Rucksack ab. »Du kannst was von mir anziehen.« Er kramte ein Handtuch, einen Pullover, ein T-Shirt und eine Jeans hervor.

Alea nahm alles entgegen und war froh, dass Lennox ihr etwas leihen konnte.

»Ich hol mal Feuerholz. Du musst dich aufwärmen.« Lennox entfernte sich.

Alea wartete, bis er außer Sichtweite war. Dann zog sie sich aus und rieb sich mit dem Handtuch trocken. Ihr Ellbogen war zwar noch blau, aber er tat nicht mehr weh und war nicht mehr geschwollen. Als sie sich über das Gesicht wischte, merkte sie, wie gut das Handtuch roch. Bestimmt hatte Lennox es schon benutzt. Sie schaute sich kurz um, vergrub dann die Nase in dem Handtuch und atmete tief ein. Mit geschlossenen Augen erlaubte sie sich einen zweiten Atemzug, dann rubbelte sie sich die Haare trocken und zog Lennox' Sachen an, die ihr viel zu weit waren. Schnell fischte sie einen Gürtel aus ihrem Rucksack und stellte zufrieden fest, dass ihr die Hose damit nicht mehr bis zu den Knien rutschte. Schließlich zog sie wieder ihre Handschuhe an, holte all ihre Sachen aus dem Rucksack und fing an, sie auszuwringen.

Wenig später kam Lennox mit Holz zurück und entfachte ein Feuer. Zum Glück war auch diese Gegend so verlassen, dass es wahrscheinlich niemandem auffallen würde. Während Lennox das Feuer schürte, begann Alea, von den Isibellen zu erzählen. Sie berichtete Lennox, was die Hüterinnen des Flusses gesagt hatten, und er hörte ihr mit der Miene eines Kinobesuchers zu, der einen spannenden Thriller schaute.

»Ich hatte den Eindruck«, schloss Alea, »sie fanden es ganz natürlich, dass wir zum Loch Ness gerufen wurden – als wäre es ein besonderer Ort.«

»Es kann nicht mehr weit bis dorthin sein«, sagte Lennox. »Ich habe den Namen eben an der Straße auf einem Schild gesehen.«

»Meinst du, wir schaffen es noch heute?«

»Ich glaube, ja.«

Alea blickte nun gedankenverloren vor sich hin, während sie ihr Haar bürstete.

Lennox sah ihr dabei zu. »Soll ich dir die Haare flechten?«, fragte er grinsend.

Alea lächelte. »Nein, die sind noch feucht.«

Lennox nickte seufzend. Alea seufzte auch. Sie vermisste Sammy. Wo er wohl gerade war?

»Sag mal, hast du etwa noch die nassen Socken an?«, fragte Lennox plötzlich.

»Oh, die habe ich vergessen.«

»Na los, zieh sie aus.« Lennox kramte kopfschüttelnd ein Paar trockene Socken aus seinem Rucksack. »So kann dir ja gar nicht richtig warm werden.«

Alea wurde rot. »Ich ...«

Als Lennox merkte, dass Alea sich nicht rührte, hob er die Brauen. »Was ist?«

»Kannst du dich umdrehen?«, bat Alea mit heißen Ohren. Allein diese Frage war ihr schon peinlich.

»Warum?«, fragte Lennox verwirrt, und sein Blick wanderte zu ihren Füßen. Seine Augen verengten sich. »Hast du ...«

»Bitte dreh dich um!«, wiederholte Alea, diesmal lauter. Sie wollte nicht darüber sprechen. Sie wollte nur, dass er sich umdrehte!

Aber Lennox ließ sich nicht beirren. »Hast du Angst, mir deine Füße zu zeigen?«

Vor Scham pochte Alea nun das ganze Gesicht.

Lennox wirkte bestürzt. »Du schämst dich wegen deinen Fußknubbeln!«

»Sie sind hässlich!« Alea zog ihre Füße in den nassen Socken ganz nah an ihren Körper. Es genügte schon, dass Lennox ein paarmal ihre Hände ohne die Handschuhe gesehen hatte. Er musste nicht auch noch ihre Füße sehen. Die Knubbel zwischen ihren Zehen waren noch hässlicher als die zwischen ihren Fingern.

Beschämt schaute sie zur Seite und hoffte, er würde sich endlich umdrehen oder die Sache auf sich beruhen lassen.

Stattdessen griff Lennox nach einem trockenen T-Shirt, schlug es sich um die Hand und kniete sich vor Alea. Er nahm ihren Fuß. Alea hätte ihn am liebsten weggezogen, aber sie wollte nicht riskieren, dass Lennox' Hand direkt mit ihrer kalten, nassen Socke in Berührung kam. »Lass das!«, verlangte sie jedoch. »Lass meinen Fuß los!«

Lennox hörte nicht auf sie. Mit dem T-Shirt als Schutz für seine Hand begann er vorsichtig, ihre Socke herunterzuziehen.

»Bitte!«, sagte Alea, und es klang wie ein Flehen.

Lennox schaute ihr unverwandt in die Augen, während er ihr die Socke vom Fuß streifte.

Aleas Herz klopfte zum Zerspringen.

»Ich werde jetzt hinsehen.« Lennox richtete den Blick auf ihren Fuß.

Alea wäre am liebsten im Boden versunken. Sie konnte Lennox' Gesichtsausdruck nicht erkennen. War er angewidert?

Behutsam strich er mit dem T-Shirt über ihren Fuß, bis er trocken war. Dann berührte er ihn mit der Hand. Zuerst hielt er ihn nur fest, dann zog er mit der anderen Hand vorsichtig ihre Zehen auseinander.

Alea entfuhr ein wimmerndes Geräusch.

Lennox starrte auf ihre Knubbel. Im hellen Sonnenlicht sahen sie schlimmer aus denn je. Wie schrumpelige Kaugummiblasen, die in sich zusammengefallen waren.

»Ich wünschte, ich hätte die auch«, sagte Lennox.

Alea senkte den Kopf, und ihr Gesicht wurde noch heißer. Ja, klar. Schwimmhäute waren toll. Aber diese Knubbel …

Lennox zog ihr auch noch die andere Socke aus und rieb ihren Fuß mit dem T-Shirt trocken. Dann betrachtete er ihre beiden Füße nebeneinander. »Weißt du eigentlich, wie schön du bist?«, fragte er leise.

Für einen kurzen Augenblick stand ihr Herz still.

»Alles an dir ist schön.« Seine Stimme war sanft. »Deine grünen Augen, deine schwarzen Haare, dein Lächeln, dein Duft, deine Hände …«

Alea konnte kaum glauben, dass er das gerade wirklich sagte.

»Du bist unfassbar hübsch, und ich mag alles an dir. Auch deine Füße.«

Alea stiegen Tränen in die Augen, und eine rann ihr über die Wange.

Lennox wischte sie mit seinem Ärmel fort. »Ich hätte dir das wahrscheinlich gar nicht sagen dürfen.« Er lachte traurig. »Aber ich will nicht, dass du denkst, irgendetwas an dir könnte hässlich sein.« Er richtete sich auf und warf Erde auf das Feuer.

Alea wischte sich eine zweite Träne von der Wange,

dann zog sie die trockenen Socken an und schlüpfte in ihre weniger trockenen Schuhe.

Als sie ihre feuchten Sachen wohl oder übel wieder in den Rucksack gepackt hatte, wanderten sie weiter. Ihr Herz klopfte noch eine ganze Weile laut und aufgeregt vor sich hin, und sie war froh, dass Lennox nichts sagte. So konnte sie sich langsam wieder beruhigen.

Wie oft hatte sie sich gefragt, ob Lennox sie wohl hübsch fand? Sammy sagte ihr ständig, dass sie schön wie Schneewittchen wäre, borgte sich ihre Sachen, weil er sie so toll fand, und machte ihr Komplimente. Aber Lennox hatte noch nie etwas in dieser Richtung geäußert. Und nun hatte er nicht nur gesagt, dass er sie unfassbar hübsch fand – *unfassbar!* –, sondern er hatte auch noch ihre hässlichen Hände und Füße als schön bezeichnet. Alea konnte das kaum glauben, doch gleichzeitig fühlte sie sich ein bisschen, als ob sie schwebte.

Nachdem sie lange schweigend nebeneinander hergelaufen waren, sagte Lennox zögernd: »Sag mal ... Was wäre eigentlich so schlimm daran, wenn wir Halbgeschwister wären?«

Alea blieb stehen. »Was daran schlimm wäre?«

»Ja.« Lennox blieb ebenfalls stehen. Seine Stimme klang vorsichtig, aber fest. »Falls wir wirklich Halbgeschwister wären, könnten wir nicht trotzdem zusammen sein?«

Alea starrte ihn überrascht an. Dieser Gedanke war neu für sie. Merkwürdig ... verlockend. War es möglich, diese Tatsache einfach zu ignorieren? Oder sie sogar zu akzeptieren und dennoch … »Nein«, sagte sie im nächsten Moment. »Das ist verboten.«

Lennox hob die Schultern. »Tun wir denn nicht sowieso immer wieder verbotene Sachen?«

»Meinst du, dass wir schwarzgefahren sind?«

»Ich meine, dass wir nicht die Polizei rufen, wenn wir von Chemie-Verbrechern gejagt werden! Oder dass wir im Jugendamt geheime Akten gelesen haben. Dass unsere ganze Bande eine ziemlich gesetzlose Angelegenheit ist!« Er schüttelte den Kopf. »Alea, wir haben die Grenze doch sowieso schon längst überschritten.«

»Aber diese Dinge sind doch nicht das Gleiche wie –«

»Vielleicht«, unterbrach Lennox sie. »Aber wenn wir zusammen wären, würden wir doch niemandem damit weh tun.«

»Aber es wäre nicht richtig!«, widersprach Alea, obwohl ihr Herz sehr versucht war, alle Bedenken über Bord zu werfen.

»Alea …« Lennox klang traurig. »Bei dem Leben, das wir momentan führen, wirst du dich nicht ewig an *Richtig oder Falsch* festhalten können.« Damit wandte er sich zum Weitergehen.

Alea folgte ihm mit schwerem Herzen. Wie gern wollte sie sich auf den Gedanken einlassen, dass sie einfach zusammen sein könnten. Aber die Regel, dass Bruder und Schwester kein Liebespaar sein sollten, ergab für Alea vollkommen Sinn – denn diese Vorstellung war einfach irgendwie *krass*.

Beide hingen nun ihren Gedanken nach. An einer Abzweigung des Wanderpfades zeigte Lennox Alea die Richtung, in die das Straßenschild gedeutet hatte, und so marschierten sie wieder über die weiten Ebenen, über Talstraßen und Hügel und schwiegen die ganze Zeit über.

Lennox lächelte Alea jedoch ein paarmal an, so als täte es ihm leid, dass sie sich gestritten hatten. Schließlich fing er an, Alea etwas auf Englisch zu fragen, und sie antwortete ihm auf Englisch. Es war absoluter Quatsch, was sie da redeten, aber Alea hatte in den letzten Tagen gemerkt, dass die Übung wirklich half. Außerdem brachen sie zwischendurch in fröhliches Gelächter aus, und es tat sehr gut, wieder mit Lennox zu lachen.

Am späten Nachmittag kamen sie an eine viel befahrene Straße. »Da drüben ist eine Tankstelle!«, rief Lennox, und Alea folgte seiner ausgestreckten Hand mit dem Blick. »Da gibt es was zu essen.«

Alea nickte stumm.

»Ich gehe allein rein und hole uns was«, sagte Lennox und schien diesmal nicht diskutieren zu wollen. »Es wird keinem auffallen, dass ich überhaupt da war«, fügte er überflüssigerweise hinzu und stapfte los.

Alea blieb mit widerstreitenden Gefühlen zurück. Sie war unglaublich hungrig, aber …

Durch die großen Scheiben sah sie, wie die Kassiererin mit einer Kundin lachte. Lennox nutzte den Moment, um die Tür zu öffnen und in den Verkaufsraum zu schlüpfen.

Alea überlegte. Die Kassiererin sah nett aus. Sehr nett.

Ihre Füße verselbstständigten sich. Alea lief los. Sie würde einfach noch einmal versuchen, um etwas zu essen zu bitten. Falls die Frau sie hinausscheuchte, konnte Lennox ja immer noch etwas stehlen.

Atemlos betrat Alea die Tankstelle. Lennox, der neben einem Obstkorb stand, sah sie überrascht an.

Im gleichen Moment stieß die Frau hinter der Kasse ein bestürztes »*Oh*« hervor. Mit großen Augen schaute sie Alea an. Alea ahnte, wie sie aussah. Sie trug Kleidung, die ihr viel zu groß war, und den Hunger konnte man ihr bestimmt auch ansehen. Oder … fragte sich die Frau etwa gerade, ob dieses Mädchen womöglich diejenige war, nach der die Polizei suchte?

»*Come over here, love*«, bat die junge Frau sie. Alea zögerte nicht, ihrer Aufforderung zu folgen, und ging zu der Frau. Im Notfall würde sie eben ein weiteres Mal davonlaufen.

»Ich wandere in den Highlands …«, sagte sie auf Englisch und blieb vor dem Tresen stehen.

Die junge Frau lächelte mitfühlend. »*Do you want something to eat?*«

Aleas Augen weiteten sich. »*Yes!*«, rief sie und konnte nicht verhindern, dass sich ihre Stimme vor Überraschung und Freude überschlug. Natürlich wollte sie etwas zu essen!

Die Frau lachte und sagte: »*I'll give you something.*« Sie wollte Alea wirklich freiwillig etwas geben!

Alea entfuhr ein kleines, erleichtertes Stöhnen.

Aus dem Augenwinkel sah sie, dass Lennox ein Bund Bananen zurücklegte, das er offenbar gerade hatte einstecken wollen.

Die Frau gab Alea ein abgepacktes Sandwich aus der Kühltheke, eine Tüte Chips und eine Tafel Schokolade. »*Where are you going?*«, erkundigte sie sich, während sie die Sachen in eine Plastiktüte packte. *Wohin willst du?*

Statt einer Antwort sagte Alea freundlich, so gut sie es auf Englisch konnte: »Ich brauche keine Tüte.« Sie hatte im Meer so viele Plastiktüten herumschwimmen gesehen, dass sie sich geschworen hatte, nie wieder eine zu verwenden – außer sie brauchte sie wirklich dringend. Und die Sachen konnte sie ohne Weiteres in den Händen tragen.

Die junge Frau holte das Essen wieder aus der Tüte, überreichte es Alea und fragte nach ihrem Namen.

Alea hatte Glück, dass in diesem Augenblick ein Kunde, der gerade getankt hatte, in den Verkaufsraum kam und bezahlen wollte. Der Mann begann, mit der Frau zu reden, und Alea versuchte bei der Gelegenheit, sich unbemerkt davonzustehlen.

Die junge Frau rief Alea jedoch zu: »*Wait, I want to ask you a few more things.*« Natürlich wollte sie noch mehr über Alea wissen. Das hätte sie sich auch vorher denken können.

Alea seufzte und blieb stehen. »*Thank you for your help*«,

bedankte sie sich höflich bei der Frau, während diese den plaudernden Mann abkassierte.

Lennox kam zu ihr. »Gehen wir.«

Da die Frau Alea immer wieder Blicke zuwarf, würden sie wohl hinausrennen müssen. Lennox öffnete die Tür. »*Goodbye!*«, rief Alea und eilte im Schnellschritt hinaus.

»*Wait!*«, rief die Frau ihr hinterher. *Warte!* Aber Alea war schon hinaus und rannte mit Lennox um die nächste Hausecke und dann um noch eine und noch eine. Schließlich lugten sie wieder zur Eingangstür der Tankstelle.

»Was machen wir?«, ächzte Alea.

»Sch!« Lennox legte den Finger auf die Lippen.

Die junge Frau und der Mann standen vor der Tür und unterhielten sich aufgeregt. Alea verstand so viel, dass die Frau sie für eine Ausreißerin hielt und überlegte, ob sie die Polizei rufen sollte. Der Mann hielt das für eine gute Idee.

Lennox deutete auf das Auto mit der großen Ladefläche, das neben der Tanksäule stand. »Mit dem Pick-up fahren wir zum Loch Ness«, flüsterte er.

»Was? Willst du etwa ein Auto klauen?«, fragte Alea entsetzt.

»Nein, wir lassen uns mitnehmen. Hast du nicht gehört, was der Mann der Frau eben an der Kasse erzählt hat?«

Alea schüttelte den Kopf. Darauf hatte sie gar nicht geachtet.

»Er fährt nach Inverness«, erklärte Lennox leise.

Alea entfuhr ein kleiner Freudenjauchzer. »Wirklich?«

»Ja, wir müssen nur irgendwie auf die Ladefläche kommen. Ich lenke die beiden ab«, sagte Lennox mit Blick auf die Frau und den Mann. »Und du kletterst schon mal drauf, ja?«

Alea nickte, und Lennox ging los. Er duckte sich nicht, er schlich nicht, er marschierte einfach quer über den Tankstellenvorplatz. Der Mann und die Frau, die sich noch immer laut fragte, was sie tun sollte, bemerkten Lennox nicht – obwohl er direkt vor ihren Augen vorbeispazierte.

Am anderen Ende der Tankstelle nahm er einen großen Stock und schlug damit gegen einen Wellblechzaun. Der Krach war unbeschreiblich.

Der Mann und die Frau zuckten zusammen. »*That boy!*«, rief die Frau. »*What is he doing?*« Wenn sie sich fragte, was Lennox da tat, hatte sie ihn nun offenbar zum ersten Mal wahrgenommen.

Beinahe lautlos huschte Alea zu dem Pick-up, kletterte auf die Ladefläche und legte sich flach hin. Das Sandwich, die Chips und die Tafel Schokolade presste sie fest an ihre Brust.

Es verging keine Minute, und Lennox stieg zu ihr auf den Wagen. Alea fragte ihn nicht, wie er es geschafft hatte, ungesehen herzukommen, nachdem er einmal entdeckt worden war. Es war wohl einfach seine Spezialität, aufzutauchen und wieder zu verschwinden.

Lennox legte sich neben Alea. Um seine Mundwinkel spielte ein Grinsen. Alea hätte schwören können, dass ihm die Sache sogar Spaß gemacht hatte.

Jetzt hörten sie, wie der Mann in sein Auto stieg. Zum Glück war die Ladefläche so hoch, dass er Alea und Lennox beim Einsteigen nicht sah. Mit laut aufbrummendem Motor fuhr er los.

Alea ließ erleichtert die Schultern sinken. Sie hatten es geschafft! Er würde sie nach Inverness fahren! Und von Inverness war es nur noch ein Katzensprung bis zum Loch Ness.

Während der Wagen laut rumpelnd über die Landstraße fuhr, lachten sie leise und machten sich über das Essen her. Als sie fertig waren, legten sie sich nebeneinander auf den Rücken und schauten in den Himmel. Die bauschigen Wolken rauschten wie wild gewordene Zuckerwatte über sie hinweg, und Alea stellte fest, dass sie ununterbrochen lächelte. Sie fühlte sich wie eine waschechte Abenteurerin, die nach zahllosen Mutproben kurz vor ihrem Ziel stand. Das Blitzen in Lennox' Augen verriet ihr, dass es ihm genauso ging.

Nach einer Weile hielt der Wagen an. Lennox richtete sich auf. Alea hätte fast *Vorsicht!* gerufen, aber selbst wenn der Fahrer Lennox nun durch den Rückspiegel sehen könnte … sah er ihn ja nicht.

»Wir stehen an einer roten Ampel«, stellte Lennox fest, während er sich umschaute. Auf einmal wurden seine Augen groß. »Wir sind da«, flüsterte er überrascht.

»Was?« Alea wollte sich ebenfalls aufsetzen.

Lennox hielt sie zurück. »Warte!« Er reckte sich vor, um in die Fahrerkabine zu spähen. »Der Typ tippt gerade was in sein Handy. Komm!« Er zog Alea auf die Beine.

Leise kletterten sie über die Seite der Ladefläche und landeten auf dem Asphalt. Glücklicherweise stand kein Auto hinter dem Pick-up. Niemand bemerkte sie.

Lennox huschte in das Dickicht am Straßenrand. Alea folgte ihm. »Woher weißt du, dass wir da sind?«, fragte sie. »Sind wir in Inverness? Hier sind nirgendwo Häuser!«

Lennox schüttelte den Kopf, bog ein paar Zweige des Gebüschs zur Seite und gab damit den Blick auf ein Tal frei – ein Tal mit einem See zwischen grünen Hügeln.

»Wir sind da«, wiederholte Alea seine Worte flüsternd und spürte ihr Herz erbeben.

Loch Ness

In staunendem Schweigen standen Lennox und Alea da. Der schier endlose, lang gezogene See blitzte im Licht der untergehenden Sonne wie tausend Diamanten und schimmerte in tiefen, weisen Farben. Die grünen Hügel und die steilen Böschungen, die den See umgaben, sahen exakt so aus wie die Miniaturlandschaft in der Schneekugel.

Alea schaute zu Lennox. Er wirkte zwar müde, hundemüde, er war ungewaschen, und die verkrustete Schramme auf der Stirn ließ ihn regelrecht wild erscheinen. Aber er war schön. Durch und durch schön.

Lennox bemerkte Aleas Blick, legte den Arm um sie und zog sie an sich. Sie hielten einander fest, eine kleine Ewigkeit lang, und Alea fühlte Lennox' Herz beinahe ebenso deutlich schlagen wie ihr eigenes. Dann lösten sie sich voneinander.

»Ich muss ins Wasser«, sagte Alea.

Lennox nickte. Es war deutlich zu erkennen, wie sehr es ihn wurmte, dass er sie nicht begleiten konnte. »Lass uns mal sehen, wo du am besten in den See hineinkommst«, sagte er. Loch Ness schien vollständig von hohen Abhängen umgeben zu sein.

Sie gingen los und fanden eine Stelle, an der die Böschung nicht ganz so steil abfiel. Nacheinander kletterten sie zwischen Büschen und Bäumen hinab.

Unten hielt Alea inne und sah sich um. Es waren keine Touristen hier. Der See lag verlassen vor ihnen – rot, blau, violett und golden funkelnd. Nur ein Stück weiter oben an einer Straße machten Leute Selfies mit Loch Ness im Hintergrund. Aber die waren so weit weg, dass sie bestimmt nicht bemerken würden, wie ein Mädchen in den See stieg.

Am Ufer lagen schwere Gesteinsbrocken, über die sie nun zum Wasser sprangen. Dort legten sie ihre Rucksäcke und Lennox' Gitarre ab. Sie waren angekommen.

»Meinst du wirklich, dass du ins Wasser musst?«, fragte Lennox mit Grüblermiene.

Alea blickte ihn verwundert an. Wollte er ihr das Tauchen etwa ausreden, weil er sie dort unten nicht beschützen konnte? Doch Lennox' nächste Worte überraschten sie noch mehr.

»Mir ist eben ein Gedanke gekommen«, sagte er. »Weißt du, wenn in den Gewässern der Welt etwas ist, das die Meermenschen getötet hat ... Wieso sollte man die Überlebenden in einen See rufen – ins *Wasser* hinein?«

Alea zog die Brauen zusammen. Er hatte recht. Das war in der Tat sonderbar. »Aber ich habe das ganz starke Gefühl, dass ich ins Wasser muss!«, sagte sie verwirrt.

Lennox schnitt eine Grimasse, dann nickte er. »Zum Glück macht dir diese Sache im Wasser ja nichts aus.« Er seufzte. »Wohin willst du denn schwimmen?«

Alea hob die Achseln. »Ich folge einfach meinem Herzen.«

»Lass uns noch mal nachgucken, ob in der Schneekugel vielleicht ein Hinweis ist, den wir übersehen haben.« Lennox holte die Schneekugel hervor. Prüfend hielt er sie gegen die Landschaft auf der anderen Seite des Sees. »Das ist wirklich eine genaue Nachbildung«, murmelte er, während die kleinen Partikel im Inneren der Kugel wie Silvesterkonfetti auf den Miniatursee hinabregneten.

»Was ist das?«, stieß Lennox mit einem Mal hervor. »Die Kugel … macht was!«

»Wieso? Was meinst du?«

»Sie wird heiß!«, rief Lennox. Im nächsten Moment ließ er sie fallen.

»Lennox!«, gellte Alea.

Die Schneekugel krachte auf einen Stein und zerschellte.

»Mist!« Lennox kniete sich hin und schien die Einzelteile aufsammeln zu wollen, aber das war unmöglich. Die Glasscherben waren in alle Richtungen geflogen, die Miniaturlandschaft war zerbrochen und das Regenkonfetti größtenteils im Wasser gelandet.

»Ich Idiot«, knurrte Lennox.

Alea kniete sich neben ihn. »Warum ist sie heiß geworden?«

Da sah sie, dass die kleinen Konfettiteilchen im Wasser merkwürdig grünlich glitzerten. Doch sie glitzerten nicht nur, sie bewegten sich auch. Oder vielmehr: Sie formierten sich.

»Da!« Alea wies verdutzt auf das Wasser. »Was macht das Konfetti da?«

Lennox beugte sich vor. »Es scheint ... einen Wirbel zu erzeugen«, antwortete er baff. Die Teilchen drehten sich rasend schnell im Kreis und erschufen damit eine Art Strudel.

Und dann kam der Strudel auf sie zu. Er erreichte den Gesteinsbrocken, auf dem sie knieten, und drängte das Wasser unter sich nach beiden Seiten weg. Ein Hohlraum entstand.

Alea und Lennox sprangen mit offen stehenden Mündern auf die Beine.

Der Wirbel bewegte sich jetzt von ihnen weg. Es sah aus, als würde er eine Schneise in das Wasser fräsen. Einen Gang. Oder vielmehr ... einen Tunnel in den See hinein.

»Das gibt's ja gar nicht«, stieß Lennox hervor.

»Deswegen wurde die Kugel heiß«, sagte Alea. »Damit du sie fallen lässt!«

»Ja.« Lennox lachte heiser. »Und dabei hätte ich fast vergessen, die Schneekugel überhaupt mitzunehmen! Wenn Sammy nicht daran gedacht hätte ...«

Alea lächelte wehmütig. »Danke, Sammy«, flüsterte sie und schickte ein Flugbussi in Richtung Meer. Dann reckte sie sich vor, um in den Tunnel hineinzuschauen, der am Ufer wie ein offener Stollen begann und unter Wasser führte.

Alea sprang in den Eingang. Sie erwartete, dass ihre Füße im sandigen Matsch einsinken würden, aber das taten sie nicht. Vielmehr berührten ihre Schuhe den Boden gar nicht, sondern schienen auf einer Art Luftpolster zu stehen. Probeweise machte sie ein paar Schritte. Es war, als würde man über eine dünne Luftmatratze laufen. Vorsichtig berührte sie die Wände des Gangs. Auch hier schien eine federnde, grün glitzernde Luftschicht den Tunnel vom Seewasser abzugrenzen.

»Hier drin wird man nicht nass!«, rief Alea, während sie ihre Fingerspitzen über die Wände gleiten ließ. »Der Tunnel ist –« Da verstand sie. Sie fuhr zu Lennox herum, der gerade hinter sie gesprungen war. »Deswegen!«

»Hm?«, fragte er, während er wachsam den federnden Untergrund testete.

»Deswegen kann man die Überlebenden trotz allem in einen See hineinrufen!«

Lennox schaute sie fragend an, dann begann er, zu lächeln. »Weil es eine Möglichkeit gibt, sie trocken dorthin zu bekommen, wo sie hinsollen.«

Alea lächelte zurück. »Genau.« Sie lachte. »Das heißt, du kannst mitkommen!«

»Ja, ich glaube, das heißt es«, antwortete Lennox und schien sein Glück noch gar nicht fassen zu können.

Alea nahm seine Hand. »Lass uns herausfinden, wer wir sind.«

Lennox nickte. »Ich folge dir.«

Alea ging los und hielt Lennox' Hand fest umklammert. Bald war über ihren Köpfen Wasser. Doch kein Tropfen erreichte sie. Die Decke des Tunnels schien mit der grünen Glitzerluftschicht ebenso sicher versiegelt zu sein wie der Sand, über den sie marschierten.

Es war schon recht dunkel – und da Alea sich nicht verwandelt hatte, sah sie in dem grünlichen Wassergang ebenso wenig wie Lennox. Im letzten Licht der untergehenden Sonne konnte sie jedoch einen Fischschwarm erkennen, der neugierig neben dem Tunnel herschwamm und sie ein Stück begleitete.

Als sie schon eine Weile gewandert waren, fiel ihnen auf, dass sie ihre Rucksäcke und die Gitarre am Ufer zurückgelassen hatten. Aber umkehren wollten sie nicht. Jetzt nicht mehr.

Wenig später wurde es im See so dunkel, dass sie kaum noch etwas erkennen konnten, aber das grüne Glitzern spendete ein wenig Licht und half ihnen, sich im Tunnel zurechtzufinden. Es musste bereits Nacht sein. Wohin führte dieser Weg nur?

Kaum, dass Alea diesen Gedanken gedacht hatte, sah sie ein Licht in der Ferne. Sie blieb stehen und fühlte, wie ein feines Beben durch ihren gesamten Körper ging.

Dort.

Dort war, was sie suchten.

Auf dem Grund des Sees

Alea starrte auf das helle Licht vor ihnen.

»Sieht aus wie die Schneekugel«, stellte Lennox mit zusammengekniffenen Augen fest. »Nur viel größer.«

Rasch liefen sie weiter, und je näher sie kamen, desto mehr erkannten sie. Auf dem Grund des Sees befand sich eine hell erleuchtete, gläserne Kuppel. Unter dieser schienen sich unzählige Hallen, Plätze und Säle zu befinden – weitläufig wie eine kleine Stadt. Doch alles wirkte völlig verlassen. Die Räume waren leer und machten trotz des strahlenden Lichts einen eigenartig verstaubten Eindruck.

Der grün glitzernde Tunnel führte Alea und Lennox immer näher an die Kuppel heran, bis er sich nach oben verbreiterte und vor einem überdimensionalen, prachtvollen Tor endete.

Sie kamen zum Stehen. »Ich glaube, wir sind da«, flüsterte Alea. Sie wusste nicht, warum sie flüsterte, aber die Größe des Tors war ein bisschen einschüchternd.

Lennox ging an ihr vorbei. »Gibt's hier eine Klingel?«, scherzte er, und als er keine fand, klopfte er an das Tor.

Im nächsten Moment knirschten die Angeln, und das Tor öffnete sich wie von Zauberhand.

Alea wich unwillkürlich einen Schritt zurück und schluckte. Was auch immer sich in dieser Unterwasserstadt befand, würde ihr Leben für immer verändern, dessen war sie sich sicher.

Langsam ging Alea neben Lennox durch das Tor, das sich gleich darauf quietschend hinter ihnen schloss.

Sie fanden sich in einem gigantischen, hellen Raum wieder. Es war eine Art Halle mit einem mächtigen, ovalen Tisch in der Mitte. Die majestätischen Stühle, die ringsherum standen, schienen direkt aus dem weißen Steinboden gemeißelt worden zu sein, ebenso wie der Tisch selbst. Einige der Stühle waren enorm breit, als wären sie für Riesen gemacht, andere hingegen winzig klein, als warteten sie auf Kobolde.

An den Flügeln der Halle ragten weiße Skulpturen von Meerestieren in die Höhe, und zwischen ihnen standen, zu Aleas Überraschung, Statuen von Landtieren – ein Löwe, ein Falke, ein Schmetterling, alle mindestens drei Meter hoch.

Von der Decke hingen Flaggen. Alea und Lennox gingen mit bedächtigen Schritten unter ihnen hindurch. Auf den Flaggen befanden sich Wappen und Symbole, die Alea nicht kannte. Aber Moment, dort! Auf einem Banner war das Gesicht einer Isibelle zu sehen! Zwischen flussblauen Wellen blickte sie mit ausuferndem Wolkenhaar und übergroßen Augen zu ihnen herab.

»Das ist eine Isibelle«, erklärte Alea Lennox aufgeregt. »Das hier sind bestimmt die Flaggen aller Magischen!«

»Und die der Landgänger.« Lennox wies auf ein schwarz-blaues Banner, auf dem ein Mann seine Hand ausstreckte. Er war ohne Frage ein Landgänger, denn er hatte keine Knubbel zwischen den Fingern. »Da drüben sind auch Fahnen von Meermenschen«, fügte Lennox hinzu. »Ich glaube, das hier sind wahrscheinlich die Flaggen von … allen.«

Fasziniert gingen sie weiter. Auf manchen Bannern prangten lediglich Zeichen und Ornamente, aber auf vielen waren auch Lebewesen abgebildet, und einige davon sahen aus wie aus einem Märchen. »Das sind Magische, die wir noch nicht kennen«, flüsterte Alea und fragte sich, ob diese Wesen wohl noch in den Meeren lebten. Aber dann fiel ihr ein, dass die Krankheit im Wasser die Magischen ja offenbar nicht betraf. Bestimmt gab es sie also noch!

Alea blieb kurz stehen. Auf dem Banner über ihnen war eine Finde-Finja zu sehen – das Korallenkrakenbäumchen wedelte mit seinen tausendäugigen Ärmchen durch das Wasser. Alea lächelte. Sie alle hatten ihre eigene Flagge und damit einen gleichwertigen Platz – Meermenschen, Landgänger und Magische.

Gleich darauf hielt Alea abermals an, denn neben sich hörte sie Lennox verblüfft nach Luft schnappen. Auf dem Banner über ihnen war eine Meerjungfrau abgebildet! Eine Meerjungfrau, wie Alea sie sich früher immer vorgestellt hatte: mit dem Oberkörper einer Frau und dem Unterkörper eines Fischs.

»Es gibt sie wirklich …«, flüsterte Alea ungläubig. »Sie hat einen Fischschwanz!« Das sah Lennox bestimmt selbst, aber sie konnte es einfach nicht fassen.

Das Gesicht der Meerjungfrau war das einer alten Frau, verrunzelt und fahl, und ihr langes graues Haar säuselte wie ein dünner Schweif in der Strömung.

»Das ist eine Nixe«, erklang eine Stimme hinter ihnen.

Alea und Lennox fuhren herum.

Vor ihnen stand eine Frau in einem weißen Gewand. Sie hatte blondes Haar und seltsam durchsichtige Haut, die wie vertrocknet wirkte. Aber das Lächeln der Frau war herzlich und warm. »Die Nixen sind ein sehr altes magisches Volk«, erklärte sie in Wassersprache. »Deswegen sehen sie den Großteil ihres Lebens auch so aus.« Sie deutete auf das runzelige Antlitz. »Das Volk der Kobolde oder das der Isibellen ist hingegen viel jünger. Falls ihr ihnen einmal begegnen solltet, werdet ihr feststellen, dass die meisten von ihnen eher jung wirken«, fügte sie mit einem Schmunzeln hinzu.

»Wer sind Sie?«, fragte Alea atemlos, und ihr Blick wanderte zu den Händen der Fremden. Die Knubbel zwischen ihren Fingern waren unverkennbar. »Sie sind eine Meerfrau!«

»Ja, das bin ich«, bestätigte die Frau. »Mein Name ist Artama. Ich heiße euch herzlich willkommen in Rach Turana.«

»Ich bin Alea«, stellte Alea sich mit klopfendem Herzen vor. »Und das ist Lennox.«

Artama neigte leicht den Kopf. »Ihr seid die Ersten, die kommen. Hat euch eins der Schüttelgläser hergeführt?« Alea und Lennox nickten, während sie Artama gebannt anstarrten. Sie wirkte alterslos, würdevoll, und ihr blasses, freundliches Gesicht war von einer Aura der Ruhe und Weisheit umgeben.

»Kommt, setzt euch«, lud Artama sie ein und wies auf den riesenhaften, ovalen Tisch. Drei Gefäße mit dampfendem Inhalt und zwei Teller mit etwas, das wie gerollte Blätter aussah, warteten vor Stühlen, die von der Größe her für Menschen gemacht zu sein schienen.

Alea und Lennox folgten Artama und nahmen Platz.

»Trinkt den Tee, bevor er kalt wird«, riet Artama ihnen mit einem Augenzwinkern und schob ihnen zwei der Gefäße zu. »Und esst ein wenig. Ihr seht hungrig aus!«

Alea war eigentlich viel zu aufgeregt, aber sie nippte dennoch kurz am Tee und biss in eines der Blätterröllchen. Es schmeckte köstlich, ein wenig nach Algen und würzigem Tang.

Lennox trank ebenfalls nur kurz. Auch er schien sich nicht mit Nebensächlichkeiten aufhalten zu wollen. Hier war jemand, der ihnen anscheinend alles erklären konnte!

»Bitte sagen Sie uns, wer wir sind«, bat Alea aufgeregt.

»Ja, gern«, antwortete Artama. »Wisst ihr, ich bin dazu da, euch alles zu erklären. Seit elf Jahren warte ich hier in Rach Turana, immer in der Hoffnung, dass eines der

Kinder zu mir findet. Und nun kommen gleich zwei auf einmal!«

Lennox sog geräuschvoll die Luft ein, und es klang, als hätte er zuvor vergessen, zu atmen.

Artama betrachtete Alea mit warmem Blick. »Du bist eine Walwanderin.«

Das Wort schwappte wie eine Welle in Alea hinein. Ihr wurde ganz schwindelig, und sie musste sich an der Stuhllehne festhalten.

»Wie lange habe ich niemanden mehr wie dich gesehen …« Artamas Stimme klang wehmütig.

»Ich bin eine … was?«, presste Alea hervor.

»Eine Walwanderin«, wiederholte Artama. »Du gehörst dem Stamm der Walwanderer an. Das erkenne ich an deinen Augen. Du siehst die Farben des Meeres, nicht wahr?«

Alea konnte nur nicken.

»Die Walwanderer waren ein starker Stamm, der die Wale auf ihren Reisen durch die Ozeane begleitete«, erklärte Artama. »So wie andere Wanderer, Delfin- oder Lachswanderer etwa, hatten Walwanderer spezielle Fähigkeiten, die ihnen bei ihrer Aufgabe halfen.«

»Ah«, hauchte Alea.

»Die Gabe, im Wasser lesen zu können, machte die Wanderer nicht nur zu hervorragenden Fährtenlesern«, ergänzte Artama. »Sie war für sie und die Wale vielmehr überlebenswichtig, denn nur so konnten sie Informationen über ihre Umgebung und über die Absichten der Wesen erhalten, die ihnen begegneten. Die Wanderer führten die Wale also nicht nur an, sondern schützten sie auch vor Gefahren«, sagte Artama und fügte mit einem Stirnrunzeln hinzu: »Seit es die Wanderer nicht mehr gibt, sind unzählige Tiere an den Küsten gestrandet und hilflos verendet.«

Alea erinnerte sich schmerzhaft an den Wal in Renesse – den Wal mit der herzförmigen Narbe, der tot am Strand gelegen hatte. Damals hatte sie ganz deutlich gespürt, dass es ihre Aufgabe gewesen wäre, auf ihn aufzupassen.

Artama sprach weiter. Ihre Stimme war einnehmend sanft und ließ vor Aleas innerem Auge immer mehr Bilder entstehen. »Walwanderer konnten zudem geheime Botschaften an andere Wanderer im Wasser verschicken oder auch sämtliche Magische zu Hilfe rufen, die sich in ihrer Nähe befanden. Solch einen Hilferuf nannte man Zavana Ravanda.« Artama lachte in sich hinein. »Ich habe mir als Kind immer gewünscht, diese Gabe zu besitzen, aber sie war nur den Wanderern geschenkt. Die Wanderer waren nicht sesshaft und begegneten auf ihren Reisen vielen Gefahren. Aus diesem Grund brauchten sie diese Fähigkeiten nötiger als wir anderen.«

Artama machte eine Pause und trank von ihrem Tee. Dann wandte sie sich Lennox zu, der den Rücken straffte. »Du bist ein Oblivion«, sagte sie. »Aber kein vollständiger, oder?«

Lennox schüttelte wie in Zeitlupe den Kopf. »Ich bin kein richtiger ... Also ... mein Vater ist wahrscheinlich ein Landgänger«, stotterte er.

»Deswegen keine Schwimmhäute und Kiemen, hm.«
Artama betrachtete Lennox' Hände, dann wieder sein
Gesicht. »Deine Augen scheinen allerdings voll funk-
tionsfähig zu sein, nicht wahr?«

»Ich … glaube, ja.«

»Was ist ein Oblivion?«, hakte Alea nach.

Artama lehnte sich zurück. »Ich sollte von vorn anfangen und nicht alles durcheinanderbringen.« Sie nahm
einen weiteren Schluck Tee und schien zu überlegen, wo
sie beginnen sollte. »Ihr befindet euch hier im einstigen
Regierungssitz unserer Welt. Rach Turana liegt unter
einer mit Sauerstoff gefüllten Glaskuppel, da sich hier
vor Hunderten von Jahren Meermenschen und Magische mit Landgängern trafen, um wichtige Abkommen
zu verhandeln. Die Flaggen stammen aus dieser Zeit.« Sie
wies auf die Banner. »Damals benutzten wir den Lufttunnel, um Landgängern den sicheren Zugang zur Kuppel
zu ermöglichen«, fügte sie gedankenvoll hinzu. »Heute
müssen die Meermenschen selbst vor dem Wasser geschützt werden …« Artama schüttelte den Kopf. »Es ist
sehr lange her, dass sich hier die Stämme und Völker trafen. Wie ihr seht, ist außer mir kein Meermensch mehr
da.«

»Die Landgänger *wussten* von den Meermenschen?«,
fragte Lennox.

»Vor langer Zeit, ja«, erwiderte Artama. »Seit Anbeginn
der Welt gab es sowohl Menschen und Magische an Land
als auch Menschen und Magische im Meer. Die Aufgabe

der Meermenschen war es, sich um das Gedeihen und die Gesundheit der Gewässer zu kümmern, mit allem, was sich darin befindet – Tiere, Pflanzen und Magische.« Sie wartete einen kurzen Augenblick, bevor sie fortfuhr. »Die Landgänger wiederum waren die Hüter der Landwelt. Sie waren verantwortlich für das Wohlbefinden und den Fortbestand der Pflanzen an Land, für die Wälder, Bergwelten und Landtiere.«

Alea und Lennox hörten ihr konzentriert zu.

»Lange Zeit bestand ein reger Austausch zwischen Landgängern, Meermenschen und allen Magischen«, fuhr Artama fort. »Im Laufe der Jahrtausende erfüllten die Landgänger ihre Aufgabe jedoch immer weniger. Sie kümmerten sich nicht mehr um die Natur, lebten nicht mehr im Einklang mit ihr, sondern beuteten sie aus.« Artama seufzte. »Das Meervolk kritisierte das Verhalten der Landgänger, und es kam zu Auseinandersetzungen. Vor ein paar Jahrhunderten schließlich wäre beinahe ein Krieg ausgebrochen – ein Krieg, der vermutlich beide Welten zerstört hätte.«

Lennox ergriff wieder das Wort. »Das konnte aber verhindert werden?«

»Ja, und zwar einzig und allein durch die Oblivionen«, antwortete Artama.

Lennox bekam große Augen. »Wie?«

»Es gab damals eine Meerfamilie mit einer außergewöhnlichen Gabe«, erklärte Artama. »Die Mitglieder dieser Familie konnten dafür sorgen, dass Landgänger

Dinge vergaßen – wie die Tatsache, dass sie einem Meermenschen oder einem Magischen begegnet waren.«

Lennox hing Artama regelrecht an den Lippen.

»Es war eine sehr wertvolle Gabe«, betonte Artama. »Die Erinnerung der Landgänger an die Meermenschen wurde durch diese Familie und ihre Nachkommen komplett ausgelöscht.«

Lennox runzelte die Stirn, nickte aber.

»Die Erinnerung der Landgänger zu löschen, war leider der einzige Weg«, sagte Artama. »Zwar hieß das, alle Verbindungen und jeden Kontakt mit unseren Menschengeschwistern zu beenden. Aber sich gänzlich abzuschotten, war die einzige Möglichkeit, in Frieden weiterzuleben.« Artamas Blick war nach innen gerichtet. »Es dauerte viele Generationen, aber letztlich war es geschehen: Die Landgänger hatten die Meermenschen vollständig vergessen, und von da an existierten nur noch Märchen und Sagen über unser Volk, an deren Wahrheitsgehalt an Land niemand mehr glaubte.«

Artama starrte ins Leere, und Alea und Lennox wagten es nicht, etwas zu sagen.

Doch schließlich blinzelte Artama und schaute wieder auf. »Die Meerfamilie mit der Vergessensgabe war inzwischen zu einem wichtigen Stamm innerhalb der Meergemeinschaft herangewachsen – zu den Oblivionen«, sprach sie an Lennox gerichtet weiter. »Es war ihre Aufgabe geworden, die Meerwesen und die Magischen vor den Landgängern zu schützen. Dafür waren sie wie geschaffen, denn Oblivionen wurden meist übersehen. Wenn sie jemanden abschirmten oder etwas durch Skorpionfische tarnen ließen, wurden sie fast nie entdeckt. Falls aber einmal etwas schiefging, sorgten sie dafür, dass ein Landgänger vergaß, was er gesehen hatte.«

»Oblivionen können das aber nur bei Landgängern?«, fragte Alea. »Sie können andere Meermenschen nichts vergessen lassen?«

»Nein«, entgegnete Artama. »Das können sie nicht.« Sie lächelte Lennox an. »Ein Oblivion zu sein, bedeutet, andere zu beschützen. Spürst du das in dir?«

»Ja«, erwiderte Lennox ohne Zögern.

»Dann bist du ein *richtiger* Oblivion«, sagte Artama.

Alea konnte sehen, dass ihn diese Worte berührten.

»Die Wanderer waren diejenigen, die sich auf ihren Reisen den größten Gefahren aussetzten«, erzählte Artama weiter. »Deswegen brauchten sie den Schutz der Oblivionen auch am dringendsten. Wanderer und Oblivionen waren also meist nicht weit voneinander entfernt zu finden. Es gab früher zahlreiche Wanderer- und Oblivionen-Clans, die sich fest zusammenschlossen und stets gemeinsam auf Trosk gingen.«

Alea wunderte sich über das eigenartige Wort, aber Artama sprach schon weiter. Sie zwinkerte sogar. »Viele Meermenschen waren zur Hälfte Wanderer und zur anderen Hälfte Oblivion.«

»Bin ich vielleicht auch … zu einem Teil … ein Wanderer?«, fragte Lennox langsam, als wollte er die Antwort auf diese Frage eigentlich gar nicht hören.

Aleas Finger krallten sich um die Stuhllehne, an der sie sich noch immer festhielt. »Könnte es sein, dass wir dieselbe Mutter haben?«, brachte sie erstickt hervor.

Artama wirkte überrascht. »Ihr wollt wissen, ob ihr miteinander verwandt seid?«

Alea und Lennox nickten sachte.

Artama musterte sie noch einmal eingehend. »Bei dir« – sie schaute Alea an – »bin ich mir absolut sicher, dass du eine vollständige Wanderin bist. In dir fließt kein Oblivionblut. Wenn dem so wäre, müssten deine Augen einen Blauanteil haben, aber sie sind gänzlich klargrün, und Klargrün ist die Farbe der Wanderer.« Ihr Blick ruhte nun auf Lennox. »Bei dir hingegen ist es etwas schwieriger. Die Blautönung deiner Augen ist hundertprozentig die eines Oblivion«, sagte Artama, die selbst blaue Augen hatte. Doch ihre waren eher blassblau und dem stählernen Azurblau von Lennox recht unähnlich. »Aber zu einem Teil musst du auch Landgänger sein, denn du hast ja Landgängerhände«, fügte Artama hinzu. »In dir vermischen sich offenbar zwei Welten«, sagte sie und lächelte.

Alea und Lennox starrten Artama bewegungslos an.

»Heißt das, wir können keine Geschwister sein?«, krächzte Alea. Ihre Kehle fühlte sich rau an und pochte. Oder lag das daran, dass ihr Herz gerade wie verrückt schlug?

Artama lächelte. »Ja, ich bin mir sicher, dass ihr nicht miteinander verwandt seid.«

Lennox sackte zusammen. Sein Kopf sank herab, als fiele eine bleischwere Last von ihm ab.

Alea hingegen saß wie versteinert da. Sie konnte Artama nur anstieren. In ihrem Kopf wiederholte sich indessen in Dauerschleife: *Er ist nicht mein Bruder. – Er ist nicht mein Bruder. – Er ist nicht mein Bruder.* Dann flüsterte sie: »Du bist nicht mein Bruder.«

Lennox fuhr hoch und lachte sie mit einer Mischung aus Erleichterung und übersprudelnder Freude an. »Ich bin nicht dein Bruder!«, rief er, und die Intensität seines Blicks fuhr Alea durch Mark und Bein.

Artama räusperte sich. »Die Gedichte und Lieder der Meermenschen sind voll von Liebesgeschichten zwischen Wanderern und Oblivionen«, erklärte sie amüsiert. »Am besten lasse ich euch einen kurzen Augenblick allein.« Sie erhob sich, verschränkte die Hände auf dem Rücken und entfernte sich gemessenen Schrittes.

Lennox fuhr sich durch die Haare. »Wir sind ... Wir können ...«, stammelte er und schien seine Aufgewühltheit gar nicht überspielen zu wollen. »Ich ...« Er lachte. »Ich bin unglaublich froh.«

Alea lachte ebenfalls, so zittrig und aufgelöst, dass es ihr hätte peinlich sein können. Aber es war ihr egal. »Ich bin auch froh.«

Lennox nahm ihre Hände. »Weißt du ...«

»Was?«, fragte sie leise.

287

»Ich wäre gern dein Freund«, sagte er.

Aleas Herz schlug so wild, dass es fast wehtat.

»*Boyfriend, not friend*«, fügte Lennox mit einem kleinen Grinsen hinzu, und diesen Unterschied verstand Alea ganz genau. Sie wollte auch, dass er nicht nur *ein* Freund war, sondern *ihr* Freund.

»Ja«, erwiderte sie. »Ich wäre auch gern deine Freundin. *Your girlfriend.*«

Ein wunderschönes Lächeln erschien auf Lennox' Gesicht.

Alea strahlte glücklich zurück. Sie konnte noch gar nicht fassen, dass sie ihrem Herzen endlich erlauben durfte, zu fühlen, was es fühlte. Und das war rosarot.

Elvarion

Eine Zeit lang saßen Alea und Lennox einfach nur da, hielten sich an den Händen und lächelten einander sprachlos und glücklich an. Schließlich kehrte Artama zu ihnen zurück und setzte sich wieder. »Ich freue mich, dass ihr euch so nahesteht«, sagte sie freundlich. »Ich weiß nicht, wie viele der Meerkinder überlebt haben, und es ist schön, zu sehen, dass ihr beide euch zusammenschließt.« Sie richtete ihr Gewand, dessen langes Ende über ihre linke Schulter geschlagen war. »Was möchtet ihr noch von mir erfahren?«

»Alles!«, rief Alea, und Artama lachte. Schnell überlegte Alea. Sie hatte noch so viele Fragen! »Welche Stämme gab es neben den Wanderern und Oblivionen noch im Meer?«

»Dutzende!«, antwortete Artama. »Ich selbst gehöre den Kendarern an, den Geschichtenbewahrern«, erklärte sie nicht ohne Stolz. »Wir können zwar weder in den Farben des Meeres lesen noch jemanden etwas vergessen lassen, aber wir haben andere Fähigkeiten – ganz wunderbare, wie ich finde!«, sagte sie. »Wir können uns sehr leicht Erzählungen merken und diese wortwörtlich wiedergeben. Außerdem sind wir mit Stimmen gesegnet, die eine fesselnde Kraft besitzen.«

Das konnte Alea nur bestätigen. Artamas Stimme war regelrecht hypnotisierend.

»Es gab so viele Stämme«, fuhr Artama fort. »Zum Beispiel die Roix, unsere Heiler. Sie waren mit der Gabe ausgestattet, Krankheiten auf einen Blick zu erkennen. Oder die Zalti, unsere Bauern, gesegnet mit großer Körperkraft. Dann die Marmullas. Oder die Darkoner ...« Artama stockte, und ihr Gesichtsausdruck verfinsterte sich. »Es gab so viele. Und nun sind sie alle fort.« Ihr Blick wurde wieder starr. »Die Meermenschen sind so gut wie ausgerottet.«

»Warum?«, fragte Alea und bekam eine Gänsehaut. Das war *die* Frage.

»Es geschah vor elf Jahren. Im Nordatlantik gab es damals plötzlich mehrere dramatische Todesfälle. Vor Island hatte ein Fieber eine Darkonerfamilie ergriffen, und ihre Mitglieder starben innerhalb weniger Tage. Unsere Heiler, die Roix, standen vor einem Rätsel. Sie konnten die Ursache des Fiebers nicht feststellen.« Artamas Stimme beschwor die dunklen Ereignisse jener Tage herauf, und es war, als könnte man sie in der Luft spüren. »Das Fieber breitete sich aus und befiel innerhalb kürzester Zeit sämtliche Meermenschenstämme des Nordatlantiks und der angrenzenden Gewässer. Die Betroffenen bekamen zuerst schreckliche Kopfschmerzen, dann

Schüttelfrost, dann hohes Fieber, und wenige Tage später waren sie tot.«

»Und die Magischen?«, warf Alea aufgeregt ein.

»Die Magischen verzeichneten keinerlei Ansteckungen, ebenso wenig schienen die Landgänger krank zu werden. Doch unter den Meermenschen wuchs das Fieber zu einer verheerenden Epidemie heran. Viel zu schnell griff es auf andere Meere über, auf die Flüsse und Seen der Kontinente. Durch die Botschaften der Wanderer erfuhren wir, dass das Fieber sich bald bis zur Südsee, zum Pazifik und sogar bis zur Antarktis ausgebreitet hatte. Die Roix kämpften mit allen ihnen bekannten Mitteln gegen die Krankheit an, aber sie fanden lediglich heraus, dass ein bestimmtes Kraut die Symptome lindern konnte.«

»Rotfarn?«, hakte Alea sofort nach.

»Du hast von Rofus gehört?«, fragte Artama erstaunt.

»Und du nennst ihn *Rotfarn*? Aber ja, das passt«, sagte sie.

»Rofus konnte das Fieber nicht heilen, aber er verlangsamte den Krankheitsverlauf. Sobald dies bekannt wurde, baute niemand mehr etwas anderes in seinen Beeten an. Aber dennoch half es nicht viel, denn die Meermenschen starben schneller, als der Rofus wachsen konnte. Tausende ließen ihr Leben, und es wurden immer mehr.« Auf Artamas Gesicht spiegelte sich die Verzweiflung, die das Meervolk damals empfunden haben musste. »Es gab zu jener Zeit einen Mann«, fuhr sie fort. »Er war zur Hälfte Roix und zur anderen Hälfte Landgänger, und er lebte in beiden Welten, was sehr selten war. Er fand heraus, dass die Epidemie durch einen Virus ausgelöst worden war. Einen Virus, der im Wasser übertragen wurde und sich in stark verschmutzten Regionen schneller verbreitete als in Klarwassergebieten.«

Alea musste an den Ärmelkanal denken. Die Krankheit hatte dort bestimmt leichtes Spiel gehabt.

»Er fand außerdem heraus, dass der Virus bei einer Wassertemperatur von über fünfunddreißig Grad unschädlich wurde«, erklärte Artama.

Alea hob überrascht die Brauen und warf Lennox einen vielsagenden Blick zu. Der Virus wurde im warmen Wasser unschädlich? Natürlich! Deswegen war nur kaltes Wasser gefährlich! Deswegen bekam Lennox vom Regen Fieber – aber wenn man das Wasser erwärmte, machte es ihm nichts mehr aus.

Artama sprach schon weiter. »Leider erreichten die Ozeane, Seen und Flüsse, in denen wir lebten, aber niemals Temperaturen von über fünfunddreißig Grad.« Sie seufzte. »Damals flüchteten einige Meermenschen, die noch nicht infiziert waren, an Land. Sie sagten dem Meer für immer Lebewohl und lebten fortan unerkannt unter Landgängern.«

»Waren das viele?«, fragte Lennox.

»Ich kenne keine genauen Zahlen. Aber, ehrlich gesagt, bezweifle ich, dass es viele waren. Es blieb kaum Zeit zur Flucht, und der Virus war für Erwachsene enorm ansteckend.«

»Für Erwachsene?«

»Ja, Kinder steckten sich erstaunlicherweise weniger leicht mit dem Virus an als Erwachsene«, sagte Artama. »Meist waren sie die Letzten in einer Familie, die krank wurden.«

Lennox fragte: »Heißt das … Kinder hatten größere Überlebenschancen als ihre Eltern?«

»Genau das heißt es«, bestätigte Artama. »Viele Eltern, die bereits infiziert waren, brachten ihre Kinder damals auf das Festland.«

Alea fröstelte.

»Sie hatten die Hoffnung, dass ihre Kinder sich noch nicht angesteckt hatten und an Land überleben würden. Ich habe von fürchterlichen, herzzerreißenden Szenen gehört, bei denen Eltern ihr Kind wildfremden Landgängern übergaben und sie verzweifelt baten, es bei sich aufzunehmen.«

Alea stiegen Tränen in die Augen.

»Sie wussten, dass sie selbst sterben würden und ihre Kinder im Meer nicht überleben konnten«, setzte Artama betroffen hinzu. »Ein Leben an Land war für die Meerkinder der einzige Ausweg.«

Leise schluchzte Alea auf.

Artama legte ihre Hand auf Aleas, und ihre Stimme war voller Mitgefühl. »Die meisten dieser verzweifelten Eltern erzählten den Landgängern, dass ihr Kind eine Allergie gegen kaltes Wasser hätte. Irgendjemand hatte zuvor herausgefunden, dass es an Land eine Krankheit namens *Kälteurtikaria* gab, und diese Information verbreitete sich wie

ein Lauffeuer. Natürlich wusste niemand, wie effektiv diese Geschichte die Meerkinder wirklich vor dem verseuchten Wasser schützen würde. Man war auch unsicher, ob die Hautfalten zwischen den Fingern und Zehen der Kinder die Landgänger nicht stutzig machen würden. Aber die Meereltern hatten damals keine andere Wahl …«

Alea konnte ihr Schluchzen kaum noch unterdrücken. Sie wusste jetzt, dass ihre Mutter tot sein musste. Bestimmt war sie infiziert gewesen und hatte Alea in Renesse mit dem Mut der Verzweiflung in Mariannes Arme gedrückt. Und am selben Tag hatte sie noch ein zweites Kind einer fremden Landgängerin übergeben. Ein Kind, das mit großer Sicherheit Aleas Bruder oder Schwester war. Alea presste die Lider aufeinander. Trotz aller Trauer und trotz allen Schmerzes verspürte sie in diesem Moment dennoch haltlose Erleichterung darüber, dass dieses Kind nicht Lennox sein konnte.

»Bist du auch zu einem Landgänger gebracht worden?«, fragte Artama Alea behutsam.

»Ja.« Alea berichtete Artama nun die wenigen Details, die sie über ihre leibliche Mutter wusste. Dann erzählte sie ihr von Marianne und wie sie ihr geholfen hatte, sich vom Wasser fernzuhalten. Schließlich, wie sie auf die Alpha Cru gestoßen war. Artama lauschte ihren Worten in stiller Aufmerksamkeit. Als Alea jedoch die *Crucis* erwähnte, fragte sie entsetzt: »Du bist auf ein Schiff gegangen? Das war wirklich leichtsinnig! Du hättest jederzeit nass werden können!«

»Ich bin sogar ins Wasser gefallen«, gestand Alea.

Artamas Augen weiteten sich. »Wie bitte?«

»Bei einem Sturm bin ich über Bord gegangen. Dadurch habe ich mich zum ersten Mal verwandelt.«

Artama starrte Alea entgeistert an. »Und du lebst noch? Du bist nicht krank geworden?«

Alea schüttelte den Kopf. »Nein, ich war seitdem sogar regelmäßig schwimmen. Ich habe im Wasser keinerlei Probleme.«

»Das ... ist unglaublich«, sagte Artama verwirrt. »Mittlerweile ist der Virus doch sogar noch aggressiver als vor elf Jahren! Die zunehmende Meeresverschmutzung hat ihn intensiviert. Wenn ein Meermensch jetzt ins Wasser fällt, ist er binnen Stunden tot, nicht innerhalb von Tagen, wie früher. Das wurde mir erst letzten Monat von einer Nixe berichtet. Wie kann es sein, dass du ...«

»Ich bin wohl irgendwie ... immun«, sagte Alea.

In Artamas Augen flackerte es.

»Alea ist etwas Besonderes«, klinkte Lennox sich ein. »Nicht nur, dass der Virus ihr nichts ausmacht – manchmal überkommt sie auch so eine Art ... Notfallstärke.«

Artama wurde blass. »Was?«

»In Notsituationen werde ich irgendwie stark«, versuchte Alea, zu erklären. »Und diese Stärke hilft mir, eine brenzlige Lage zu überblicken und schnell eine Lösung zu finden.«

Artama wirkte auf einmal sehr aufgeregt. »Das ist doch nicht zu fassen!«, rief sie. »Du bist eine Elvarion!«

Alea zog fragend die Brauen zusammen.

»Eine Elvarion!« Artama lachte und erklärte:»In jeder Generation wurde eine Handvoll Kinder geboren, die dazu bestimmt waren, die anderen anzuführen. Diese Kinder spürten den Ruf oft schon sehr früh in sich, und in den allermeisten Fällen saßen sie später im Rat von Rach Turana.« Artama lächelte Alea berührt an. »Dass ausgerechnet eine Elvarion überlebt hat, ist ein regelrechtes Wunder.«

»Glauben Sie an Schicksal?«, fragte Lennox, während Alea nur dasaß und zu verarbeiten versuchte, was sie hörte.

»Natürlich glaube ich an Schicksal«, gab Artama zurück. »Es war doch bestimmt auch kein Zufall, dass ihr beide euch begegnet seid, nicht wahr?«

»Bestimmt nicht.« Lennox erzählte Artama nun, wie er und Alea sich kennengelernt hatten, wie er auf der *Crucis* ein neues Zuhause gefunden hatte, wie sie Zeugen beim Abladen von Chemiemüll geworden waren und wie –

»Augenblick mal!«, unterbrach ihn Artama. »Willst du damit sagen, dass du ebenfalls im Meer warst? Bist du etwa auch immun?«

»Nein, aber bei mir sind die Auswirkungen nicht so heftig«, antwortete Lennox. »Ich bin schon früher mehrmals mit kaltem Wasser in Berührung gekommen und habe danach immer lange krank im Bett gelegen, aber ich bin jedes Mal wieder gesund geworden.«

Artama wirkte verblüfft. »Wenn du nicht auch Landgängerblut in dir hättest, hätte dich der Virus wahrscheinlich schon längst umgebracht.«

Alea horchte auf. Das ergab Sinn. Der Virus hatte Lennox nicht getötet, weil Lennox zur Hälfte Landgänger war.

»Wir haben herausgefunden, dass Rotfarn ... ähm, *Rofus* ... auch vorbeugend hilft«, erklärte Lennox Artama gerade. »Wenn ich morgens einen Becher Rotfarntee trinke, kann ich mich im kalten Wasser aufhalten, ohne Symptome zu bekommen.«

»Das ist hochinteressant«, fand Artama. »Allerdings funktioniert das gewiss nur bei einem halben Landgänger. Einen Meermenschen kann man durch Rofus nicht vor den Auswirkungen des Virus bewahren.« Sie schüttelte vehement den Kopf. »Wenn dem so wäre, könnten die Überlebenden ins Meer zurückkehren – Rofusfelder gibt es dort noch zuhauf, wie mir die Magischen berichten. Aber so einfach ist es leider nicht.«

Alea und Lennox schwiegen nachdenklich. Sie hatten so viel gehört, dass Alea am liebsten um eine Pause gebeten hätte, um in ihrem Kopf alles sortieren zu können. Andererseits hatte sie noch Fragen, und die wollte sie gern loswerden. »Wie viele Magische gibt es?«

Artama lachte. »Oh, viele! Kobolde, Helmse, Jarias ...«, rief sie und wurde dann plötzlich wieder ernst. »Für die Magischen war der Tod des Meervolks eine Katastrophe. Sie hatten zuvor eng mit uns zusammengelebt. Doch seit die Meermenschen verschwunden sind, droht das gesamte Meergefüge zusammenzubrechen, denn ihre Aufgaben bleiben nun unerfüllt. Niemand kämmt mehr die Strömungen, niemand versengt mehr den Abfall, niemand bündelt mehr das Eis –«

»Den Abfall versengen?«, fiel Lennox ihr ins Wort.

Alea wunderte sich eher über *Strömungen kämmen*, aber *Abfall versengen* war durchaus auch eine Nachfrage wert.

»Ja, einer unserer Stämme – die Brim – war darauf spezialisiert, Landgängerabfall einzusammeln und mithilfe von Sengbohnen zu beseitigen.«

Alea und Lennox blickten Artama fragend an.

»Wie kann ich das erklären?« Artama legte die Stirn in Falten. »Sengbohnen produzieren so etwas wie flüssiges Feuer, das große Mengen von Unrat vernichten kann.«

»Die Feuerkartoffel!«, rief Alea.

»Die was?«, wunderte sich Artama, und Alea erzählte ihr von der »Marzipankartoffel«, die sie in der Unterwasserruine entdeckt, mitgenommen und später zum Wasseraufwärmen benutzt hatte. »Ich dachte, die Meermenschen hätten dieses Ding benutzt, um Essen zu kochen!«

»Nein, wir Meermenschen ernähren uns ausschließlich von Rohkost.« Artama schüttelte den Kopf. »Ihr habt großes Glück gehabt, dass ihr die Bohne nicht länger habt sengen lassen – sonst hätte sich alles, worauf ihr Feuer gerichtet war, in Nichts aufgelöst.«

Lennox und Alea tauschten einen beunruhigten Blick. Sie waren viel zu unvorsichtig gewesen!

»Diese Ruine, in der ich war, das war also ein Haus der Brim?«, fragte Alea.

»Nein, so, wie du es beschreibst, klingt es nach einer ganz normalen Siedlung der Zalti«, entgegnete Artama. »Ein Bauerndorf. Aber es ist nicht verwunderlich, dass du dort eine Sengbohne gefunden hast. Wahrscheinlich war sie nicht groß?«

Alea formte mit zwei Fingern einen marzipankartoffelgroßen Kreis.

Artama nickte. »Diese kleinen Bohnen wurden von allen Stämmen im ganz normalen Alltag benutzt, um Abfall zu entsorgen«, erläuterte sie. »Dass man sie an Land zum Erhitzen von Wasser einsetzen kann, ist mir neu – aber ich lerne gern dazu.«

»Und die Brim haben damit die Müllmassen beseitigt?«, wollte Lennox wissen.

»Mit großen Sengbohnen konnten sie riesige Mengen an Abfall vernichten und waren so in der Lage, den Müll der Landgänger unter Kontrolle zu halten, ja«, erwiderte Artama. »Die Körper der Brim waren so beschaffen, dass sie enorme Hitze aushalten konnten. Nur so waren sie imstande, diese Aufgabe zu erfüllen.« Sie seufzte abermals. »Nach dem Verschwinden der Brim haben mehrere magische Völker versucht, das Abfallproblem in den Griff zu bekommen, aber keines war erfolgreich.«

Und der Müll verpestet ungehindert die Ozeane, fügte Alea in Gedanken hinzu.

»Dennoch haben wir es allein den Magischen zu verdanken, dass die Meere überhaupt noch lebendig sind«, fuhr Artama fort. »Die Skorpionfische haben zum Beispiel Aufgaben der Oblivionen übernommen. Sie tarnen die Spuren und Relikte der Meermenschen – Bauten, Gerätschaften, ganze Städte! – und schützen sie vor Entdeckung.«

»Sie haben auch das Dorf getarnt, in dem ich war!«, rief Alea. »Aber ich dachte, diese Fische wären nicht magisch. Unser Skipper Ben kannte sie, und ich glaube, man kann Skorpionfische auch in einem ganz normalen Lexikon finden.«

Artama schmunzelte. »Die Skorpionfische sind die einzigen Magischen, die den Landgängern heutzutage bekannt sind. Sie werden von ihnen aber in keiner Weise als magisch wahrgenommen – und das, würde ich sagen, vollbringen nur wahre Meister der Tarnung«, erklärte sie mit offener Bewunderung.

»Existieren noch andere magische Fische?«, fragte Alea.

»Nicht direkt. Es gibt jedoch zahllose Magische, die Tiergestalt haben.«

»Seepferde?«, hakte Lennox nach.

Artama schaute ihn überlegend an. »Oh, meinst du die Tasfaren? Große Pferde mit Schwingflossen?«

»Ja!«, riefen Alea und Lennox.

Artama lächelte überrascht. »Die Tasfaren sind sehr scheu – sogar noch scheuer als die Isibellen. Wenn ihr schon einmal einem Tasfaren begegnet seid, könnt ihr euch glücklich schätzen. Sie kommen in der Regel nur, wenn man das *Lied der Tasfaren* singt ...«

Artama ließ ihre Worte einen Augenblick lang im Raum stehen, und Alea fragte sich, ob sie nach diesem Lied, nach weiteren Magischen oder weiteren Meermenschenstämmen fragen sollte. In ihrem Kopf drehte sich alles, und sie hatte das Gefühl, zusätzliche Namen und Erklärungen gar nicht mehr aufnehmen zu können.

Lennox stellte jedoch noch eine Frage. »Wie sind Sie eigentlich hierhergekommen?«, wollte er von Artama wissen.

Artama antwortete bereitwillig. »Ich lebe schon fast mein ganzes Leben lang als Beraterin und Erzählerin in Rach Turana«, erklärte sie. »Wie ihr euch sicher vorstellen könnt, hat der Virus uns hier unter dieser Sauerstoffkuppel weniger schnell niedergestreckt als die Brüder und Schwestern in den freien Gewässern. Wir Bewohner von Rach Turana gingen nicht täglich ins Wasser, da wir unser Leben hier in dieser Stadt eingerichtet hatten. Aber natürlich verspürt jeder Meermensch Sehnsucht nach dem Wasser, und so blieben nicht alle verschont ...« Sie seufzte wehmütig. »Ich selbst hatte das Glück, dass ich damals gerade einen zwanzigbändigen Gedichtzyklus auswendig lernte und mehrere Tage lang nicht im Wasser war. Ich habe mich nicht infiziert.« Sie blickte auf ihre vertrocknet wirkenden Hände. »Wir waren dreißig Überlebende hier an diesem Ort, und nach der Katastrophe entwickelten wir einen Plan für die Kinder, die womöglich an Land überleben würden. Wir ließen von den Kobolden ein ganz besonderes Schüttelglas entwerfen, das wir später auf der ganzen Welt in den Spielzeugläden der Landgänger vertreiben wollten. Die anderen Überlebenden hatten sich entschieden, fortan an Land zu leben. Durch den Lufttunnel konnten sie gefahrlos dorthin gelangen. Bald schon besaßen sie die nötigen Kontakte, um ein derartig großes Unterfangen wie unseren Schüttelglasvertrieb in die Wege zu leiten. Die Gläser wurden von den Kobolden hergestellt, zu den Überlebenden an Land gebracht und von dort aus in die ganze Welt transportiert. Ich bin als Einzige in Rach Turana zurückgeblieben, um die Kinder in Empfang zu nehmen – wenn denn welche kommen würden.« In Artamas Tonfall schwang Einsamkeit mit. »Wie ihr gewiss gesehen habt, sind die Gläser mit einer Nachricht in Hajara ausgestattet, und diese kann nur von Meermenschen und Magischen gelesen werden. Wir haben gehofft, dass die Gläser auf wundersamen Wegen zu den Kindern finden würden, die damals an Land gebracht wurden.«

»Wir haben das Glas im Bauch eines Wals gefunden«, sagte Lennox.

Artama lächelte. »Das ist durchaus ein wundersamer Weg, nicht wahr?«

»Und Sie wollten, dass die Kinder herkommen, damit Sie ihnen von dem Virus erzählen können?«, knüpfte Lennox wieder an.

»Es gab mehrere Gründe«, erwiderte Artama. »Natürlich wollten wir die Kinder vor dem Virus warnen. Wir wollten ihnen aber auch von ihrem Volk erzählen und ihnen ihre Herkunft näherbringen. Die Kinder sind das letzte Vermächtnis der Meermenschen. Sie müssen ihre Geschichte kennen«, sagte Artama mit Nachdruck. Das Weitergeben von Wissen war für sie als Kendarerin bestimmt besonders wichtig. »Es gibt aber noch einen Grund.«

»Welchen?«, fragte Lennox.

»Diejenigen, die ihre Kinder damals an Land gebracht hatten, kamen danach hierher nach Rach Turana – vorausgesetzt, sie haben es noch geschafft«, antwortete Artama. »Sie kamen her, um Botschaften für ihre Kinder zu hinterlassen.«

Alea setzte sich kerzengerade auf.

»Das ist der dritte Grund, warum wir die Kinder zu uns gerufen haben«, erklärte Artama. »Hier könnte eine Botschaft ihrer Eltern auf sie warten.«

Alea spürte, wie sich in ihrem Inneren ein heftiges Kribbeln ausbreitete.

»In Rach Turana befindet sich die älteste Bibliothek unserer Welt, in der all unser Wissen aufbewahrt wird«, führte Artama aus. »Jeder Meermensch, ganz gleich, welchen Stammes, wusste, dass dies ein sicherer Ort ist. Ein mächtiges Wesen beschützt uns hier. Nirgendwo sonst sind Botschaften, die über Jahre erhalten bleiben sollen, so gut aufgehoben wie in Rach Turana. Aus diesem Grund kamen die Eltern der Meerkinder her.«

»Und sie haben Briefe geschrieben?«, fragte Lennox, der nun ebenso aufgeregt zu sein schien wie Alea.

»Nein«, entgegnete Artama. »Wir haben bessere Möglichkeiten als Briefe.« Sie erhob sich. »Wollt ihr mir zur Bibliothek folgen? Wir sollten nachsehen, ob eure Eltern etwas für euch hinterlassen haben.«

Alea stand mit butterweichen Knien auf. Sie musste sich am Tisch festhalten und erst einmal tief durchatmen.

Eine Botschaft ihrer Eltern …

Mit kleinen, wankenden Schritten folgte sie der Frau im weißen Gewand gemeinsam mit Lennox zur Bibliothek des Meervolks.

Botschaft aus der Vergangenheit

Artama, Alea und Lennox schritten durch einen angrenzenden Konferenzsaal, in dem sich weitere Tische und Stühle aus weißem Stein befanden, und betraten anschließend eine breite Wendeltreppe, die sie in die Höhe führte. Ein langer, strahlend weißer Gang, von dem zahllose Türen abgingen, endete vor einem imposanten Eingang. Darüber stand in Wasserschrift – in Hajara – geschrieben: *Bibliothek der Stämme*. Artama lächelte Alea und Lennox ermutigend zu und ging mit ihnen hinein.

Sie befanden sich nun in einem gigantischen Raum, in dem man die Jahrhunderte, die er schon existieren musste, regelrecht spüren konnte. Hier war es erstaunlich warm, und Alea erkannte schnell, woher die Wärme kam: Im Boden verliefen zahlreiche schmale Rinnen, durch die dampfendes Wasser floss. Man musste aufpassen, wohin man trat, um nicht in eine dieser Warmwasserrinnen hineinzutappen. Parallel zu den Wasserläufen standen unzählige Reihen von hohen Regalen. In diesen Regalen befanden sich jedoch keine Bücher … sondern Muscheln, große und kleine, helle und dunkle, dicht an dicht.

Alea trat staunend an eines dieser Regale heran. Hier lagen ausnahmslos Muscheln, die größer waren als ihre Hand. Auf den Regalböden waren vor jeder Muschel Beschriftungen angebracht. Neugierig las Alea: *Geschichte der Kendarer, Geschichte der Marmullas, Geschichte der Quinks …*

Erstaunt ging Alea zum nächsten Regal. *Strömungen und Meerestiefen der Südsee, Sicher durch das Bermuda-Dreieck, Anbau von Mistellen im Flachwasser …*

Im folgenden Regal fanden sich Erzählungen. Alea blieb vor *Die Abenteuer der kleinen Wilma Wanderer* stehen und ließ den Blick über weitere Beschriftungen gleiten. Sie war nun noch kribbeliger als zuvor. All das wollte sie lesen! »Aber wo sind die Bücher?«, fragte sie verwirrt.

»Hier!« Artama trat neben sie und nahm eine der Muscheln aus dem Regal. »*Wilma Wanderer* habe ich in meiner Kindheit bestimmt zehn Mal gelesen, obwohl ich die Geschichte bereits nach dem zweiten Mal auswendig kannte«, sagte sie lachend, bückte sich und ließ die Muschel durch das Wasser in der Rinne zu ihren Füßen gleiten. Als sie sich wieder aufrichtete, hielt sie die handtellergroße Muschel flach vor sich, strich mit dem Finger einmal vollständig um den Rand herum und blickte in das mit Wasser gefüllte, gewölbte Innere der Muschel.

Lennox und Alea reckten sich vor, um ebenfalls hineinzuschauen. Ungläubig riss Alea die Augen auf. Im

Wasser bildeten sich Buchstaben! *Wilma Wanderer. Erstes Kapitel. Der Trosk nach Vendorra* war dort in Hajara zu lesen.

Alea lehnte sich so weit vor, dass ihre Nase beinahe das Wasser berührte. »Die Geschichte steckt in der Muschel?«

»Ja«, erwiderte Artama. »Das Wasser aktiviert die Geschichte, und dann läuft sie in genau der Geschwindigkeit vor dir ab, die deine Augen zum Lesen brauchen.«

»Das ist Magie!«, rief Alea.

»Natürlich«, gab Artama leichthin zurück. Dann schien sie zu begreifen, warum das für Alea so verwunderlich war. »Wenn man eng mit Magischen zusammenlebt, findet sich im Laufe der Zeit auch immer mehr Magisches im Alltag. Das ist doch ganz normal, oder?«

Alea grinste verdutzt.

Lennox starrte indessen mit angestrengt zusammengekniffenen Augen in die Muschel.

»Ist das für dich nicht gut zu erkennen?«, fragte Artama.

»Mit Wasserschrift habe ich Probleme«, gestand Lennox.

Artama nickte. »Wir sind ja auch wegen etwas anderem hergekommen.« Sie ließ das Wasser in die Rinne zurückfließen. »Eine Muschel trocken zu halten, bewahrt die Sichtbarkeit des Inhalts«, erklärte sie, während sie die *Wilma-Wanderer*-Muschel mit einem kleinen Tuch abrieb und wieder ins Regal legte. »Muscheln, die in den Haushalten der Unterwasserstädte gelesen und aufbewahrt wurden, verblassten nach einer gewissen Zeit. Diese hier nicht.« Sie steckte das Tuch in eine Halterung am Regal zurück.

»Da drüben sind auch ganz kleine«, stellte Lennox fest und deutete auf das Regal gegenüber.

»Das sind Muscheln für Kobolde«, antwortete Artama. »So klein, dass Meermenschen sie kaum lesen können, aber gerade richtig für die Kobolde.«

»Können Isibellen diese Muscheln auch lesen?«, fragte Alea. Isibellen waren kaum größer als Kobolde.

»Das könnten sie gewiss«, sagte Artama, »aber die Muscheln für Isibellen sind weiter hinten.« Sie deutete den Gang hinab. »Isibellen haben andere Interessen als Kobolde und deswegen ganz eigene Muscheln.« Artama verschränkte die Finger. »Kommt, gehen wir zu den Botschaften der Eltern.«

Lennox holte vernehmlich Luft. Alea griff nach seiner Hand und drückte sie, obwohl sie sich selbst fühlte, als würden ihr jeden Moment die Beine versagen.

Sie folgten Artama durch mehrere Gänge und über ein Dutzend Rinnen, dann lichteten sich die Regalreihen und gaben den Blick auf einen runden, steinernen Brunnen frei. Er stand mitten im Raum, hüfthoch und dunkel – und eigentlich handelte es sich eher um ein schlichtes Wasserbecken als um einen Brunnen. Doch das Wasser wirkte seltsam, regelrecht geheimnisvoll und verschwiegen. Beim Näherkommen wurde Alea klar, warum sie diesen Eindruck hatte: In dem Becken waren keinerlei

Farben oder Formen zu erkennen. Das Wasser lag einfach nur still und dunkel da.

Lennox und Alea folgten Artama zu dem Becken. »Sind die Botschaften hier drin?«, fragte Lennox.

»Ja, das sind sie«, antwortete Artama.

Da hörten sie schlurfende Schritte. Alea drehte sich erschrocken um. »Was ist das?« Das Schlurfen kam näher.

Artama machte eine beschwichtigende Handbewegung. »Keine Sorge, das ist nur ein Gilf.«

»Ein Gilf?«, wiederholte Lennox und stellte sich vor Alea, sodass sie um seinen Rücken herumspähen musste.

Im nächsten Moment stapfte eine gedrungene Kreatur zwischen den Regalen hervor. Sie war kaum einen Meter groß und hatte ein derart hässliches Gesicht, dass Alea sich die Hand vor den Mund schlug, um nicht zu schreien.

Der Kopf des Wesens erinnerte stark an den einer Echse, dabei ging es auf zwei Beinen und zog einen langen Echsenschwanz hinter sich her.

»Reburius!«, rief Artama freundlich. »Danke, dass du kommst. Wir können deine Hilfe gut gebrauchen.«

Die Kreatur – Reburius – war stehen geblieben und beäugte Lennox und Alea misstrauisch aus schmalen gelben Augen.

»Hallo«, sagte Lennox, und Alea bewunderte ihn für seinen Mut. Dieses Ding, dieser … Gilf guckte sie an, als würde er sie am liebsten umschubsen und über sie hinwegtrampeln.

Reburius stieß ein mürrisch klingendes Grummelgeräusch hervor, watschelte zu ihnen herüber und schob Lennox und Alea zur Seite.

Alea erschauderte, als der Gilf sie am Arm berührte.

»Sie leben nicht allein hier?«, fragte Lennox Artama, während Alea sich den Arm rubbelte.

»Es sind keine Meermenschen mehr hier«, gab Artama Lennox zur Antwort, »aber ich bekomme häufig Besuch von Magischen. Und einige wohnen sogar mit mir zusammen«, fügte sie mit Blick auf Reburius hinzu. Der hantierte gerade brummend am äußeren Beckenrand herum, zog mit seinen Krallenhänden einen winzigen Hebel zwischen zwei Steinen hervor und betätigte diesen. Gleich darauf leuchtete etwas in der Mitte des Beckens auf, und aus der Tiefe strahlte gleißendes Licht.

»So ist es besser«, sagte Artama zu Reburius. »Wir hätten das Licht für die Botschaften natürlich nicht unbedingt gebraucht, aber so ist es viel schöner, danke!«

Reburius nuschelte etwas Unverständliches, schob Alea abermals zur Seite und schlurfte mit verkniffener Miene davon.

»Die Gilfen sind nicht unbedingt für ihre Freundlichkeit bekannt.« Artama lachte leise. »Aber sie sind unentbehrlich, wenn man einen Ort wie Rach Turana aufrechterhalten will.«

Alea hörte Artama nur mit halbem Ohr zu, denn sie starrte auf das stille Wasser, das nun hell erleuchtet vor ihnen lag. Es war warm, das konnte sie sehen. Aber sonst sah sie nichts. Keinen Hauch von Farbe, kein noch so kleines Formgebilde.

»Das Wasser wurde von den Gilfen bereinigt«, erläuterte Artama, die zu ahnen schien, worüber Alea sich wunderte. »Es sind keine Informationen außer den Botschaften darin.«

»Ach so«, flüsterte Alea mit heiserer Stimme. Vor Aufregung konnte sie ihre Beine kaum noch spüren.

»Möchtest du beginnen?« Artama lächelte Alea ermunternd an. »Halte die Hand hinein. Deine Hand stellt eine Verbindung zur Botschaft deiner Eltern her – falls sie hier etwas für dich hinterlassen haben.«

Alea holte tief Luft, streckte ihre zitternde Hand aus und tauchte sie in das warme Wasser. Augenblicklich zuckten um ihre Hand herum kupferfarbene Schlieren auf – was nichts anderes bedeutete, als dass Alea angespannt, aufgeregt und ein wenig überfordert war.

Dann beobachtete Alea, wie ihre zuckenden Kupferschlieren sich veränderten. Sie tanzten unruhig umher und verwandelten sich dabei langsam in glänzende, silberne Gebilde, die an kleine Sterne erinnerten. Alea musste heftig schlucken, als sie begriff, dass das *ihre eigene* Farbe war. Die silbernen Sternchen waren wie sichtbare Funken ihres ureigensten Wesens.

Die Sternchen schwammen nun davon. Es war, als würden sie ins Wasser hinabgezogen, als saugte eine starke Kraft sie in die Tiefe des Beckens.

»Du kannst die Verbindung wahrscheinlich sogar sehen?«, sagte Artama in fragendem Ton.

Alea machte gebannt »Mhm« und verfolgte, wie die Sternchen in der Tiefe verschwanden. Mit heftigem Herzklopfen stand sie da und wartete. Hatte ihre Mutter es von Renesse bis nach Rach Turana geschafft? Würde sie gleich eine Nachricht von ihr im Wasser lesen können?

Da kehrte der Strom sich um. Nun floss etwas zu ihr zurück! Es war tiefblau und … verfestigte sich. Irgendetwas formierte sich im Wasser und wurde größer und größer.

Gleich darauf erhob sich eine Gestalt aus dem Becken. Alea wich einen Schritt zurück, und Lennox schnappte erschrocken nach Luft. Auf der Wasseroberfläche stand das Abbild eines Mannes! Es wirkte wie die Projektion eines alten Films auf einer Leinwand – einer Leinwand aus rieselndem Wasser. Doch der Mann war so gut zu erkennen, dass Alea das Gefühl hatte, seine klargrünen Augen richteten sich direkt auf sie.

»Wer ist das?«, ächzte Alea.

Der Mann war dunkelhaarig und blass. Und er sah ihr ähnlich.

Er begann, zu sprechen. »Alea«, sagte er mit einer tiefen, gut hörbaren Stimme, in der eine Mischung aus Eile und Trauer zu liegen schien. »Ich weiß nicht, ob du das hier jemals sehen wirst, aber ich bin dennoch hergekommen, um Botschaften für euch zu hinterlassen«, erklärte er. »Ich bin Keblarr, dein Vater.«

Alea schwankte und hielt sich an Lennox fest, der sie zu stützen versuchte.

»Ich will dir Folgendes sagen ...«, brachte ihr Vater hervor. »Es tut mir so leid.« Er fuhr sich über die Augen und wirkte unendlich müde und niedergeschlagen. »Als das Fieber ausbrach, war ich nicht bei euch. Ich war mit unserer Walfamilie auf Trosk«, sagte er. »Deine Mutter war mit euch in der Stadt. Weißt du, es ist schwierig, mit Babys auf Wal-Trosk zu gehen, deswegen hatte sie seit eurer Geburt bei sesshaften Freunden gewohnt, und ich hatte unsere Wale allein begleitet. Es war der letzte Trosk, den ich ohne euch machen wollte«, fügte er bitter hinzu. »Ihr Kinder konntet langsam schon weite Strecken schwimmen, und ... beim nächsten Trosk wären wir alle zusammen gewesen.«

Alea spürte, wie ihr Tränen in die Augen stiegen.

»Als ich von der Epidemie erfuhr, kehrte ich sofort in die Stadt zurück«, sprach Keblarr weiter. »Aber ihr wart nicht mehr dort. Von einer Nachbarin erfuhr ich, dass sich eure Mutter mit dem Virus infiziert hatte –« Er brach ab und blickte zur Seite. Weinte er? »Die Nachbarin, die auch schon krank war, sagte, Nelani hätte vorgehabt, euch an Land zu bringen.« In seinen Augen schimmerten Tränen. »Nelani ist der Name eurer Mutter ...« Er wischte sich die Tränen fort. »Offenbar war ihr Plan, dich und deine Zwillingsschwester getrennt zu übergeben.«

Alea bekam eine Gänsehaut.

Zwillingsschwester.

»Nelani dachte wohl, dass ihr durch eine Trennung größere Chancen hättet, mit euren Hautfalten nicht aufzufallen und unerkannt unter den Landgängern zu überleben«, sprach er aufgewühlt weiter. »Ich weiß nicht, ob sie euch wirklich getrennt hat. Ich weiß gar nichts!« Seine Stimme bebte. »Ich habe mich damals auf eine Fähre geschmuggelt, die zum Festland fuhr. Ich musste raus aus dem Wasser, solange ich noch nicht infiziert war.« Er straffte die Schultern und schien sich zusammenreißen zu wollen. »Wochenlang habe ich sämtliche Küstenorte Belgiens und Hollands nach euch abgesucht, aber …« Er wischte sich mit dem Ärmel über die Nase. »Ich habe euch nicht gefunden, keine von euch dreien. Nicht einmal den kleinsten Hinweis habe ich.« Er ließ die Schultern wieder sinken. »Ich weiß nicht, wo ihr stecken könntet und ob ihr überhaupt noch lebt. Und deshalb …« Er seufzte schwer. »Deshalb bin ich nach Schottland gekommen und habe mich über Land nach Rach Turana durchgeschlagen. Das war gar nicht so leicht.« Er lachte freudlos. »An Land muss man für alles und jedes mit Geld bezahlen. Aber wie auch immer …« Keblarrs Augen schienen Alea zu suchen, und er blickte nur knapp an ihr vorbei. »Ich scheine mich aus irgendeinem Grund nicht infiziert zu haben. Vielleicht bleibe ich am Leben.«

Alea rang nach Luft.

»Ich habe mich mit ein paar anderen Überlebenden zusammengeschlossen«, fuhr Keblarr fort. »Wir werden zusammen nach Island gehen. Dort gibt es heiße Quellen, in denen wir womöglich leben können. Der Virus ist im warmen Wasser harmlos, heißt es«, setzte er wie zu sich selbst hinzu, dann richtete er sich wieder an sie. »Alea, falls du noch lebst und das hier hören kannst, bitte ich dich: Komm zu mir! Komm nach Island.« Er hob die Hand, als wollte er nach ihr greifen. Dann ließ er sie wieder sinken. »Ich nehme jetzt noch eine Botschaft für Anthea auf, falls ihr wirklich getrennt nach Rach Turana kommt.«

Anthea.

Der Name sandte ein leises Summen durch Aleas Körper.

Keblarr verabschiedete sich. »Auf Wiedersehen, mein Kind«, sagte er und betonte das Wort *Wiedersehen*, als läge all seine Hoffnung darin. »Ich wünsche dir alles Glück und alle Kraft auf deinem Weg. Möge dich stets guter Wellenschlag begleiten.«

Dann wurde das Abbild plötzlich blasser, und es schien, als würde das Wasser es wieder einsaugen. Ein blauer Strom floss zurück in die Tiefe des Beckens.

Alea stand wie erstarrt da.

»Wenn keine weitere Botschaft aufsteigt, wurde für dich nichts anderes hinterlassen«, sagte Artama, nachdem sie ein paar Augenblicke abgewartet hatte.

Mit Tränen in den Augen nickte Alea und hielt sich an Lennox fest.

»Setz dich am besten einen Moment hin«, riet Artama.

Alea ließ sich auf den warmen Boden sinken. Hinter ihren Schläfen pochte es, als müssten die Dinge, die sie soeben erfahren hatte, unweigerlich ihren Kopf explodieren lassen. Doch auch ihr Herz pochte heftig. Es war schwer zu sagen, ob es vor Freude darüber schlug, dass ihr Vater vielleicht noch lebte und dass sie eine Zwillingsschwester hatte, oder ob aus Trauer darüber, dass ihre Mutter allem Anschein nach tatsächlich tot war – sonst hätte sie ja ebenfalls eine Botschaft für Alea hinterlegt.

Lennox betrachtete Alea besorgt.

»Alles in Ordnung«, sagte sie abwinkend. »Ist nur ein bisschen viel auf einmal.«

»Wenn ihr morgen weitermachen wollt …«, begann Artama, aber Lennox unterbrach sie.

»Nein«, sagte er. »Ich bin jetzt dran.« Mit einem entschlossenen Schritt trat er vor und tauchte seine Hand in das Becken.

Alea konnte vom Boden aus nicht sehen, was im Wasser geschah. Wenig später erschien jedoch das Abbild einer zweiten Person auf der Oberfläche.

Alea stand auf und griff nach Lennox' Hand, denn er sah aus, als würde er jeden Moment zusammenbrechen.

»Mama …«, flüsterte er und starrte gebannt auf das Abbild einer bildschönen Frau mit langem, dunklem Haar und azurblauen Augen.

»Lenny, mein Schatz«, begann sie mit rauer Stimme. Nun erst fielen Alea Xenias fieberrote Wangen auf. »Wenn du das hier siehst, bin ich schon tot. Ich bin infiziert und habe wahrscheinlich nur noch wenige Stunden zu leben.«

Lennox stöhnte auf, und Alea drückte seine Hand ganz fest.

»Ich will dir erzählen, was du wissen musst – falls du jemals herkommst«, sprach Xenia angestrengt weiter. Alea konnte sehen, dass sie am ganzen Leib zitterte, als hätte sie schweren Schüttelfrost. »Ich weiß nicht, ob du jemals herausfindest, wer du bist. Du bist halb Landgänger, halb Oblivion, aber deine Landgängerseite scheint – wenigstens äußerlich – zu überwiegen. Womöglich lebst du ein zufriedenes Leben an Land, ohne jemals zu ahnen ...« Sie griff sich an die Stirn, als versuchte sie, sich zu konzentrieren. Die Knubbel zwischen ihren Fingern waren dabei deutlich zu erkennen. »Weißt du, ich hatte nie geplant, ein Kind mit deinem Vater zu bekommen, da bin ich ganz ehrlich.« Sie lachte, und es klang verzweifelt. »Es war eine verrückte Sommerromanze zwischen zwei Leuten, die eigentlich überhaupt nicht zusammenpassten. Aber versteh mich nicht falsch! Als ich von meiner Schwangerschaft erfuhr, habe ich mich sehr gefreut. Ich hatte gleich das Gefühl, dass du jemand bist, den man einfach nur lieb haben konnte. Damals hatte ich den Plan, dich in unserem Clan gemeinsam mit deinen Cousins und Cousinen aufwachsen zu lassen. Nach deiner Geburt habe ich allerdings festgestellt, dass du keine Kiemen hast und unter Wasser nicht atmen kannst. Also musste ich diesen Plan verwerfen.« Sie stemmte ihre zitternden

Hände in die Seiten.»Stattdessen wollte ich versuchen, mit deinem Vater und dir an Land zu leben. Dein Vater ist zwar ein schwieriger Mensch, aber ich glaube dennoch, dass etwas Gutes in ihm steckt. Zweieinhalb Jahre lang hat es ja auch ganz gut funktioniert«, sagte sie und musste sich unterbrechen. Sie schien starke Schmerzen zu haben.»Ich habe deinem Vater nie gesagt, dass ich ein Meermensch bin«, fuhr sie schließlich fort.»Er hat nie gemerkt, wie oft ich mich nachts zum Strand und ins Meer davongestohlen habe. Oblivionen werden nicht gesehen, wenn sie nicht gesehen werden wollen, weißt du?« Sie lächelte, während sie sich zu bemühen schien, ihr Zittern zu unterdrücken.»Einige Male habe ich dich dabei mitgenommen. Du konntest sofort schwimmen – wie ein richtiges Meerkind. Auch deine Augen waren blau wie meine. Aber niemand übersah dich im Kinderwagen ...« Sie schüttelte den Kopf.»Der Tarneffekt stellt sich allerdings auch bei vollständigen Oblivionen erst in einem Alter zwischen sieben und acht Jahren ein.« Sie hielt inne und beugte sich mit zusammengepressten Lidern vor. Die Schmerzen mussten furchtbar sein.

»Mama ...« Verzweifelt streckte Lennox die Hand nach ihr aus.

Xenia richtete sich mühsam wieder auf.»Regelmäßig habe ich meinen Clan in der Ostsee besucht, immer nachts, wenn dein Vater geschlafen hat. Manchmal habe ich dich mitgenommen, und deine Großeltern, deine Tanten und Onkel haben dich tief ins Herz geschlossen.

Sie hätten dich und mich so gern bei sich gehabt, aber das war ja leider unmöglich.« Gequält räusperte sie sich. »Dann habe ich von dem grauenhaften Fieber gehört. Ich habe schnell gemerkt, dass ich infiziert bin. Aber du bist gesund. Ich habe die Hoffnung, dass dich deine Landgängerseite vor Ansteckung schützt. Dieser Virus scheint dir nichts auszumachen. Oder vielleicht liegt es daran, dass die Symptome bei Kindern erst später auftreten?« Starr blickte sie ins Leere. »Aber nein, ich muss daran glauben, dass der Virus dir nichts anhaben kann.« Sie schaute wieder auf. »Als ich ins Meer zurückgegangen bin, habe ich dich bei deinem Vater gelassen. Ich werde sterben. Und du würdest im Wasser auch nicht überleben. Ich bin in die Ostsee zurückgekehrt, um meinen Eltern und Geschwistern beizustehen. Womöglich hätten wir noch einen von ihnen retten können – doch jetzt weiß ich, dass alle krank sind. Meine Brüder sind bereits gestorben.« Ein heftiges Schluchzen entrang sich ihrer Brust. »Meine ganze Familie wird ausgelöscht«, brachte sie verzweifelt hervor. »Du wirst der einzige Überlebende von uns sein.«

Lennox liefen ebenfalls Tränen über die Wangen.

»Mit letzter Kraft bin ich nach Rach Turana geschwommen, um eine Botschaft für dich zu hinterlassen – für den unwahrscheinlichen Fall, dass du herausfindest, wer du wirklich bist, und von diesem Ort erfährst.« Ihr versagte die Stimme, und ein heftiger Krampf schien sie zu erfassen.

Lennox schluchzte auf.

Alea drückte seine Hand ganz fest.

»Ich möchte dir vor allem sagen, dass ich dich furchtbar lieb habe«, flüsterte Xenia kaum hörbar. »Ich hätte dich so gern aufwachsen gesehen …«

Lennox' Hand wurde weich. Alles an ihm wurde weich. Er schien regelrecht in sich zusammenzufallen. Alea konnte ihn kaum noch stützen. Artama trat zu ihnen und hielt Lennox ebenfalls fest.

»Es sollte wohl nicht sein«, sagte Xenia unter Tränen. Dann atmete sie tief durch. »Bitte geh trotz allem nicht ins Wasser. Pass auf dich auf! Und versuche, ein ganz normales Leben bei den Landgängern zu führen, ja? Das Volk der Meermenschen ist dem Untergang geweiht. Hier gibt es keine Zukunft für dich.« Sie schien sich noch einmal zusammenzunehmen und lächelte. »Ich liebe dich, Lenny. Leb wohl.«

Das Abbild wurde blass, dann verschwand es im Wasser.

Lennox sank auf die Knie. Sein Oberkörper zuckte heftig, doch kein Laut kam über seine Lippen. Alea hielt ihn fest, so gut sie konnte.

Sie verstand seine Verzweiflung gut. Die Worte seiner Mutter hatten keinen Schimmer von Hoffnung enthalten, nichts, das ihm einen neuen Weg hätte aufzeigen können. Xenia war tot und ihre Meerfamilie ausgerottet, aber bei seinem Vater gab es für Lennox auch kein Leben mehr. Es schien für ihn keinen Ort zu geben, an den er gehen konnte, kein Zuhause, keine Zuflucht. Nicht einmal die *Crucis* und ihre Crew waren ihm geblieben.

In Aleas Kopf hingegen hüpfte ein Wort auf und ab: *Island.* Schon im nächsten Moment hatte sie jedoch ein schlechtes Gewissen, weil dieses Wort ihr Hoffnung schenkte, während Lennox völlig am Boden zerstört war und verzweifelt und kraftlos in ihren Armen hing.

»Haben Sie sie gesehen?«, presste er schließlich hervor und sah Artama hoffnungsvoll an. »Sie waren doch damals schon hier. Haben Sie meine Mutter getroffen?«

Artama schüttelte bedauernd den Kopf. »Nein, ich glaube nicht. Es kamen damals innerhalb einer kurzen Zeit so viele Leute …« Es schien ihr aufrichtig leidzutun, Lennox nichts Tröstliches sagen zu können. »Die Gilfen kümmerten sich damals um die Aufnahmen. Sie sind Abbildungskünstler. Nur durch sie war es überhaupt möglich, die Botschaften der Eltern in dieser Form festzuhalten und zu speichern. Ich war bei den Aufnahmen aber nicht dabei.«

»Die Gilfen?« Lennox richtete sich auf. »Hat vielleicht einer von ihnen –«

Da schlurfte Reburius – oder ein anderer Gilf, das war schwer zu sagen – zwischen den Muschelregalen hervor. Mit miesepetriger Miene kam er herangewatschelt und begann abermals, am steinernen Rand des Wasserbeckens herumzuhantieren.

Lennox blickte Artama fragend an, aber diese zuckte nur unschlüssig die Achseln. »Reburius, was machst du denn da?«, erkundigte sie sich höflich bei dem Gilfen.

Der antwortete jedoch nicht. Stattdessen zog er unvermittelt Lennox' Hand ins Wasser. Lennox erschreckte sich sichtlich, ließ seine Hand aber, wo Reburius sie platziert hatte.

Reburius angelte nun schnaufend nach etwas, das offenbar in der Beckenwand verstaut war. Gleich darauf kam ein langer Stab hervor, und Reburius fummelte mit den Krallenhänden daran herum. Wenn Alea das richtig sah, befestigte er einen flachen Stein am Ende des langen Dings. Dann steckte er die Konstruktion ins Wasser und legte Lennox' Hand auf das obere Ende. Mit verkniffenem Gesicht ruckte er anschließend einmal mit dem Stab zur Seite, drehte ihn und klopfte darauf – wie ein Bildhauer, der ein Kunstwerk erschafft – und zog ihn schließlich wieder heraus.

Artama schien nun zu wissen, was Reburius da tat, denn auf ihrem Gesicht machte sich ein erfreutes Lächeln breit.

Reburius zog den flachen, tropfenden Stein vom Ende des Stabes ab und gab ihn Lennox.

Der nahm ihn perplex entgegen, während Reburius schon wieder grummelnd davonstapfte.

Verwundert blickte Lennox auf den Stein in seiner Hand. Im nächsten Moment riss er die Augen auf. »Das gibt's doch gar nicht!«, stieß er hervor, und in seine Augen traten augenblicklich neue Tränen.

Alea reckte sich vor und sah sich den Stein genauer an. Gleich darauf lief ihr ein Schauer über den Rücken. Xenias Gesicht war auf der Oberfläche zu sehen! Der Gilf hatte Lennox ein Bild seiner Mutter geschenkt.

Lennox weinte nun haltlos, und Alea ahnte, wie er sich fühlen musste. Er hatte nun ein Andenken, eine Art Foto, das er immer bei sich tragen konnte. Das freute und rührte ihn bestimmt, aber den Schmerz konnte der Bildstein nicht verschwinden lassen. Außer diesem kleinen Ding hatte Lennox nichts, woran er sich festhalten konnte. Alea umschlang Lennox nun mit beiden Armen von hinten. Wenn er wollte, dann sollte er sich wenigstens an ihr festhalten können.

Lennox umfasste mit beiden Händen ihre Unterarme. Er hielt sich tatsächlich fest, und Alea war unglaublich froh, dass er nicht zu stolz dazu war – und dass er sich auch nicht für seine Tränen schämte! Zwar war Lennox ein furchtloser Krieger, doch in diesem Moment war er einfach nur ein Junge, der seine Mutter gerade zum zweiten Mal verloren hatte.

Artama entfernte sich taktvoll und ließ sie allein.

Alea und Lennox saßen einfach nur da, und Alea rührte sich keinen Zentimeter. Sie würde so lange hier sitzen bleiben, wie Lennox sie brauchte.

Nach und nach wurde Lennox' Weinen leiser, und schließlich versiegten seine Tränen.

Alea wollte ihn gerade fragen, ob sie etwas zu trinken für ihn holen sollte, da sah sie, wie ein zweiter Gilf neben einem Muschelregal an Artama herantrat. Er wisperte ihr etwas zu, und Artamas Augen weiteten sich. Mit schnellen Schritten kam sie zu Alea und Lennox herüber. »Horbatikus sagt, er habe soeben etwas verzeichnet, das für euch von großem Interesse sein könnte«, erklärte sie. Mit einem Blick auf Lennox fügte sie hinzu: »Etwas, das wie gerufen kommt.«

Horbatikus schlurfte mit finsterem Gesichtsausdruck zu einer der Wasserrinnen und warf einen Kiesel in die Rinne. Gleich darauf erhob sich ein Bild aus dem Wasser. Doch diesmal war es keine Gestalt, kein Meermensch, sondern etwas ganz anderes.

»Was …«, presste Alea hervor.

Artama unterbrach sie. »Das Bild, das ihr dort drüben seht, hat Horbatikus vor wenigen Minuten auf dem Fluss Ness verzeichnet, der Loch Ness mit dem Meer verbindet.«

Lennox setzte sich ungläubig auf.

Artama lächelte. »Ich denke, es ist Zeit für euch, an die Oberfläche zurückzugehen.«

Alea erhob sich. Wie war das möglich? Konnte es wirklich sein?

Lennox stand ebenfalls auf. »Wir müssen sofort los!«, sagte er, und in seiner Stimme schwang plötzlich der Funken Hoffnung mit, der zuvor darin gefehlt hatte.

»Ja«, sagte Alea, und ihr Herz schlug schneller. »Ja.«

Mit dem Wind hinaus

Alea und Lennox folgten Artama im Eilschritt aus der Bibliothek und durch verschiedene Gänge. Dabei kam ihnen ein weiterer mürrisch dreinblickender Gilf entgegen, der Artama ein Bündel überreichte, das diese sogleich an Lennox weitergab. »Rofus«, erklärte sie und drückte seine Hand herzlich. Dann brachte sie die beiden zu dem großen Eingangstor zurück, hinter dem der grün glitzernde Lufttunnel noch immer auf Alea und Lennox wartete.

»Wie können wir Ihnen nur jemals danken?«, fragte Alea. Artama hatte jahrelang hier ausgeharrt, ohne zu wissen, ob wirklich eines Tages Meerkinder kommen würden.

»Dass ihr hierhergefunden habt, ist mir Lohn genug«, erwiderte Artama bescheiden.

»Sie haben uns so viel geschenkt«, sagte Lennox und drückte Artamas Hand noch einmal. »Ohne Sie wären wir noch immer völlig ahnungslos.«

»Schon gut«, wehrte Artama ab. »Lauft nun los, schnell!« Mit einer mütterlichen Geste schob sie die beiden durch das große Tor. »Möget ihr stets guten Wellenschlag haben!«, rief sie ihnen nach. Dann trat sie einen Schritt zurück und winkte. Gleich darauf schloss sich das große Tor ächzend.

Alea war völlig aufgekratzt. Sie mussten so schnell wie möglich an die Wasseroberfläche! Mit weit ausholenden Schritten liefen sie los. Sie mussten jedoch schon bald ihre Geschwindigkeit verringern, denn sie waren hundemüde und hatten kaum noch Reserven. Allein der Gedanke an das, was oben auf sie wartete, trieb sie vorwärts.

Mit letzter Kraft schleppten sie sich durch den Tunnel, bis sie Licht an der Oberfläche des Sees sahen. Es musste früher Morgen sein. Ihre Schritte wurden wieder schneller, und wenig später hatten sie das Ufer erreicht. Ihre Rucksäcke und Lennox' Gitarre fanden sie unbeschadet dort, wo sie die Sachen zurückgelassen hatten.

Als Alea sich umdrehte, zog sich der Lufttunnel gerade hinter ihnen zusammen und verschwand mit einem leisen *Blubb* unter der Wasseroberfläche.

Sie blickten sich um. Loch Ness lag in geheimnisvoller Erhabenheit vor ihnen. Doch weit und breit war nichts von …

»Da!«, rief Lennox und wies über seine Schulter.

Aleas Kopf fuhr herum, und im nächsten Augenblick brandete eine grandiose, tosende Welle der Freude in ihr auf.

Im hell glänzenden Morgenlicht fuhr gerade ein Boot durch die Mündung des Loch Ness ein – ein uriges, altes Segelschiff mit abblätternder grüner Farbe und einem stolzen Mast. Ein verwitterter Schriftzug stand auf der vorderen Seite: *Crucis.*

Alea schrie vor Freude auf, gleichzeitig schossen ihr die Tränen in die Augen. »Das gibt es doch nicht!«, rief sie lachend und weinend zugleich. »Sie sind hier!«

Lennox schien es ebenfalls kaum fassen zu können. Auf seinem völlig übermüdeten Gesicht spiegelte sich ein tiefes, sehnsüchtiges Glücksgefühl.

»Sammy steht am Bug!«, rief Alea freudestrahlend und deutete auf die kleine Gestalt, die sich über die Reling beugte und offenbar in alle Richtungen Ausschau hielt.

»Hier! Hier sind wir!«, brüllte Lennox und ruderte mit den Armen.

Alea begann ebenfalls, zu rufen und mit den Armen zu wedeln, und kurz darauf nahm die *Crucis* direkten Kurs auf sie.

Alea konnte es kaum aushalten und hüpfte aufgeregt auf der Stelle. Ihre Müdigkeit war mit einem Schlag verflogen, und all das, was sie zuvor noch bedrückt hatte, war in diesem einen überglücklichen Moment vergessen.

Dort war Ben! Er winkte ihnen zu und warf die Arme dabei regelrecht durch die Luft, als würde er am liebsten ebenfalls hüpfen.

»Lass uns rüberschwimmen«, sagte Lennox und riss das Bündel mit dem Rofus auf. Alea sah ihm erstaunt dabei zu, wie er sich ein paar Blätter des Krauts in den Mund steckte und rasch zu kauen begann. »Das hat schon mal so schnell funktioniert«, nuschelte er mit vollem Mund und schluckte. »Unsere Sachen können wir später holen. Ich will so schnell wie möglich aufs Schiff.« Er grinste Alea an. »Sollen wir?«

Alea lachte. »Na los!«, rief sie und sprang in den See.

Lennox war sofort neben ihr, tauchte mit ihr unter und schwamm an ihrer Seite zur *Crucis*. Dort kletterte Alea in Windeseile vor Lennox die Außenleiter hinauf.

Oben blickte ihr ein braun gebrannter Junge mit Rockstar-Wuschelfrisur entgegen. »Ha!«, rief Ben lachend, beinahe quietschend, schloss Alea in die Arme und drückte sie fest an sich. Dann hob er sie über die Reling und wirbelte sie überschwänglich herum.

Sammy kam angelaufen. »Schneewittchen!«, jubelte er und sprang an Alea und Ben hoch. Jauchzend legte er seine Arme um beide und ließ sich mit herumwirbeln.

Alea wurde ganz schwindelig, aber sie konnte nicht aufhören, zu lachen.

Da sah sie, dass Lennox ebenfalls über die Reling geklettert war und ihnen mit wehmütigem Blick zuschaute.

Ben hielt inne und ging mit Alea in dem einen und Sammy im anderen Arm zu ihm. »Scorpio!«, rief er. »Kriegerrübe! Würdest du mir glauben, wenn ich sage, dass ich tierisch froh bin, dass du wieder da bist?«

Lennox hob unsicher lächelnd die Schultern. »Wenn du das sagst …«

»Na los, komm her!« Ben zog Lennox in ihre Gruppenumarmung.

Lennox zögerte nicht und legte die Arme um Sammy und Alea. Sie hielten sich zu viert fest, und Alea entfuhr ein zutiefst glückliches Seufzen.

Auf einmal spürte sie, wie sich ein weiterer Arm um ihre Seite schlang und sich jemand zwischen sie und Lennox schob. Überrascht sah sie auf und blickte in ein schief lächelndes Gesicht.

»Tess!«, schrie Alea. Sie schrie wirklich, denn sie traute ihren Augen nicht. »Tess!«

Tess lachte und umarmte Alea nun mit beiden Armen. Die beiden hielten einander fest umschlungen, und Alea konnte Tess' Herz schlagen fühlen. Es schlug ebenso schnell wie ihres.

»Was machst du hier? Wieso bist du nicht bei deinen Eltern?«, wollte Alea wissen. Alle anderen Fragen an Tess mussten bis zu einem ruhigeren Moment warten.

Sie lösten sich voneinander, und Tess antwortete: »Meine Eltern sind noch am gleichen Abend nach Edinburgh gekommen, an dem du und Lennox allein losgezogen seid. Ich habe ihnen alles erklärt und mich bei ihnen für meine Lügen entschuldigt. Das war wirklich Mist. Ben und Sammy haben ihnen dann die *Crucis* gezeigt, und meine Eltern haben lange mit Ben allein geredet.« Grinsend schaute sie Ben an. »Er muss sie irgendwie verhext haben ...«

Ben lachte abwehrend. »Ich habe ganz normal mit ihnen gesprochen. Sie sind echt nette Leute, die dich sehr lieb haben.«

Tess senkte den Blick, nickte aber.

»Ich habe ihnen gesagt, dass ich den Eindruck hätte, du bräuchtest eine Auszeit, um ihre Trennung zu verarbeiten«, erklärte Ben. »Und dass du ein sehr vernünftiges, verlässliches Crewmitglied bist, das mir auf der *Crucis* sehr fehlen würde. Und dass wir gut auf dich aufpassen.«

»Du musst sie ganz schön beeindruckt haben«, bemerkte Tess.

»Ich habe sie bestimmt auch ganz schön beeindruckt«, warf Sammy ein.

Tess lachte. »Sie mochten euch wohl beide gern. So gern, dass sie mir erlaubt haben, auf der *Crucis* zu bleiben. Zumindest, bis im Herbst die Schule wieder losgeht.« Sie grinste. »Und sie werden auch niemandem etwas über Sammy und Ben verraten, das haben sie mir versprochen.« Sie lachte. »Das heißt, wir haben noch den ganzen Sommer!«

Alea schlug sich die Hand vor den Mund. »Das ist ja unglaublich.«

»Das ist der Hammer!«, krakeelte Sammy. »Wir sind alle wieder zusammen! Die Alpha Cru ist wieder vollzählig und vereint!«, rief er und sprang wie ein Flummi herum.

»Und ihr beide?«, fragte Ben Alea und Lennox, während er den herumhopsenden Sammy zu ignorieren versuchte. »Was habt ihr erlebt?«

»Und wie siehst du überhaupt aus, Schneewittchen?«, quatschte Sammy dazwischen und wies auf Aleas Hose, die eigentlich Lennox gehörte und außerdem so dreckig, aufgerissen und pitschnass war, dass es bestimmt ein einmaliger Anblick war.

»Das ist eine lange Geschichte«, antwortete Alea. »Eine sehr lange Geschichte.«

Sammy blieb stehen. »Wunderbärchen! Dann erzählt sie uns!«, bat er und nickte, als wollte er sich selbst beipflichten.

»Ja!«, stimmte Tess zu. »Was habt ihr über euch herausfinden können?«

Alea und Lennox tauschten einen Blick. »Wir wissen jetzt, wer wir sind«, erklärte Lennox.

»Wartet mal«, unterbrach Ben sie und hob die Nase in die Luft. »Da kommt gerade ein starker Wind auf. Sollen wir nicht lieber erst mal die Segel setzen und die Brise nutzen?«

»Aber wohin segeln wir denn als Nächstes?«, fragte Tess.

Ben schaute Alea und Lennox fragend an. »Habt ihr eventuell einen Vorschlag?«

»Wir müssen nach Island«, antwortete Lennox.

Aleas Herz machte einen Sprung.

»Island?«, rief Ben. »Da waren wir ja schon ewig nicht mehr!« Er lachte. »Wisst ihr, Island ist mein absolutes Lieblingsland. Und jetzt im Juli ist Island am schönsten!«

Sammy quiekte zustimmend.

»Lasst uns die Segel setzen!«, rief Ben. »Und dann zieht ihr euch was Trockenes an und erzählt uns alles.«

»Wir müssen noch unsere Sachen holen«, warf Lennox ein.

»Kein Ding, wir kommen ja daran vorbei und können kurz mit der *Hercules* rüber«, erwiderte Ben. Dann reckte er den Kopf dem Wind entgegen. »Es geht nach Westen!«

»Ja, nach Westen«, sagte Alea und hörte, dass ihr Ton mit einem Mal richtig feierlich war. »Die Alpha Cru segelt wieder.«

Lennox streckte als Erster die Hand aus. Die anderen legten ihre Hände darüber. »Alpha Cru!«, erscholl daraufhin ihr Ruf über dem Loch Ness.

Dann sprangen alle auf, packten kräftig mit an und setzten die Segel. Mit der Sonne im Rücken und dem Wind im Haar stachen sie volle Kraft voraus in See – Benjamin Libra, Samuel Draco, Tess Taurus, Lennox Scorpio und Alea Aquarius.

Meeresmagie, Abenteuer, Rätsel und ganz wunderbare Freunde!

Tanya Stewner
Alea Aquarius.
Der Ruf des Wassers
320 Seiten · Ab 10 Jahren
ISBN 978-3-7891-4747-0

Alea fühlt den Sog des Meeres, seit sie denken kann – und doch fürchtet sie es. Denn wenn sie mit Wasser in Berührung käme, könnte es tödlich für sie enden. Das hat Aleas Mutter ihrer Pflegemutter gesagt, bevor sie verschwand. Doch eines Tages wird Alea bei einem Sturm über Bord geschleudert. Danach ist nichts mehr, wie es war ...

Oetinger

Weitere Informationen unter: **www.oetinger.de**

Der wahre Gentleman ist immer ein Junge der Tat

Kirsten Boie
**Thabo, Detektiv und
Gentleman – Der Nashorn-Fall**
ca. 288 Seiten · Ab 10 Jahren
ISBN 978-3-7891-2033-6

Thabo will eines Tages ein echter Gentleman werden. Oder noch besser: ein Privatdetektiv wie im Film. Dumm nur, dass es im afrikanischen Örtchen Hlatikulu noch nie einen Kriminalfall gab. Doch dann wird im angrenzenden Safaripark ein Nashorn wegen seines kostbaren Horns ermordet. Als sein Onkel in Verdacht gerät, liegt es an Thabo und seinen Freunden, den wahren Nashorn-Mörder aufzuspüren.

Oetinger

Weitere Informationen unter:
www.oetinger.de und **www.kirsten-boie.de**

Verwunschene Ferien
und große Geheimnisse

Antonia Michaelis
Das Blaubeerhaus
352 Seiten · Ab 10 Jahren
ISBN 978-3-7891-4300-7

Kein Strom, kein fließendes Wasser und wilde Natur pur: Leo und Imke verbringen die Ferien im Haus ihrer verstorbenen Tante. Dort geschehen merkwürdige Dinge, und ein Schatten schleicht durchs Haus. Spukt es hier etwa? Leo und Imke versuchen herauszufinden, was dahintersteckt und stoßen auf ein Geheimnis aus längst vergangener Zeit ...

Ein großartiges Ferienabenteuer über eine wunderbare Kinderfreundschaft.

Oetinger

Weitere Informationen unter: **www.oetinger.de**